细说秦汉

黎东方讲史之续

黎东方——著

陈文豪——整理　王子今——补编

上海人民出版社

出版说明

20世纪90年代后期,旅美著名历史学家黎东方教授的"细说体"历史著作《细说三国》《细说元朝》《细说明朝》《细说清朝》《细说民国创立》简体字版由上海人民出版社出版,从此,在中国大陆浩如烟海的史学著作中又增添了一种新的叙史体裁——"细说体"。

"细说体"源起于抗战期间黎东方教授在重庆的"讲史"盛举。当年黎教授以历史学家的睿智与妙趣横生的词锋,讲三国、讲武则天,倾倒四座,轰动山城,听众争相买票入场。黎先生"讲史"完全不同于一般说书人,他既不虚构任何一个人物,也不虚构任何一件事情,而是广泛地从各种史书中搜集和贯串史料,按需而取,以生动活泼、引人入胜的语言吸引了无数听众。"细说体"历史著作即以"讲史"的形式,将中国历史上的各个朝代中的重要人物、重要事件,以及职官、制度、文化、学术等等,分列为若干题目,以通俗生动的语言分别加以"细说",分则为独立的历史故事,合则为一朝断代信史,文字挥洒优美,史事详实可信,它使读者"以读《三国演义》的轻松心情,获得的却是胜于《三国志》的历史知识"(原台北大学历史系主任马先醒教授语)。无怪乎胡适博士读了《细说清朝》后,就曾力劝黎先生将历朝历代都"细说"一遍。而林语堂则将他自己的"幽默大师"名衔拱手礼让给黎东方先生。

"细说体"历史著作是用口讲说在先,以笔成文在后,因此,其文其质都别具特色。著名历史学家邓广铭先生盛赞黎东方以深厚学养和探索精神撰写"细说中国历史丛书",独辟历史通俗化的蹊径:"他用干净利落、明白晓畅的文字加以表述,使得具有初中以上文化水平的人都能读懂,而且都能读得饶有兴趣。""细说中国历史丛书"还以历史唯物主义的研究方法解答了一些民间传说和历史之谜,如秦始皇的神秘身世、孝庄太后有没有下嫁多尔衮、雍正是否吕四娘所杀、乾隆是否汉人之子等等,既具珍贵的史料价值,又有极强的可读性,这是一般史书所难以做到的。

"细说体"另一个特点是作者在叙述历史的同时,随时加以点评,鲜明地表达自己的好恶和观点,虽持一家之说,但冲破了某些正统的陈腐思想,颇具真知灼见,引导读者以现代的眼光看历史,很有新意。例如,作者认为刘备不仅不是圣人,而且不是贤人,因为他每逢军事失利,就把老婆儿子一起丢掉,只顾自己逃命。又如,作者认为曹氏篡汉,只是个"篡"字,因为天下是曹操自己打出来的;而司马氏篡魏,不仅是"篡",还要加个"窃"字,因为天下是司马懿靠"骗"和"媚"偷来的。再如,作者认为雍正为人虽狠,但政绩卓著,在位十三年胜过康熙六十一年的治绩。凡此种种,书中都有详细事例加以印证。

旅美著名学者、教育家顾毓琇先生,北京大学教授、著名宋史专家邓广铭先生,著名历史学家唐振常先生都热情洋溢地为以上五种细说书的简体字横排本作序,介绍了黎东方当年的"讲史"盛事以及"细说体"的由来和特色,使这位离开故乡五十年的资深史学家重新得到祖国大陆史学界和广大读者的关注。黎先生的五种细说书曾于20世纪60年代在台湾出版,受到读者的热烈欢迎;90年代在上海出版后,同样受到读者的追捧,出版社多次加印。这使黎东方先生受到很大鼓舞,也进一步加强了写齐从秦汉到民国全部历史的决心。当时,黎先生已年近九秩,他以老骥伏枥的精神开始了撰写《细说秦汉》《细说两晋南北朝》《细说隋唐》和《细说宋朝》的艰巨工作。孰料执笔至1998年12月底，黎先生竟夜睡不起，猝然仙逝，以致大愿未竟，良可哀痛。

为竟黎先生遗愿，亦为众多爱读"细说体"史书的读者计，出版社受黎夫人黄鸿书女士的委托，约请对丛书所缺的各朝历史素有研究，且熟悉"细说体"笔法的学者，分担撰写任务。黎先生高足、台湾彰化师范大学历史学研究所副教授陈文豪承担起整理黎先生《细说秦汉》部分遗稿的工作。因其内容不全，大陆学者、著名秦汉史专家王子今又慨然受托，补写完成了书稿所缺的章节。与此同时，《细说两晋南北朝》《细说隋唐》和《细说宋朝》也分别由上海三位学者沈起炜、赵剑敏和虞云国完成，并由历史学家沈渭滨教授为新撰的四种细说书作序。至此，"细说中国历史丛书"集海峡两岸两代史学家之心智和功力，终于大功告成。

"细说中国历史丛书"出版后，好评如潮，虽然未经大力宣传，更无电视媒体的依托，却是一印再印，长盛不衰，不仅得到广大读者的喜爱，而且获得史学界的高度赞扬。不少学者建议，在当今许多名为讲史，实为讲故事的书籍热销之际，何不把中国卖票讲史第一人黎东方教授的"细说"系列重新修订出版，让更多喜欢历史的读者从生动精彩的故事中了解真正的历史？于是，就有了这套"黎东方讲史"。其中虽然有三本书不是黎先生原著，还有一本系在黎先生原稿基础上由他人补编，但所有作者均系出版社受黎夫人委托而约请，而所有文字均按照黎先生首创的"细说体"撰写，当可视作"黎东方讲史"之续，自应纳入这一系列。

从"细说中国历史丛书"到"黎东方讲史"，我们做了以下几件工作：

1. 恢复了部分初版时删除的章节和文字。如《细说清朝》中的"丧失琉球"，《细说明朝》中的"北元世系"，《细说元朝》中的"宋末诸儒"等。

2. 恢复了《细说清朝》中原有的插图和图注，并在其他各书中添加了插图和图注。

3. 增补了部分章节。如《细说隋唐》中的"李煜""冯道"等。

4. 修正了原书中的疏漏和错讹。

5. 重新设计了封面和版式。

但愿以焕然一新面目出现的"黎东方讲史"能得到广大读者的喜欢。

编　者

2007 年元月

编者说明

　　本书系在"细说体"始创者、旅美著名历史学家黎东方先生部分遗稿的基础上，由台湾学者陈文豪先生整理，并由北京师范大学教授、中国秦汉史研究会副会长王子今先生补编完成。凡由王子今撰写的章节，均在标题前作"▲"记号，以示区别。

《细说秦汉》《细说两晋南北朝》
《细说隋唐》《细说宋朝》序言

沈渭滨

1997年，上海人民出版社征得旅美史学前辈黎东方教授同意，以"细说中国历史丛书"为题，将原由台北传记文学出版社出版的黎先生大著《细说元朝》《细说明朝》《细说清朝》《细说民国创立》四书，在中国大陆出版发行。

书出之后，众口交誉，大量加印，不胫而走，黎先生闻之欣喜。为完成"细说中国全史"夙愿，以老骥伏枥之壮心，再应责编崔君美明约请，续写《细说秦汉》《细说两晋南北朝》《细说隋唐》《细说宋朝》四种，并将已经成书之《细说三国》先行交付出版。不料，执笔至1998年最后一天，夜睡不起，猝然仙去。大愿未竟，良可哀痛。

出版社为竟黎先生遗愿，亦为众多爱读"细说体"史书之读者计，乃多方筹划，约请黎先生高足及京、沪两地素有研究之学者，分担撰著。经数年努力，新撰四种"细说"之书，终于面世。至此，"细说中国历史丛书"集两代史学家之心智，大功告成。黎先生九泉有知，当可欣慰也乎！

"细说体"是黎先生开创的一种新的叙史体裁，底成于早年在重庆之讲史盛举。

讲史古已有之。古之讲史者，诚如邓广铭先生所论，都不是读过史书，更遑论有所研究的民间艺人。所讲内容，只是以某一朝历史或人物为由头，加以演义和穿插逸闻传奇，增添一些故为热闹的场面，与真实历史相距甚远。由此形成的文本，历代相传，几经润色，成为"演义"、"平话"一类文学作品而入于古典小说之林。

黎东方先生在重庆讲史，则以历史学家的睿知讲真实历史。既不虚构情节，又不增添传奇，完全依史实本身的曲折复杂，凭藉精熟的会通和高度识见，以逸趣横生之辞锋，勾起听众兴味，引发历史与现实的联想共鸣，倾倒四座，轰动山城。由此形成的著作，不仅独辟历史通俗化的蹊径，而且开创了不同于古代之纪传体及现代之讲义体通史、断代史一类著作的新体裁。这种体裁，黎先生自己称之为"细说体"。

由讲史发为著述，"细说体"史书的撰写自有其要领可循。

一是融会贯通。黎东方先生不仅对已逝的历史过程，有上下、前后、左右的纵横融通，而且对各家研究得失了然于胸，尤其精熟于职官、典制、地理、文化、学术之嬗蜕演变。故而开讲中能统而贯之，信手拈来；著书时能信而有征，言之成理。分之，各为一朝信史，合之，则成中国通史，前后赓续，上下一体。虽然，会通本是治史者必具的要求，但如黎先生之对数千年历史及相关学问精熟融通、备知种切，臻于太史公所言"通古今之变，成一家之言"者，何其难得。所以，作"细说体"史书之难，窃以为首先就难在必需对中国历史做到真正的融会贯通，才能写好一朝之信史。

二是取精用宏。会通既是讲史的功底，著史的基础，又是睿知之所养成，卓识之所由来。黎先生即是因会通而悟得历史发展之关键，历史人物之功过，学术流变之精髓，典章制度之张弛，在在皆有独识精到之论。凡关乎全局者，详为论说而不厌其烦，细为阐述而不吝篇幅；无关宏旨者，则一般交代，点到为止。既具大体，犹见要领，取精用宏，洞其底蕴。所以，"细说体"史书，不像讲义体断代通史那样举其大略、面面俱到，而是人事相依、突出重点,谋篇布局、主次分明;设题自如而不受章节拘束,各题详略不强求平衡,全依重要与否为转移,显得活泼而富有个性。读其书,真可谓如闻其声,如见其人。

三是深入浅出。"细说体"史书既从讲辞而来,讲史要吸引听众又不失历史真实,深入浅出、顺畅达意自是题中之义。黎先生所著《细说三国》《细说元朝》等书之所以备受欢迎、洛阳纸贵,就在于叙事明白晓畅而不佶屈聱牙,立论通俗易懂而不故作深奥;考镜源流时条缕清晰、精要毕具,辨章学术则见微知著、要言不烦。既可使中等文化程度的读者得历史知识,又能给治史者以启迪。好读耐看,雅俗共赏。虽然,黎先生著书的本意在使历史知识普及化,所著诸书被邓广铭先生评为"标准的深入浅出的历史读物",但其考求前人研究得失而定其取舍从违,校订"正史"之误而于不疑处有疑,未尝不能使治史者受益。所以,凡能真正做到深入浅出的史书,必定是可以雅俗共赏的作品。

新撰四种"细说"的作者,都能追踵前贤,深知要领。他们虽然不像黎先生那样由讲史而发为著述,但因为都在大学中教授中国历史而又有深入研究,对黎先生已出各书多所心悟,所以在体例上自可接续。其中,《细说秦汉》,黎先生原有部分遗稿约 10 万余字,由黎夫人嘱托先生高足台湾中国文化大学副教授陈文豪先生整理。因内容不齐,崔美明女士又约请中央党校教授、中国秦汉史研究会副会长王子今先生补写 15 万字左右,合成完整的《细说秦汉》一书。则其体例、风格,当可与黎先生相合。

《细说两晋南北朝》,由原上海教育学院现华东师范大学历史系沈起炜教授撰著。沈教授著述丰硕,长年在教学第一线。听过他讲课的人,都为他熟谙史事、幽默风趣所折服。他追慕黎先生细说体裁,深得三昧。我拜读过他写的这部著作的校样,觉得无论在文风上、论析上都堪称一流。

《细说隋唐》，由上海大学赵剑敏教授承担。赵先生对"细说体"钻研亦深，观其《自序》即可概见。《细说宋朝》由上海师范大学历史系虞云国教授撰写。虞教授系上海已故十大史学家之一程应镠教授的嫡传弟子，治宋史逾20年，论著颇丰，心得良多。他把撰著此书视为研究宋史的阶段性小结，并对宋史中不少相关问题提出了自己的见解，寓学术研究于深入浅出的叙述之中，正合"细说体"雅俗共赏的特点。

以上四种新撰"细说"，虽然整体上都承袭了黎先生开创的路径，但因成于不同学者之手，在写作风格上自难以一致，在各个断代之间若干文化学术的承袭转合和典章制度的上下通贯方面，也稍有疏忽之处，难能如独立著书之一气呵成。这些都属众手修史习见的缺憾，毋需苛求。若就"细说体"之特点、则例而言，新撰四种，俱能踵武黎公，与先出之五种，庶几乎珠联璧合。

"细说中国历史丛书"是改革开放以来，上海人民出版社为适应社会不同层次对史学诉求而从事的系列出版计划之一。早在20世纪70年代末，该社就约请著名历史学家白寿彝先生主编多卷本《中国通史》，穷十余年之功，集众多学者之力，终于在1999年出齐了这套迄今最完整的大型学术性通史著作，代表了当时中国通史研究的最高水平。五六十年代起，社内有识之士就有编辑出版"中国断代史系列"的计划，并付诸实施。90年代中期，又将自远古至清代的中国历史，按各个断代，重版已经出过的有关专著，再约请有精深研究的专家学者分别撰著或缺的部分，以期配成一套高质量的断代史学术著作。近些年来，已出版了王玉哲《中华远古史》，杨宽《西周史》《战国史》，林剑鸣《秦汉史》，王仲荦《魏晋南北朝史》《隋唐五代史》等8种。另有胡厚宣等的《殷商史》、陈振《宋史》、汤纲《明史》等5种，正在撰写或在修订。有鉴于以上两项都是适应专家、学者及高校师生教学研究之用,于是 90 年代后期,责编崔美明女士乃有为适应中等文化程度读者之需要而编辑"细说中国历史丛书",普及历史知识之计划。

这套中国历史通俗读物的配齐出版,不仅使该社长期来为之努力的系统工程,在结构上更趋合理,而且为历史知识普及化、通俗化,提供了可资参酌的路向。

历史普及化,是一项提高民族文化素质,涵养爱国情操的大业。先哲有文脉中断谓之亡天下之说。太炎先生称:"夫读史之效,在发扬祖德,巩固国本,不读史则不知前人创业之艰难,后人守成之不易,爱国之心,何由而起?"一个漠视自己历史的国家是没有前途的。加强对青少年的历史教育,普及历史知识,无论对培固国本,弘扬民族精神,接续中华文脉,都具有深远意义。就此而言,"细说中国历史丛书"的出版,称得上是嘉惠当今、造福后代的大好事。

黎东方教授原拟在写完计划中的四书之后,请唐振常先生作一长序。不意唐公匆匆而去,致使黎公遗愿未得实现。责编崔美明女士转而要我承乏,推辞不得之下,只好诚惶诚恐写了上面几点,聊充序言。

2002 年 5 月于蒲溪抱墨轩

目　录

秦汉以前

秦汉以前，中国有过夏商周三个王朝。夏商周以前，中国有过旧石器时代、中石器时代、新石器时代。

在旧石器时代前期之时，中国有过云南的元谋人，陕西的蓝田人，与河北的北京人。出土的元谋人遗骨，其年代为今日以前的七十万年左右；蓝田人遗骨，为六十万年左右；北京人之最古的，其年代与蓝田人差不多，不曾留下骨骸，却留下了朴拙的石器于第十三号发掘地点。留下遗骨在第一号发掘遗址的第三层至第十层的，其最古的属于五十万年以前（根据最新的科学方法的鉴定为四十六万加四万或减四万年）；其最晚近的属于二十万年以前左右。

旧石器时代中期的中国，有所谓丁村人（山西襄汾县的丁村）。丁村人只留下了三颗牙齿，其年代在距今七八万年至十万年左右。他们与欧洲的尼安德特人约略同时。

旧石器时代晚期，有山顶洞人。山顶洞在北京房山县周口店北京人洞的山顶之上的洞（不在北京人洞之最上层，而是在同一个山上的另一处之山顶）。山顶洞人相当于欧洲的所谓智人，其脑容量相当大。

中国已经发现的中石器时代遗址不多。著名的仅有陕西大荔县的沙堆。世界各地中石器时代（不可与旧石器时代中期混为一谈）时间很短，只有两千年，从距今一万二千年左右到距今七八千年。当时第四冰川已退，地球表面很热，南北极的冰，大量融化为水，增加了各大海洋与大小河流的水，提高了海平面，也使得大小河流的水泛滥，造成极多的湖与沼泽地带。我国大荔一带，在今日距离渭水、北洛水与汾水进入黄河之处不远，在中石器之时，可能为一大沼泽地带，兼有若干大大小小的湖。

旧石器时代的人，仅会用石头互相打击或锤击而造石器；新石器时代的人兼用磨的方法制造石器，因此而有了锋利的刃。中石器时代的人所制造的石器，其程度在旧石器与新石器之间，以细小的石器居多。这些细小的石器包括矛头、箭头与渔网之碰。事实上，人类从旧石器时代晚期之时已经开始制造相当细小的石器了。

新石器时代开始之时，没有陶器。然而不久便有了陶器，先有粗制的，后有细制的，在许多地区并且先有红陶，加彩，称为彩陶；后用更高温度所烧成的灰陶，有时加彩，而通常是留下绳子或竹皮所编成的塑造陶土之筐子或篮子的花纹，称为绳纹或篮纹，再其后，更进步之时又有用刀子刻的刻纹，或用类似图章一样的东西所拍在陶坯子上的"拍纹"。在山东日照县等地有所谓"黑亮陶"，很美，质坚而薄，发亮。

畜养动物与种植植物，是农业的两大部门。人类离开单靠打猎、捕鱼与采拾为生，而进一步自己养动物，栽植物，以确保每日均有粮食，不虞风雨雾雪，是开始于中石器之时，完全成功于新石器之时。

为了存储吃不完的粮食，人类才做陶器。有了农业，亦即有把握的粮食来源，人类才不致常常因找不到可吃的果实与种子，捕不到鱼，或打不到野兽而饿死，甚至被野兽咬死，被野兽吃掉。总之，人类才能真正"安居"，盖房子、生孩子，与亲戚聚居而有了村庄，形成氏族、部落，发展高度文化。

中国在新石器时代有不少的高度文化的区域,其中最重要的在山东、江苏、河北的"河淮三角洲"有"大汶口文化";在河南、陕西、山西的"洛渭汾核心地区"有"仰韶文化";在江苏、浙江、安徽有"良渚文化";在湖北、湖南、江西有"屈家岭文化";在甘肃、青海有"马家窑文化"。

继大汶口文化而起的,有以山东历城县龙山镇城子崖下层为典型的"龙山文化"。继仰韶文化而起的,有河南龙山、陕西龙山、山西龙山。

再其后,便有了小型的铜器,为铜箭头、小铜刀之类。新石器时代蜕变为铜器应用时代。然后,有人发明以锡掺进铜,造成所谓"青铜器"。人类这就进入了所谓"文明"了。

青铜是中国买卖古董的人所创出来的名词,其实它原本并非青色,而是红的。青字的意思,在中国古时不是蓝色,而是绿色。今日台湾话之中的青,其意义仍是绿,而不是蓝。青铜是什么呢? 是生了绿锈的古代锡与铜的合金。

英语之中的青铜,是布隆斯(bronze),不包含绿的意思。

青铜与文字的发明,差不多是同时,而简单的文字较早。在毫无小铜器或青铜器的西安半坡新石器仰韶文化遗址,有若干陶器之上已经出现了简单的文字。

盘庚之时的商朝中期,不仅有青铜器,而且有极精美的青铜器。这就告诉我们,青铜不可能到了盘庚之时才有,而是在盘庚以前的以前就应该有,所以到了盘庚之时及其以后,青铜器才那么精美。

传说,成汤有盘,盘上刻有"苟日新,日日新,又日新"。这个盘的铭文,有这么完全的句子,不可能是陶制的盘,应该是青铜的盘(郭沫若以为这个盘不是汤的,而是另一人的,此人的哥哥叫做辛,祖父叫做辛,父亲也叫做辛。铭文是"兄曰辛,祖曰辛,父曰辛"。郭的说法很新鲜,值得一考)。

传说也告诉了我们，夏朝的第一代国王大禹，用铜铸了九个鼎。这个铜，应该也是铜与锡化合的青铜，而不是纯铜。

可惜，到今日为止，汤的实有，虽已被安阳出土的甲骨所证明；夏的若干遗址，却有待于发掘。有若干位考古家以为河南偃师二里头的文化相当于夏朝。有青铜器，也有简单的文字，却仍缺乏"它确是夏朝文化"的证明。因此，我们站在严格的科学立场，不得不暂时仍把商朝作为"有史时代"的开始，而夏朝只得继续被屈列入"先史时代"或"史前时代"。

今天世界各地的史学界，趋向于改称"史前时代"为"文字以前的时代"（Preliterate Age），改称"史前史"为"文字以前的历史"（Preliterate History）。

我写过一篇文章《史后传说中之史前事实》，发表在《华冈学报》。在那篇文章中，我确认夏朝为实有。

我也写过一本书，《细说史前中国》（先后由仙人掌出版社与晨钟出版社出版）。这本书，正如其他同类的书，亟待修正。史前时代的中国历史，由于中国各地有日新月异的考古成绩，又加上夏鼐与宋文熏先生等人不断采用最新的鉴定年代的科学方法，真正是做到了日新月异。夏鼐在1985年去世，是考古学界的一大损失。现今任教于哈佛大学的张光直教授，为这一门学问大家公认的权威。

关于商周两朝，我另有一本《中国上古史八论》，由中国文化大学出版，有兴趣的朋友们不妨一看。

下面，我要开始说秦朝了。

秦的来源

秦的第一代国君是非子，住在犬丘（今天陕西兴平县）。他替周孝王养马，牧马场的马增加了很多；周孝王很喜欢他，把他封在秦邑。（秦邑在今天甘肃的天水县。）

非子所住的犬丘，可能是犬戎人所住过的丘墟，或仍为一部分犬戎人所居住的山丘。

因此，有若干学者，例如蒙文通，以为非子可能也是一位犬戎人。黄文弼认为非子本人不是犬戎人，而是东方（河淮三角洲）的嬴姓之人。

司马迁说，嬴姓的始祖是大禹的治水助手伯益（《史记·秦本纪》写作伯翳），伯益被舜赐姓为嬴。

以我所知姓不是君王所能给臣下的。姓是母系传统社会的氏族图腾，由母亲传给女儿，女儿再传给她的女儿的。有了封地的男子，或自占一个山头、一片土地的男子，可以有一个氏。在原则上，有来头的女人，有姓；有地位的男人，有氏。普通的男男女女，只有名，无氏，也无姓。

后来，父系传统成为常轨，男人除了自称为某氏以外，兼以自己某一代远祖之妻之姓（某一代老祖奶奶之姓）为自己之姓。于是，他兼有氏与姓。

到了战国，姓氏渐渐混而为一，都叫做姓，由父亲传给儿子。有些姓，本来是氏。司马迁，替名人写列传，喜欢写下："某人，姓某氏。"这三个字不甚高明，却也透露了至迟在西汉之时，中国人已经把姓氏混为一谈。司马迁在写齐太公吕尚之时，说他"本姓姜氏，从其封姓，故曰吕尚"。其实姜不是氏，是姓；吕也不是"封姓"，而是"封氏"，因所封之地的地名而得的氏。司马迁这句话，如果能改成"本姓姜姓，从其封氏，故曰吕尚"，那就更合于吕尚之时及其以前的风俗了。

我们与其说伯益是嬴姓的始祖，倒不如说，伯益的祖母女修（名字叫做修的女人）是嬴姓的始祖。传说女修捡到了一个鸟卵，吃了下去，便怀了孕，生下一个儿子大业，大业之子，叫做大费，大费便是伯益。

作为大业的生父之鸟，似乎便是嬴。嬴字去掉其中的字根（女），很像一只有冠、有嘴、有两翼的鸟。这个鸟，大概是燕子。燕与嬴，音也相近。

也许女修不是伯益的祖母，而是更古的人。传说，三皇时代有少昊氏，少昊氏的姓也是嬴。春秋时有一个郯国，郯国的国君自称为少昊挚的苗裔。他告诉鲁国的人："我高祖少昊挚之立也，凤鸟适至，故纪于鸟，为鸟师而鸟名，凤鸟氏，历正也；玄鸟氏，司分者也（主管春分秋分的官）。"其后，少昊氏部落，以及这个郯国，便"以鸟记官"。某某官，不称为某某官，而称为某某鸟（玄鸟是燕子。商朝国君的祖先契，便是他的母亲简狄吞了玄鸟的蛋而生出来的）。

在春秋时代，嬴姓之国不仅有郯，也有淮河流域的江国、六国等等（江国在今天的河南正阳；六国在安徽六安）。它们都在中国的东半边。

嬴姓之国在中国西半边的只有赵，与从赵分出来的秦。黄文弼说，非子的祖先原为东方人，而不是西方的犬戎，没有错。

赵与秦是一家，都姓嬴，而一为赵氏，一为秦氏。非子原为赵氏的一分子，受封于秦以后才改以秦为氏。

非子的一个本家叔祖叫做造父，当周穆王的马车夫，有功，封在赵邑，于是造父自己的子孙与若干族人的子孙，包括非子也都有了氏，以赵为氏。

我生平最恨画世系表，这个非子先世的世系表，却不得不画。

女修—○—伯益—○—○—○—○—中衍—○—○—○—蜚廉—恶来—○—○—○—○—非子—季胜—○—○—造父

这一张世系表中的圈圈，有一个是在女修与伯益之间，有四个是在伯益与中衍之间，有三个是在中衍与蜚廉（飞廉）之间，有四个是在恶来与非子之间，两个是在季胜与造父之间。这些圈圈所代表的名字在司马迁的《史记》卷五《秦本记》之中都有（我为了减轻读者诸君的脑力负担，把这些名字都省略了）。

这一张世系表，在细节上不太可靠。司马迁说伯益是大禹的辅佐，又说蜚廉与恶来都是商王纣（受）的臣子。然而《古本竹书纪年》说夏朝自禹至桀有十七世。自汤至纣有三十一世，共为四十八世，而这张世系表，自伯益至纣时的蜚廉才有十世（司马迁之所谓玄孙，可能不是指第四代的孙，而是泛称苗裔）。

至于说蜚廉与恶来均是纣的臣子，大概没有错。说造父替周穆王驾车，非子替周孝王养马，也没有错。

值得注意的是：为什么非子从山西赵城搬到了陕西兴平的犬丘去养马？他们赵家对马有兴趣，懂得驾马、养马，是无足怪的。为什么搬到犬丘？正如我在前面所说，这犬丘可能是犬戎之丘墟，也可能是犬戎之山丘。

司马迁说，伯益除了蜚廉一系的苗裔以外，另有小儿子若木所传下来的苗裔，叫做费氏（蜚廉是伯益的大儿子大廉所传下来的苗裔，叫做"鸟俗氏"）。

费氏的后裔，"或在中原，或在夷狄"。这夷狄二字，泛指"非中原人"，"非中原诸国的人"。

不仅二房费氏的后裔是"或在中原，或在夷狄"；大房鸟俗氏的后裔，也至迟在商朝末年，由中国东边迁去了西边，"在西戎，保西垂"。定居在西边，与戎人住在一起，替商朝保卫西方的边疆。

当时崛起于西方的周，可能正是嬴姓鸟俗氏的勇士们所作战的对象。而西戎与犬戎是和他们住在一起的邻居战友，甚至分不出彼此的同类，虽则嬴姓在若干世代原为东方之人。住在西边久了，和戎人们早就通婚而互相同化了。所以战国时候有中原人（中原诸国的人）骂秦是夷狄、是戎狄，不太冤枉。

戎人也是人，不比中原诸国之人的身份差多少。所谓中原诸国之人，也何尝不都渗有蛮夷戎狄的血统。

末年的商朝王室，被周人称为"戎殷"（周武王是殪了戎殷的。东边的人，在当时也可以被称为戎）。

商朝留下的甲骨文，有"令犬戎寇周"这么一句。很有意思。

周朝人自己又如何呢？周的王室是姬姓的苗裔。到了春秋时代，晋国的献公娶了两个山西狄人狐氏之两位小姐，大小姐称为大狐姬，二小姐称为小狐姬。这一家狐氏的姓，原来也是姬。在陕西，也有姬姓之戎。

与姬姓之戎搞在一起的，而且和犬戎颇有瓜葛的，有所谓姜姓之戎。中国的伯，也是姜姓。那辅佐周文王周武王的吕尚，也是姜姓。在《封神榜》这部小说中，他被称为姜太公。

我的看法是：中华民族是多元的，不是全为中原诸国的原住民，不是全为创造洛渭汾文化诸人的苗裔，更不是黄帝一人的苗裔，也不是黄帝与赤帝蚩尤两个人的苗裔，而是各地区的原住民、先住民、后住民的许多祖先的许多苗裔。换句话说，是由"蛮夷戎狄"与所谓中原诸国之人的祖先混合而成。

中国人之所以为中国人，不在于血统如何，而在于文化如何。文化包括可以互相学会的语言、文字，可以互相模仿的风俗习惯，可以互相勉励而公认为人际规律的道德。中国人的主要道德是孝、悌、忠、信、礼、义、廉、耻。儒家给中国人所下的定义，是："夷狄进于中原，则中国之。"

非子可能由于祖先与戎杂居，与戎通婚，而带有或浓或淡的戎人之血。他的子孙，秦的列代国君，甚至保存了若干戎人习俗。然而他与他的子孙，应该被我们承认为中国人。

他的子孙所统治的秦国人民，开始时是以戎人为主体。其后，沿着渭水而下，掌握了西周君王所统治过的渭水流域，秦国的人民便以周人为主了。周的国君是姬，发祥于渭水上游；周的人民却大多数为新石器时代仰韶文化的创造者的苗裔。

三

从非子到穆公

秦国从非子到穆公，有过十四个国君：非子是第一个，穆公是第十四个。他们在大体上是由父传子，只有一代是先弟后兄；另一代是兄弟三人兄终弟及。

他们的世系表，是：(一)非子；(二)秦侯；(三)公伯；(四)秦仲；(五)秦伯，亦即庄公；(六)襄公；(七)文公；(八)宁公。

宁公不传位给长子，而传位给小儿子(九)出子；出子为大臣所杀，这些大臣扶立宁公的长子(十)武公。

武公传给儿子(十一)德公。德公有三个儿子，依次轮为国君：(十二)宣公；宣公的弟弟(十三)成公；成公的弟弟(十四)穆公。

这十四位秦国国君，有的称侯，有的称伯，有的称仲，有的称公。

非子的爵位，只是一个子爵。他的儿子不可能升格为侯。被称为侯的"秦侯"，实际上也只是一个子爵的"子"。他之所以被称为侯，是史官记载错了。

被称为"公伯"与"秦伯"的，也均非伯爵的"伯"，而是伯仲叔季的伯。伯字在此处不等于英文的 earl，而只是"老大"、"长子"而已。"秦仲"的"仲"字是"老二"，"次子"。伯与仲均非爵位，而是某一位国君，于未获周天子加封或批准其继位之前的非正式的称呼。

由"附庸"之国的君主，而升为诸侯的，是秦襄公。秦襄公的爵位是伯爵。他的后裔从文公至穆公，从穆公至僭号称王的"秦惠文王"，都是"伯爵"，而不是"公爵"。

"公"字有两个意义，一个意义是公爵，相当英文的 duke；另一个意义是"主人"、"老爷"、"有爵位的贵族"，相当英文的 Lord。

被称为"公"的秦襄公与他的后代（从襄公到穆公，从穆公到孝公），都不是"公爵"而只是"伯爵"。

秦国原来是"附庸"之国。因平王使秦襄公列为诸侯，秦国才成为"诸侯之国"。

每逢提到秦国国君，《春秋》都称之为"秦伯"，把秦国认定为伯爵之国（司马迁在《史记·秦本纪》之中"秦庄公、秦襄公、秦穆公"等等，都是尊称；应该称为秦庄伯、秦襄伯、秦穆伯等等才对）。

司马迁所根据的史料是《秦纪》。《秦纪》是秦国的官方记载，正如《春秋》是鲁国的官方记载。

鲁国不是一个公爵之国，而只是一个侯爵之国。然而《春秋》却尊称鲁隐公、鲁桓公等等，为国"公"，不称他们为鲁隐侯、鲁桓侯等等。

鲁国只是一个侯爵国，有《诗经》的《鲁颂·閟宫》篇作为证明："王命叔父，建尔元子，俾侯于鲁，为周室辅。"（王，指周成王。叔父指周公旦。元子，指周公旦的大儿子伯禽。）

《春秋》提到齐桓公、齐景公、晋文公、晋襄公等等，却一点不客气，直称为齐侯、晋侯。它提到了楚成王、吴王夫差等等"蛮夷之君"更不客气，一概称之为子：楚子、吴子。

齐晋两国均是侯爵国。

宋是公爵国。《春秋》提到宋国的国君之时，都称之为"宋公"。

它提到郑国国君之时，则称之为郑伯。因为郑，正如秦，是一个伯爵国。

《左传》不像《春秋》。《左传》不只尊称鲁国的国君为公，而且尊称齐晋秦郑诸国之君为公，一视同仁。《左传》而且称楚王与吴王为王，也称越王为王。

《左传》不是鲁国的官方记录，也不是为了解释《春秋》、讲解《春秋》而写的"传"。它原名《左氏春秋》，不是什么《春秋左传》或《春秋左氏传》。

《左氏春秋》的作者是谁？学术界尚无定论。这人不可能是左丘明。左丘明的氏是左丘，不是左。

"左氏"两个字，可能不只是一个氏的名，而也是一个地方的名。这"左氏"地方是吴起的家乡。吴起是孔子门人卜商（子夏）的弟子。

卜商（子夏）长于文字。

有人说，写《左氏春秋》的人，正是这位卜商（子夏）。吴起把这部书带回到家乡左氏。其后这部书又被吴起的弟子由左氏带到别处。再其后，这部书又不胫而走，到了全中国，而被称为"从左氏地方带出来的春秋"：《左氏春秋》。

非子封于甘肃天水的秦以后，干了些什么事？他的儿子秦侯，孙子公伯，又干了些什么事？司马迁都没有交代。可能：《秦纪》对这几位最早的国君，不曾记下什么，而只是记下了秦侯在位十年，公伯在位三年（非子在位几年，它不曾说）。于是司马迁就写下："秦嬴（非子）生秦侯。秦侯立十年卒；生公伯，公伯立三年卒；生秦仲。"

我想姑且对司马迁不恭敬一次。上边这句话似乎不妨添几个字，改为："(秦侯)生公伯,公伯立三年卒;(公伯)生秦仲。"

秦仲在位第三年的时候,周厉王被他的臣子与国都的人民驱逐,逃走,去了彘城(山西霍县)。诸侯有不少乘机对周的王廷造反,而不仅仅是附和周厉王的臣子与国都人民反对周厉王一个人。换句话说,他们不仅反周厉王,而且反周。在反对周厉王以后,又反对周宣王。

反周阵营之中的热心分子之一是"西戎"(这西戎是否即犬戎,司马迁不曾说清楚)。

西戎起了兵,灭掉在犬丘的非子老家的若干同族之人。其后,周宣王下命令给秦仲,叫他去打这些吞并犬丘的"西戎"。秦仲为了一雪家仇国恨,欣然应命,去打西戎,却不幸阵亡于战场之上。那时候,是他在位的第二十三年。

秦仲留下了五个儿子。周宣王把这五个人都找到了周都镐京(在陕西西安的西南),给他们七千名兵士,叫他们去打西戎,为父亲秦仲报仇。

他们带这七千兵去,打败西戎,收复了犬丘。周宣王很喜欢,封这五个人之中的老大为秦伯,兼所谓"西垂大夫",把犬丘的地盘也给了他。于是秦国兼有了两个封邑,一在秦(天水),一在犬丘(陕西兴平)。

这一位被封为秦伯兼西垂大夫的,死后被谥为庄公(此处的公字不是公爵)。在历史上,他被称为秦庄公。

庄公在位四十四年。以一代的国君而能在位四十四年之久,可见局面甚为稳定,没有摇动它的严重的内忧外患。

庄公的儿子秦襄公,于犬戎及申侯联军进攻周幽王之时,率兵勤王;又在周幽王失掉镐京而死以后,护送幽王的儿子平王离开危险地区,出函谷关,到洛阳去建立新的王廷(秦襄公送平王,是送到什么地方为止,无考)。

平王提高秦国的地位,把秦襄公由"附庸"之邑主升为"诸侯",使与其他的诸侯如晋郑之君,平起平坐。平王也把当时尚在犬戎之手的渭水两岸之地,以岐为界,岐以西的地方给秦襄公。平王说:"你倘能收复岐山以西的地方,便把那一片土地给你。"

于是,秦襄公继续对犬戎作战,打到了岐山附近。

秦襄公在位十二年。他的儿子文公在岐山之南、汧水进入渭水之处的汧邑,建立新的国都(汧邑在今天郿县的范围以内。有人以为是甘肃陇县,错)。

秦文公而且又大举击败了犬戎一次,收复了岐山以东的不少土地,派人去洛阳,把这片新收复的土地献给周王的王廷。

传说,秦文公在位之时,有两件奇怪的事,亦为后世的神话。一是在宝鸡县,进住了一名童子,这童子原来是一只母野鸡,化为巨石;另一童子,飞去了南阳。文公建立一所庙宇,祭拜这两个野鸡之神,称它们为宝鸡。

文公自己曾经派人锯一棵大梓树,锯了以后,树里奔出来一只大公牛,兵士打它不过。其后有人见到这大公牛,在丰水的水中出没。文公又建了一所庙宇,祭拜这只神牛。

文公在位有五十年之久。

文公死后,孙儿宁公继位。这宁公当时才有十岁。他在位十二年,没有什么值得记载之事。替他主政的,是他的三位大臣。

这些大臣把国都迁到今日岐山县之西的平阳城。他们于宁公去世之时,不立他的大儿子而立他的年方五岁的小儿子。过了六年,他们又把这小儿子杀了,改立宁公的大儿子。

小儿子在史书上被称为"出子";大儿子被称为武公。

武公在即位的第三年,把当年不肯扶立他而立出子,后来又杀了出子的那三位大臣,统统杀了,把全部政权掌握在手。

此人颇有武功。他灭了邽邑冀邑的戎,不把邽邑冀邑分封给部下,而由自己的小朝廷直接管理,称之为县(邽县在今天上邽,冀县在今天天水)。其后,又把今日西安之东南原属于杜伯的地方,与原属于郑伯的今日之华县,也改成为县。杜伯与郑伯均在幽王失国、平王东迁之时逃出了函谷关(杜与郑均位于"岐山以东"。岐山以东,秦文公本已献给了在洛阳的周王王廷。王廷并未作有效的接收)。

武公在位二十年,他死后之所以得到"武"字的谥号,是因为灭了邽冀之戎,又取得杜郑两地作为秦的领土。

他的祖父文公之所以被谥为"文",不是因为替母野鸡与大公牛建了庙宇,而是因为他提高了秦国的文化程度:他创设了史官,开始记载下秦国的大事,使得"民多化者"。人民有很多接受了进步的文化。秦是一个以戎人为主体的国家,所谓接受文化,是接受了以周的文物制度为内容的一种较为进步的文化(司马迁说:文公创行了"灭三族"的残酷刑罚,又说武公开始以人殉葬。我看,这两种很不文明的刑罚与礼俗可能是戎俗,文公、武公为了顺应自己臣民的风尚而加以采行的)。

武公死后,大儿子未能继位。小儿子迁都到雍城(陕西扶风),在位两年而死,被谥为德公。

德公有何足以称述的德行,无考。他为人大概不错,曾经有梁、芮两个小国的国君来到雍城拜访他(梁国在陕西韩城,芮国在陕西朝邑。梁国的国君嬴姓;芮国的国君姬姓)。

德公有三个儿子:长子宣公、次子成公、第三个儿子是穆公。这三个儿子兄终弟及,依次轮流为秦国的国君。宣公在位十二年,成公在位四年。成公死后,德公的小儿子穆公继位。

宣公与成公均有儿子,为什么均不以儿子继位,而以弟弟继位?而且,他们两人的儿子都很多。宣公有儿子九人;成公有儿子七人。这个问题,是历史上的万千问题之一,由于不曾留下有关的史料,答案大概是永久难以找到了。

也许因为秦的第一代非子是东方人苗裔吧,东方的商朝,也是常常"兄终弟及"的。然而非子的几个直接继承者,却是以父传子,一线相承的。

在本节的开始之时,我曾经说了,从非子之死到庄公之死,有八十年。八十年不是一个很短的时间,反映了当时秦的局面相当稳定。

从庄公之死到成公之死,时间更长,有一百二十年,而秦国依然存在,并且扩充领土到了黄河边(差不多完全占有渭水两岸。虽则在内政方面,不免有时大臣揽权,叔侄争位)。

比起相同时期的周王王廷的情形,秦国的小朝廷要好得多。秦国靠自己,王廷要靠几个强大的诸侯才能生存下去。而且王廷有严重的兄弟争位之事。周庄王几乎被弟弟王子克夺去王位;周惠王则真个被弟弟王子颓把王位抢去了两年,两年以后才由郑、虢两国之君帮他击败了王子颓,取回王位。

这时候,东方诸侯真正服从王廷者已经没有了,诸侯彼此之间,形成了大欺小,强凌弱的局面。大国不断地继续用兵力扩大领土,而小国极多沦于灭亡。一百七十几个国,剩下来只有头等强国四个,二等强国四个。

头等强国本只有晋、楚、齐三个。秦国在穆公之时,也成了头等强国。它是第四个头等强国。

四

穆公图霸

秦穆公在位三十九年,从公元前660年到公元前621年(当时周天子与诸侯,都不以即位之年为元年,而以次年为元年。秦穆公元年是公元前659年)。

他是一位英明的国君,求才若渴,宽宏大量,雄才大略,有错认错。

说他求才若渴,我们不妨以百里奚的故事为例。百里奚是楚国人,在虞国当大夫(虞国在今天山西省虞城县),晋国把虞国灭了,百里奚被俘虏,成为奴隶,被晋献公指定做他女儿的跟班,跟女儿到秦国,作为陪嫁的奴才之一(这女儿是嫁给秦穆公的)。百里奚中途逃走,逃往楚国,却又被楚国的乡下人扣留,做了这些楚国乡下人的奴隶。

有人把这件事报告秦穆公,秦穆公立刻派遣官吏,到楚国,用五张公羊皮把百里奚买了来,带到他的面前,他解除百里奚的奴隶身份,任命他做大官。

百里奚说:"我有一个朋友,叫做蹇叔,见解比我高明。他劝我不要做虞国的大夫,我不听,所以才被晋军俘虏,做了奴隶。"秦穆公立刻又派人去楚国,把蹇叔也请了来,和百里奚一齐重用。

说秦穆公宽宏大量,我们不妨以他不杀吃了他的好马的三百多个老百姓为例。

有一天，他在岐山打猎，把马拴在树上，没拴好，马跑了，跑到了城里大街上，被几个老百姓捉住。

这几个老百姓不知道这马是他们国君的马，糊里糊涂，胆大妄为，把这匹马宰了，烤来吃，很多人聚拢来，看热闹，越聚越多，有三百余名之多。他们都或多或少地分尝了马肉，吃得多的吃了好几块；吃得少的只吃了一块两块，那真是人人开心的一次大野餐。

他们乐极生悲，于野餐结束之时，被兵士找到，抓去。这时候他们才知道，犯了滔天大罪，性命难保。秦穆公却派人送了酒来，告诉他们说："你们所吃的是一匹好马，吃了好马的肉，必须喝酒，否则可能中毒，赶快喝酒，喝了酒以后，各自回家。"这三百多名老百姓喜出望外，感激万分。

说秦穆公雄才大略那例子就更多了。他帮助晋国的公子夷吾取得晋国君的地位；其后在一次作战中俘虏了夷吾而不加以杀害，因此而取得了河西之地。他对西戎大战一次，吞并了十二个戎人国家，取得其天水以西与以北的土地。

晋惠公是晋献公夫人小狐姬所生的公子。晋献公前后有过四位夫人。第一位是齐姜，生下太子申生。第二位是大狐姬，生下公子重耳。第三位是大狐姬的妹妹小狐姬，生下公子夷吾。第四位是骊姬，生下公子奚齐。

骊姬的娘家，在种族上是骊山之戎。她用谗言及诬栽，使得晋献公怀疑太子申生企图用毒药将他害死。申生自杀。

这件事，令公子重耳与公子夷吾也畏惧连累而逃亡。重耳逃到母亲娘家狐氏的部落。狐氏是狄人，部落在今天的山西省中部偏东。夷吾逃往梁国，梁国在今天的陕西省韩城，嬴姓。

晋献公立骊姬的儿子奚齐为太子。献公死后，奚齐做了晋国国君，被大臣里克杀掉。奚齐的儿子悼子，继做国君，里克又把悼子杀掉。

里克派人到狄人狐氏之国迎接重耳，重耳婉辞谢绝。里克派人到梁国迎接夷吾，夷吾很高兴。夷吾同时请秦穆公派兵护送。他答应于事成以后，把晋国的河西之地（黄河之西与北洛河之东的一大片土地，今日的陕北与陕中）送给秦穆公，也答应把汾阳城（临汾）赐给里克。

公子夷吾顺利回到晋国（在历史书上被称为晋惠公），当了晋国的侯。他不仅不以汾阳赐给里克，而且命令里克自杀。他也对秦穆公失信，不肯把晋国的河西之地送给秦穆公。

秦穆公一时不跟他计较。晋国有饥荒，秦穆公运粮给晋惠公，后来秦国有饥荒，晋惠公不但不运粮给秦穆公，而且亲自带兵来打秦国。

秦穆公也亲自出马，抵御晋军。他一时失利，陷入重围，忽然有三百多名勇士冲入重围，将他救出。这三百多名勇士原来便是当年吃了他的马，未被受罚，而且被赏酒喝的三百多位老百姓。他们不是正规的兵士，而是自动跟来的老百姓。他们果然获得了对秦穆公报恩的好机会。

这一仗，秦军反败为胜，俘虏了晋惠公夷吾。秦穆公本想宰了这个忘恩负义之人，却拗不过自己夫人的求情。他的夫人是晋献公与齐姜所生之故太子申生的同母姐姐，也是晋惠公的异母姐姐。于是，秦穆公又做了一件宽宏大量的事：他放了晋惠公，让他回晋国去。

这晋惠公回去以后，又感激又害怕，就把河西的一大片土地给了秦穆公。此后，秦的领土到达了黄河边。秦晋两国以黄河为界。

"西戎"是一个广泛的名称。今日的甘肃在商朝与西周之时，并无所谓华人与所谓夏人居住，住在那里的许多部落的人，在春秋时代都一概被混称为戎人。他们在血统上，可能有一大部分与华人夏人同属于所谓"蒙古种"；也有若干是相同于或接近于所谓雅利安人（Aryans），亦即"印度欧罗巴人"。属于此种族的波斯人与米底人（Medes）在东周开始与孔子之时，建立过大帝国，征服过两河流域与埃及，也侵入了印度的印度河流域，甚至恒河下游。我们今日的新疆中部与南部，塔里木河两岸与昆仑山北麓，当时也都有口说雅利安语，蓝眼睛高鼻子的人。只是到了宋朝以后，才渐渐由一支匈奴之裔的维吾尔人从蒙古迁来而改说了维吾尔语及其同系的语言。

月支人是这些人东边的一支，原住在河西走廊，到了汉朝被匈奴人挤去了今日的阿富汗。

戎字从戈，从甲。戎人是尚武的种族，以牧畜为主业，其中不少人也渐渐定居，兼事耕植。住在甘肃的戎人，可能正是马家窑文化的创造者。这些人到了周朝，才显得比陕西的华人（夏人）落后。

秦国是非子以东方嬴姓人的苗裔，奉了周孝王之命，带了他长期开发了犬丘（陕西兴平）的若干部下，搬到甘肃天水而创建的一个新的国家。这国家的任务，是扩展周所代表的华夏文化，亦即从洛渭汾核心地区的新石器文化所发展出来的青铜器文化与有礼有乐的政治组织。

开始，秦可能是与戎混在一起，在外表上很像是一个戎人的国。其后，越来越成为华夏文化的前哨。到了襄公之时，秦竟然有了美丽的石鼓与音调铿锵、《诗经》式的石鼓文（也有人说，石鼓是周宣王的东西）。

秦穆公在他的晚年（公元前 623 年）断然对西戎一击，"益国十二，开地千里，遂霸西戎"（这十二个字是司马迁写的。司马迁不曾交代十二个国的国名，也不曾指出千里是哪些地方。所谓千里，可能是后来秦始皇时候的北地郡与陇西郡，包括除了河西走廊以外的今日甘肃全省与宁夏的一小部分）。

末了，我不能不报道一下秦穆公有错认错的事。他本来与晋文公（重耳）关系极好。晋文公于晋惠公（夷吾）死后，惠公的儿子怀公（子圉）在位之时，倚仗了秦穆公与齐桓公二人派兵支持，回到晋国，夺得国君之位，杀了怀公。

晋文公其后在公元前 636 年平定周天子王室之乱,也得力于秦穆公的支持(周襄王被他的叔叔王子带篡位,逃亡到郑邑,晋文公带领秦与其他诸侯之兵,进入洛阳,杀掉王子带,迎回了周襄王)。

晋秦两国的关系很好。秦穆公不该于晋文公死后不久,派百里奚的儿子百里视,蹇叔的儿子蹇术,与一位名字叫丙,号叫白乙的人(可能是蹇叔的另一个儿子),带兵去袭击晋的保护国——郑国。

《史记》把百里视写作孟明视,蹇术写作西乞术。其实孟明二字是百里视的号;西乞是蹇术的号(《史记》也把孔子的父亲写作叔梁纥,其实孔纥并不以叔梁为氏,是以孔为氏,叔梁是孔纥的号)。

百里奚与蹇叔,均劝秦穆公不可去袭击郑国,秦穆公不听。秦军到了郑国郊外,遇到一位郑国商人弦高,把自己的十二头牛,送给秦军,说是郑国国君不知道自己怎样冒犯了秦国,特地派他送牛向秦国赔礼(其实这是弦高自动解救国难。郑国国君郑穆公当时并不晓得秦军已到)。于是,百里视等三人以为郑国有备,立即把秦军撤走。

走回到中途,在殽邑(河南洛宁县北),遇到晋文公的儿子晋襄公,率领大批军队,予以拦截。秦军大败,百里视等三人做了俘虏,秦兵差不多全部阵亡。

百里视等三人被晋襄公释放了回来,秦穆公不惩罚他们,而向他们说:"这是我自己的错,不能怪你们。"

四年以后,秦军战胜了晋军,秦穆公亲自去了殽邑,祭那些在四年前阵亡的兵,于誓文之中向他们的魂灵道歉,说自己深悔未听百里奚与蹇叔的劝告,又说,他读这篇誓文,为了让后世永远记得他的过失。

这一位秦穆公确实很了不起。

五

孝公变法

秦国真的变成一个集权的、法治的、重农的、军国主义的国家。执行变法的是来自魏国的卫人公孙鞅(商鞅),而授权给公孙鞅执行变法的是秦孝公。

穆公以后,孝公以前,二百五十九个年头之间,秦国常常内乱,有过十六个国君。这十六个国君之中,只有两个较强:惠公向南发展,击败蜀国,取了南郑(今日的陕西汉中市);共公击败甘肃庆阳与泾县一带义渠之戎,取了二十三城。

这期间晋国越来越强;其后分为魏赵韩三国,所谓三晋,也都成了强国。三国之间的魏,是秦的东邻,每每击败秦,而结果把"河西之地",黄河与北洛水之间的一大片土地夺去,并且在那里造了若干有城墙的城市。

晋国与其后三晋之所以强,由于改变了春秋时代诸侯内部政权逐渐下移,亦即大夫世袭,一方面把持行政机构,有时也裂土自封。晋之六个大夫,一度把晋变成事实上的六国。这六国先是智氏与魏氏、赵氏、韩氏联合,与范氏及中行氏作对,把这两氏的地盘与官职抢去。其后魏赵韩三氏又共同灭了智氏。这三氏使得晋国名存实亡,最后把晋侯放在一个小地方,自生自灭。三氏成为三国。

齐国国君原为吕尚(姜太公)之后,也发生了大夫世袭及割裂国土的事。不过齐国不是三氏分齐,而是田氏独强。结果田氏篡了吕氏的齐国。

鲁国也有世袭的三氏大夫,在《论语》上被称为三家。三家之中,以季孙氏为最强,仲孙氏(孟氏)与叔孙氏次之。鲁哀公被他们赶走,其后的各代鲁侯也正如晋的末代之侯一样,都成了傀儡。三家不曾正式使鲁国消灭(最后鲁国被楚吞并),但是季孙氏在事实上成为另一个国家,叫做费国(费字念秘)。

这些由出身为大夫的人,以逐渐侵占君权而升格为君,都懂得防备自己的大夫,以及一般的小贵族,不让他们侵占自己的权。于是,产生了每国内部都有小规模中央集权的现象。这内部的小规模中央集权,帮助了国君,压制了贵族,也帮助了平民。

对付贵族的最好办法,是用一套法令限制他们,并且严格执行这些法令。于是各国国君喜欢用法令专家作助手。这些法令专家,被历史学家称为法家。楚国用了吴起,魏国用了李悝(悝字念克),韩国用了申不害,秦国的孝公也用了公孙鞅(商鞅)。这些人都是法家。

公孙鞅,是卫国某一个公子的后代。通常,公的儿子叫做公子,公子的儿子叫做公孙。公孙的儿子,倘有封地则以地名为氏或以祖父(公子某)的字为氏。倘若没有封地,就没有氏。以公孙二字作为自己的氏,在战国时代才有,那是一个"有名无实"的氏。所谓公孙鞅,也不过是卫国若干普普通通的公孙之一而已,血管之中有或多或少的贵族的血,就经济情况而论只是平民而已。不读书而经商,可以与一般的商人平起平坐;倘若读书,便成为穷书生,不够资格与商人平起平坐,惟有到处流浪,找工作。

公孙鞅流浪到魏国,蒙魏国的要人公叔痤收为家臣,给他一份薪水,称他为"中庶子"。中庶子三个字,可能是小官官名,也可能是"干少爷"之类的称号。公叔痤,据司马迁说,是魏惠王的相(宰相)。这句话,有问题。

司马迁文章极好,历史学不太高明。例如,他说了孔子作鲁国之相,便害了两千多年的中国儒家。实际上,孔子只是做了鲁定公出席夹谷会议,与齐景公会面之时的傧相(侍从官),并非宰相。当时的鲁,只是一个诸侯之国,怎能有宰相?孔子所做的官,只是二级的大夫,司寇,所管的是强盗小偷(寇在当时不是外国来的侵略者,而是国内的强盗与小偷)。一级大夫是司徒、司马、司空。

公叔痤很可能为魏国国君(魏惠王)的亲信之一。这位国君,在当时只是一个侯,并非王。到了秦孝公与公孙鞅均死去了以后,才与齐威王互夺为王,目无周天子。此人在死后被谥为惠王,也就是孟子所见到的梁惠王(其实《孟子》一书的作者应该称他为魏惠王才对。梁是大梁[开封],不是魏的国名)。

公叔痤把公孙鞅荐给魏侯罃(其后的魏王罃)。罃是这个魏侯的名字。魏侯罃不用。公叔痤劝他,如果不重用此人,应该把他杀掉,免得他做了别国的大臣,成为魏国之患。这个劝告,魏侯罃装着接受了。

公叔痤又告诉公孙鞅:"你快逃走。我把你推荐给魏侯,魏侯不肯用你;我劝他杀了你,免得你做了另一国的大臣,害魏国,魏侯也已经答应,他快要杀你了。我是先公后私,先忠于君,后忠于友,不能不劝他杀你,请你原谅。现在我劝你逃,你还有时间,来得及逃离魏国。"公孙鞅说:"谢谢你。我迟早是要离开魏国,另找出路的。不过,现在倒不必忙着逃走。魏侯既然不肯听你的话用我,大概也不会听你的话杀我。"

果然,魏侯并没有下令捉公孙鞅去杀。

过了一些时候,公孙鞅听说秦国的国君下令招贤,他就去了秦国。到了秦国,他却见不到国君的面。他在秦国住了下来,慢慢地在两年以后找到一位名字叫做景的太监,由这位太监向国君提起,这才幸蒙召见。

　　见了两次，话不投机，均无下文。第一次他向这位国君大谈尧舜之道；第二次，他降格以求，向这位国君叙述齐桓公与晋文公如何尊王攘夷，取得霸主地位。这位太监先生很好，帮公孙鞅帮到底，又向国君说他如何如何能干，于是有了第三次的召见。

　　在这第三次见到国君之时，公孙鞅不再谈尧舜与齐桓、晋文，而只谈富国强兵，合了国君的胃口。国君说："就照你的意思办罢。"以上，都是司马迁说的，未必正确。我想，公孙鞅这种人，不可能兜圈子，找钉子碰。他这种人，对"大人物"的心理研究有素，说起话来，一定开门见山，一针见血，指出"大人物"心中正在考虑的是什么问题，而简简单单，干脆利落，提出一个不含糊、不模棱两可的答案。

　　事实是，这位秦国国君（历史上的秦孝公）决定任命这个年轻的，来自魏国的卫国人公孙鞅为"左庶长"，照他的计划试试。这一年是公元前359年。

　　公孙鞅所做的第一件事，是建立秦国政府的信用。他放一根三丈长的木头在国都栎阳（陕西临潼东北）的南门，下令任何人如能扛它到北门，赏十金（十斤黄金）。人民之中没有人相信这个命令，以为是"大人物"在开玩笑。公孙鞅又下命令，改赏金十金为五十金。于是，有一个老百姓好奇，姑且把这根木头扛到北门。公孙鞅立刻赏他五十金。

　　消息传了开来，大家觉得政府的命令并不是开玩笑。于是，公孙鞅又下了几道新的命令，其中最重要的，是防盗、防间谍。他叫五家十家互相监视，对政府互为保人。如有某一家的人犯罪，其余的四家与九家都必须向政府报告，否则连带受罚。五家的小单位罚重；十家的大单位罚轻。这叫做"连坐法"。

　　另有几道法令，包括（1）压制宗室贵族。凡是没有为国家打仗立功的,要除去家谱上的名,不再有贵族的身份。(2)老百姓为国家打仗立了功的,给以"武功爵爵位"。武功爵共有二十等,秦国本来已有。获得各级爵位的,可以多买田地,可以穿美好的衣服。(3)压制商人与懒惰的人。凡是经商的人,都不许穿美好衣服。不论有钱或无钱,种田而不肯勤劳的,也不许穿美好衣服。(4)重农。凡是男子种田的,女子在家织麻布的,若成绩优良,可以终身免服兵役。(5)实行小家庭制度。儿子娶了媳妇,必须离开父母的家,另创家庭。这样,人人皆须努力求自己小家庭的生存,不能再依赖父兄,吃闲饭。

秦孝公的太子对公孙鞅很厌恶。于是太子故意犯法,看看公孙鞅如何应付。

公孙鞅说:"太子是国家的储君,我不便用刑。但是太子之所以敢于犯法,由于他的傅与师不曾把太子教好(傅是生活上的指导人;师是学术上的指导人)。"

说了这话,公孙鞅就处罚了太子的傅公子虔,太子的师公孙贾。这件事,使得秦国全国的上上下下,没有人敢犯法,在积极的方面,人民也踊跃从军,为国立功。

公孙鞅也带兵打仗,为国立功。秦孝公升他为大良造,以大良造的爵位作带兵官,于公元前352年(秦孝公十年)攻打魏国,打下了魏国的都城安邑(山西夏县)。

两年以后,公孙鞅造好咸阳城及城内的宫殿与民房,下令迁都,从栎阳迁到咸阳(今日陕西的咸阳)。

他借着迁都的机会,作进一步的变法。他把全国的大小村庄城镇,合并为三十一县(据《史记·商君列传》及司马光《资治通鉴》;《史记·秦本纪》说是四十一县)。县在以前已有,秦武公曾经把杜伯的国(西安附近)

与郑国留在今日华县的故土，均吞并了，改为县。县由国君派官吏治理直辖，不分封给贵族。

公孙鞅把全国一概合并，重新划分成立三十一个县，做了彻底的侯国内部的小规模中央集权。这真是历史上划时代的大事，是大一统帝国的预兆。

公孙鞅又鼓励人民"开阡陌"，鼓励人民把原来作为一千亩与一千亩的疆界的田埂子挖开，种谷类，以增加粮食生产（有许多学者以为开阡陌是废井田。其实井田早就不存在了）。

公孙鞅准许人民开阡陌，可见荒地也早已准许人民开垦了。

他在秦孝公十四年（公元前350年）变更秦国的税法，开始征收"军事税"。这军事税，当时被称为赋。赋字从贝从武。赋是"田租"以外的一种税。田税称为田租，是因为田在理论上属于天子或僭窃了天子之权的国君，种田的农民在理论上都是天子或这样的国君的佃户。

周天子（显王）见到秦国突飞猛进，在公元前343年（秦孝公十九年）派人到咸阳来，送秦伯（秦孝公）以祭祀祖先以后的"胙肉"，同时奖称他为诸侯之伯（诸侯之长。这个伯字，与公侯伯子男的伯字不同）。秦孝公也就派了一个儿子公子少官，到今日开封之东的逢泽，大会诸侯，率领他们去洛阳，朝拜周天子，作为报答。

做了诸侯之伯，便是做了诸侯的霸主，虽然是为时不长，然而不能不算是五霸或若干霸主之一（一般的历史家把秦穆公列为五霸之一。其实秦穆公仅仅霸了西戎，不曾为中原诸国的诸侯之长）。

再过三年，公元前340年，公孙鞅于获得秦孝公准许以后，大举伐魏。这一次是真正的争雄。他认为必须把魏国弄成弱国，秦国才能变成强国，进一步"据河山之固，东乡（向）以制诸侯"。

公孙鞅骗了魏军的统帅公子卬。他与公子卬当年是好朋友。此时，他邀请公子卬到他军营里来叙旧。糊涂的公子卬应邀而来，被捉，当了俘虏。魏军群龙无首，大败亏输。

魏侯罃不敢再以安邑为国都，他迁都到大梁（开封）。

秦孝公封公孙鞅为商君，以今日陕西商县附近十五个邑为他的封地。这是另一件所谓"历史的讽刺"。公孙鞅本人与封建制度作对，却做了一个封建小君主。

秦有了黄河作为东边的疆界，由劣势转为优势。再经过孝公的后继者惠文王与昭襄王，施行越来越猛的侵略政策，终于在秦始皇手中完成了大一统帝国。

惠文王在公元前338年即位之后，仍只是一个公侯伯子男的伯。到了七年以后，公元前324年，才自称为王。他的元年是公元前337年。

他在作太子之时，因犯法而累得傅与师二人受公孙鞅处罚。即位以后，他对这位商君鞅报仇，说有人告他造反，必须抓他来问罪。商君鞅逃到魏国，魏国不让他进去。他回到"商国"，起兵攻秦，以卵击石，被杀。死后，他被新任的秦伯（未来的秦惠文王）用几辆车子拽住手脚向不同的方向奔驰，把他的尸首拉成几大块（这种刑罚，叫做车裂）。

公孙鞅，商君鞅，在许多历史书上被称为商鞅。有一部《商君书》大谈商君的言行，却并非他本人所写。

用文化眼光看商鞅

　　商鞅是法家行政的代表人物。商鞅的新法，也是法家以严酷的政治原则行政的标本。明代学者张燧《千百年眼》曾经夸奖他："（商）鞅一切不顾，真是有豪杰胸胆！"然而，商鞅对于文化的冷漠，也长期受到了历代文化人的批判。而儒家学者对他的批判，是不可以看作门户之见而予以轻视的。

　　东汉史学家班固曾经说，商鞅是用"三术"说服了秦孝公，才取得成功的。又说，商鞅是周王朝末年的一大"凶人"。"凶人"的说法，是有情感色彩的，是有道德倾向的。"三术"的说法，大概比较客观。那么，什么是"三术"呢？按照东汉学者应劭的解释，是"王"、"霸"和"富国强兵"之术。这样看来，如果说商鞅有"理论"的话，他的"理论"，应当是以这种"术"作为结构主体的。而这种"术"，其实只是以"富国强兵"为目标的追求短期实效的一些具体政策而已。唐代人颜师古解释《汉书·武帝纪》的内容的时候，曾经引用了李奇的说法。说商鞅为法，能够奖赏地位低下的有功的人，惩罚地位高贵的有罪的人，但是缺点是偏于严厉苛刻，不注意以宽厚之心让老百姓得到实际的利益。后来有人还说，秦国在道德方面名声不好，受到东方人的歧视，甚至有称秦国为"虎狼之国"的说法，商鞅都是要承担责任的。

　　朱熹也曾经批评说,商鞅只是一心要急切地达到使秦国富强的目标,但是并不在教育和文化上下功夫,是应当受到谴责的。也就是说,商鞅的政策,只是片面追求国力的强盛,而放弃了执政者首先应当致力于文化建设的基本责任。

　　商鞅之政的这个特点,其实,司马迁在最早为他作传时已经有"刻薄"、"少恩"的评价了。太史公虽然笔法简略,可是实际上已经为我们勾勒出了商鞅文化肖像的大致的轮廓。

　　应当注意到,司马迁在这儿可不只是对商鞅个人进行什么道德品性和文化资质的分析,他实际上是表露了对商鞅改革的社会历史效应的一种文化感觉。

　　贾谊有一篇挺著名的政论文字——《陈政事疏》。这篇文章里面说商鞅丢掉了礼义的传统,废止了仁德的政策,放弃了思想文化方面的建树,而专力于军事政治的进取,竟然导致秦国社会风习颓坏,世情浇薄。家族间的亲情纽带也已经被实际的利益追求一刀斩断了。当时秦国民间风习,据说将耰锄一类的普通农具借给父亲,也会以为施以恩惠而得意洋洋,在母亲取用簸箕扫帚一类用物时,竟然可以恶言咒骂。

　　秦人自商鞅之后,兴起了功利第一的时代精神。这虽然确实能够使得民众振奋起来,同心协力,致使秦国强盛,又运用兼并之法,完成进取之业,终于灭掉了齐楚燕韩赵魏等六个国家,占有了整个天下,可是在军事成功的另一面,我们却看到秦人已经一步步走向了文化上的天下大败。

　　秦国风俗的败坏,用当时东方人重视传统道德的眼光来看,据说已经和禽兽没有什么差别。《韩非子·和氏》甚至说,早在秦始皇焚书之前,商鞅已经有烧毁诗书的恶劣行为了。也就是说,秦始皇时代千古闻名的、极其严酷的、遭到世代人严厉唾骂的焚书坑儒的做法,已经先自有商鞅开了个坏头儿。秦始皇的文化专制主义政策,其实在商鞅时代就可以找到先行者了。

商鞅的文化观,带有特别浓重的实用主义的色彩。商鞅变法成功了,秦国富强了,"大一统"后来也终于实现了,但是因为文化的缺席,使得这一历史变化的积极意义大打折扣,社会文明应当取得的进步也没有到位。

有人曾经说,后来两千年的专制统治,实际上都是秦政的继续。商鞅这种极其短视的文化观,就是因为秦实现统一的政治上的成功,对于后来历代王朝上层执政者产生了特别显著的影响。

当然,以"刻薄"、"少恩"作为文化根基而建成的专制主义帝国的强固体制,也长久地成为扼杀和压抑中国文化之活泼生命力的铁牢。

作为最著名的改革家,商鞅的文化心理又是充满着矛盾的。他发起改革,起初却用非常陈腐的政治学说来试探君王,而引荐他的人,竟然是名声恶劣的宦官。

商鞅执法过于严酷,以致杜甫在他的诗句中有"秦时任商鞅,法令如牛毛"的评论(《述古三首》)。

拒绝听取批评意见,也是商鞅政治风格的特征之一。所以司马迁说,他最终在秦国恶名传播,是很自然的。

中国人有一个传统,就是凡是祖先说的都不能违背,凡是古来的制度都不能改变。商鞅的改革思想,可以用他最响亮的一句话作为代表。这就是他曾经大胆地提出的"便国不必法古"的口号。也就是说,只要对发展国家有利,其实是不必按照老传统办事的。但是我们仔细考察商鞅的言行,却仍然可以看到慕古崇圣的思想倾向。

《商君书》一书里面有大量的颂扬先王政治的文辞。《更法》一篇记载了商鞅驳斥保守派思想教条的最精彩的论说。他说,前世执政各取不同的原则,我们应当遵循哪种原则呢?历代帝王执行不同的制度,我们应当继承哪种制度呢?从黄帝、尧、舜,到周文王、周武王,都是根据当时形势而立法,根据当时形势而制礼。礼法都是以时而定,制令也应当各顺其宜。所以说,管理国家没有一定的成规,只要有利于国家,是不必一一遵照古制的。可见,商鞅虽然反对"法古"、"循礼"的政治陈规,但是又仍然以伏羲、神农、黄帝、尧、舜及至周文王、周武王等先古圣王作为信仰支持和政治号召。托古改制,是中国历代改革通用的策略形式。商鞅作为早期改革家,不能完全跳出先王崇拜的文化禁锢,是必然的。而当时改革领袖理论方面的贫困,也是与法家狭隘的功利思想和实用主义有密切的关系的。

改革是历史长河的高潮。

成功的改革家"弄潮儿向涛中立,手把红旗旗不湿",与历代虽然踞于特别高的地位,手握特别大的权力,然而却只会惺惺作态的政治侏儒们相比,他们是真正的伟人。

商鞅正是这样的值得敬重的大英雄。不过,我们在看他的政治成就的同时,也应当仔细注视他的文化行迹。我们不赞同在描绘历史人物的文化肖像时,或者只用单一色调,或者随意涂抹过于浓重的油彩。对于商鞅的形象,当然因此而失真,也是不好的。

七

惠文称王

　　秦国在孝公以后,始皇帝以前,先后有过五个王:惠文王、武王、昭襄王、孝文王、庄襄王。武王在位四年,孝文王在位三天,庄襄王在位三年。其他两位,惠文王在位二十七年,昭襄王在位五十六年。

　　惠文王在即位以后的第十三年(公元前 324 年)称王。次年,改元为"更元元年"。韩国的国君宣惠王也是在这一年称王的。他们两人,可说是"目无朝廷",目中无周天子与周天子在洛阳的王廷。然而他们不是最先目无天子的。最先在公元前 334 年僭号为王的,是齐威王与孟轲老夫子的朋友梁惠王。梁惠王在历史书上的正式名称是魏惠王。由于当时他已经从(山西夏县的)安邑,迁都到(河南开封的)大梁,所以有很多人不称他为魏王,而称他为梁。他死了以后,被谥为惠,于是《孟子》一书的编者就称他为"梁惠王"。

　　话归本题,秦惠文王于即位以后并未主持国政。他当时仅有十七岁(足岁),尚未成年。主政的是谁? 司马迁不曾交代。惠文王称王以前,司马迁称他为惠文君,不称他为惠文公。为什么? 我们不懂。

　　惠文君三年,他满了二十岁,举行冠礼。五年,他任命犀首为大良造。犀首是魏国人,本名公孙衍。他的头,像犀牛,因此而被人送给他犀首两个字作为绰号。奇怪的是:司马迁写正经历史书,也称他为犀首,而不称他为公孙衍。倒是那编写《孟子》一书的人，称他为公孙衍。《孟子》卷六："景春曰，公孙衍张仪，岂不诚大丈夫者，一怒而诸侯惧，安居而天下熄。"公孙衍做了秦国的大良造。这个官职或官爵，是商鞅也做过的。商鞅曾经以大良造的身份，带兵打仗（良造两个字很费解，似乎是戎人之语或其他语言的音译）。

公孙衍做了大良造的第二年，魏国就献了（陕西大荔的）阴晋给秦国。是不是因为公孙衍带兵打了魏国，打赢了？而阴晋正好也是公孙衍的家乡。作为一个魏国阴晋人的他，不替魏国打仗，而替秦国打仗，逼得魏国把自己的家乡阴晋献给秦国。他不是成了魏国的卖国贼了么？商鞅是卫国人，不是魏国人；商鞅替秦国打仗，打魏国，却不能算是卫国的卖国贼。和公孙衍同样是魏国人，也同样替秦国打魏国的，是张仪。张仪也可以称为魏国的卖国贼。

然而，司马迁不曾称这两个人为卖国贼，战国之时的人也都不曾称他们为卖国贼。为什么？因为，当时各个诸侯之国的人，都认为大家均在周天子名义上的统治之下，而且言语文字大体相同，虽则并不完全相同。魏国人与秦国人之分，倒有点像民国初年山西人、河南人与陕西人之分。倘若有一位山西人或河南人，到陕西去找工作，替陕西的军阀带兵打山西的军阀或河南的军阀，这个人并不觉得自己出卖了山西或河南。了解了战国之人如此的心理，我们才不会十分看不起公孙衍、张仪，以及和他们差不多的范雎、吕不韦、李斯。

让我再度话归本题罢。公孙衍在秦作大良造，从惠文君五年作到惠文君十年，在惠文君六年，有魏国献阴晋城之事；在惠文君七年，有公子卬大胜魏军，俘虏了魏将龙贾，杀了魏兵八万人之多；在惠文君八年有魏国献河西之地事；在惠文君九年，有夺取魏国（山西荣河之北的）汾阴，（山西河津之西的)皮氏,与(河南陕县之南的)焦邑之事。

魏国生了这么一个公孙衍,真正有点那个。公子卬也不是东西。他原为魏国的公子,于一次战争之中受了商鞅之骗,当了俘虏,留在秦国做了商鞅的宾客。他倘若想溜回魏国,应该不难,然而他也带兵打自己的魏国。

在惠文君十年,张仪把公孙衍挤下台,做了秦国的相(宰相)。

公孙衍离开了秦国,去鼓动其他各国一致反秦。这一致反秦,便是历史书上的所谓"合从"(从字是纵字的古写)。张仪用"连衡"(也称"连横")的策略,对付公孙衍的"合从"。公孙衍是"合从"的创始者,苏秦不是。

公孙衍做成了两件大事:一是在公元前323年团结了魏韩赵燕与中山,五个国的国君,互相承认为王。这件事叫做"五国相王"(中山国在今日的河北省正定县一带)。另一件公孙衍所做成的事,是在公元前318年,使得楚魏韩赵燕五国,联合出兵攻秦,攻到了函谷关。

张仪在秦国也替秦国做了不少的事;而且也在秦国以外的其他各国,做了不少有利于秦国的事。他在惠文君十年,使得魏国献(今日陕西北部的)上郡,在十三年夺取了魏国的(今日河南陕县附近的)陕城。

他最讨惠文君喜欢的事,是在夺取陕城的这一年,先劝惠文君称王。惠文君欣然照办。次年,是惠文王更元元年(公元前324年)。

更元二年,张仪代表秦国,到一个叫做啮桑的地方,与齐楚两个大国结盟,形成一个"连衡轴心",以对抗公孙衍的五国相王。

更元三年(公元前322年),张仪竟然做了反秦的魏惠王的宰相,而且做到了更元六年(公元前319年),魏惠王死后,魏襄哀王继位,才被魏国驱逐,又去秦国。

这件事,何以发生,为何发生,司马迁也不曾交代(我们不能够责备司马迁,历史上的许多大事小事,史料每每不够,甚至根本空白)。我猜想,魏惠王在他一生之中最后的三年,可能后悔打仗打得太多,而动了重用张仪,以与秦国和解的念头。秦国的答复是:又在这一年攻魏一次,夺取(河南陕县之南的)曲沃与(山西介休之南的)平周。不过,其后两个年头,秦不曾再打魏。张仪也许办到了秦与魏之间的暂时和解。

魏惠王一死,局面大变。魏惠王的儿襄哀王是反秦的,他逐走了张仪,任命张仪的对头公孙衍,做魏国的宰相。公孙衍用了不到一年的工夫,便组成公元前318年的楚魏韩赵燕五国合从,以楚怀王为盟主,派遣联军打进函谷关。这是第一次合从攻秦。

可惜,联军打到函谷关,便被秦军打败。齐宣王不仅不肯加入合从,而且以秦惠文王的同盟者的身份,由东边打魏国,使得魏军于次年在(山东观城的)观津,吃了大亏。秦军这时候进兵反击韩赵,也在(河南修武之南的)修鱼,击败韩国的太子奂,赵国的公子渴,砍杀了两国的兵士八万二千人。

张仪又做了秦的宰相,从秦惠文王更元八年(公元前317年)做到更元十四年秦惠文王去世(公元前311年)。中间,在更元十二年他一度到楚国,作楚怀王的上宾,却骗了楚怀王亲秦反齐,对齐绝交,答应以"(陕西东南部)商于之地六百里"送给楚国。楚怀王上当,对齐绝交,派人跟随张仪到秦国去接收这"商于之地六百里"。此人跟随张仪到了秦国,张仪赖账,说:"我只答应送六里,不曾答应送六百里。"

楚怀王很生气,在次年(秦惠文王更元十三年,公元前312年)派兵和秦国的军队在丹水之北打了一仗,战败;又动员了大批军队打进武关,企图直趋咸阳,却在蓝田被秦军截住,全军覆没。秦军乘胜占了汉水中段的地区(湖北的西北部)。然后,在更元十四年,秦军来攻楚国的召陵(河南的南召），夺去召陵与附近的土地。

　　张仪在秦国的地位到了巅峰，乐极生悲。秦惠文王去世，太子秦武王继位。秦武王之不喜欢张仪，正如他的父亲秦惠文王之不喜欢商鞅。张仪比商鞅聪明，不等秦武王采取行动，而自己先走。他走回魏国。在魏国不能得意。过了两年，郁郁而死，结束了飞黄腾达的一场大梦。

八

昭襄王削弱魏韩赵楚

秦惠文王的儿子武王，在位四年，对韩国作战一次，夺了（在河南的）宜阳，杀了韩军六万人；对魏国也作战一次，夺了（山西河津之西的）皮氏。

武王没有儿子，死后王位由弟弟昭襄王继承。

昭襄王在位五十六年，对魏国用兵十五次，对韩国用兵八次，对赵国也用兵八次。他把这三国打得喘不来气，也夺占了它们许多战略据点与广大的地区。对于楚国，他进攻了两次。说得简单一些，他把魏国削去了二分之一，把韩国削去了三分之二，把赵国削去了三分之一，也把楚国削去了四分之一。

用现代地名说得详细一点：昭襄王夺去魏国在今天山西省西南部与河南省西部黄河之北的一大片土地，包括魏国的旧国都，在夏县的安邑。秦国从此控制了汾水进入黄河之处，与汾水之南、山西陕西之间与山西河南之间的若干渡口，包括永济与风陵渡、垣曲、温县、茅津渡。

昭襄王也拿去韩国在山西省西南的临汾及其周围，山西省东南部长治高平一带的高地，当时所谓"上党"与河南省北部的今日的名城沁阳。沁阳在清朝是怀庆府的府治，在当时叫做"野王"。河南省西部黄河之南，韩国的国都宜阳，函谷关之东汜水、荥阳，嵩山之南，在今日登县东南的阳城与负黍，在新郑县的韩国的新国都"郑"，也都被昭襄王拿走。韩国只好把国都迁到新郑县西南的"阳翟"（阳翟在今天叫做禹县）。

赵国土地被秦昭襄王拿走的是河南省的北部的林县到河南省南部的武安县一带。

楚国本是幅员最大的一国，被秦昭襄王削成一个小于秦的国。昭襄王把楚的河南西南部、湖北省西部与湖南省西部统统拿去，包括在江陵的老国都郢；在宣城的新国都鄢郢。楚国只好把国都搬到今日的淮阳。淮阳本是陈国的国都。陈国已在公元前479年为楚所灭。

韩魏赵楚四国，不仅丧失了广大的土地，而且也死了极多的兵士与军官。秦国的军法，规定以所砍敌人之头的多少计算功绩。因此，秦军军人的最大兴趣不在于达到君王的政治目的，或这个战役的胜负，而在于砍下敌人的头，带回营里报功（当然，也难免把滞留在战地的平民男子也砍了充数）。

秦军于公元前293年在洛阳之南的伊阙，砍了韩魏之军二十四万，于公元前275年在开封附近砍了魏军四万；次年，在新郑东南的韩国的"华阳"地方又砍了魏军十五万；公元前260年在山西省高平县附近的"长平"坑了赵军"四十余万"（据《史记·秦本记》）。这四十余万的苦命兵士，可能是被秦军先砍了头以后，才埋了尸身的。

当时韩魏赵三国的人口，各有多少，我们缺乏材料。西汉末年，全国人口最多之时，共为五千九百五十九万四千九百七十八人。战国秦昭襄王之时，比西汉末年早了两百五十年至三百年，各国人口之总数，不可能超过两千万人。用七来除，我们得到一个笼统而不足以为定论的假定数，每国只有三百万人左右（当然，有几国较多，几国较少，没有两个国家的人口数目相同）。

以人口只有三百万人左右的国家，一战而死去几万、十几万、二十几万、四十几万的兵士与军官,其所受打击之大,是不言而喻的。

魏韩赵三国所受的打击,的确令他们此后无法再与秦国对抗。楚国所损失的兵员较少,然而土地的损失也够它受的。

魏韩赵与楚,也都把它们的国都由西迁到东。魏国由安邑迁到大梁(开封);韩国由韩城迁到宜阳,由宜阳迁到郑(新郑),由郑迁到阳翟(禹县);赵国由今日太原附近的晋阳,迁到了今日河北省的邯郸。

楚国,我在前面已经说了:由郢迁到鄢郢,由鄢郢迁到陈(河南淮阳),其后又由陈迁到今日安徽省寿县的寿春。

秦国征服了韩魏赵三国,便已控制了山西省西南部、东南部、中部、河南省的北部、西部。

残余的周王廷在公元前256年,由赧王把地图与户籍亲自带到咸阳,献给秦昭襄王,结束了周朝,投降了秦国。

剩下的周公之后裔所君临的"周"爵国,分列为所谓"西周"与"东周"。西周爵国,在洛阳之西(也许是今日的"西工"所在。西工是"西宫"或"西公"的讹称)。东周爵国,在今日的巩县。

西周公与东周公,均自降为西周君与东周君,这两个极小的国,也先后为秦国所吞并。

九

合从攻秦

秦国在惠文王与昭襄王之时，尤其是昭襄王之时，不断地对魏韩赵楚出兵，削弱这四国。四国也试图联合抵抗，联合反攻。其中有三次获得燕国参加，有一次获得了齐国出面领导。

它们在东边。它们分据了中国东边的南方与北方，而秦国是分据了中国的西边。它们的自行联合，是南方之楚与北方之魏韩赵的纵的联合，因此这联合在历史书上被称为"合从"（纵的联合，从字是纵的古写）。

秦的对策，是说动或威胁东边的一国两国或更多的国，作由西到东的横的联合。这横的联合，在历史书上被称为"连衡"（衡字是横的古写）。

合从的行动，前后有过四次。第一次合从，在"惠文称王"一节，已经提到过它发生于公元前318年。策动人是那作过秦国的大良造，回头到了出生地魏国，做了魏襄哀王的宰相的公孙衍，公孙衍的绰号是"犀首"（犀牛的头）。主盟人是楚怀王，参加的有楚魏韩赵燕五国。

五国的联军，开到了函谷关，秦军开关迎敌。联军战败向东撤退，不久，齐国出兵攻魏，因为齐宣王自居为秦惠文王的好友。秦军于次年向东进军，大胜韩赵之军于修鱼（修鱼在今天河南省的修武）。

第二次合从攻秦是在秦昭襄王九年（公元前298年），距离公元前318年第一次合从攻秦已经有了二十个年头。

策动这第二次攻秦的是齐国的孟尝君。主盟人是齐宣王的儿子齐湣王。参加的仅有齐韩魏三国。

楚国这时候，无力参加。怀王已经上了秦昭襄王的当，亲自到秦国去和昭襄王见面谈和，被昭襄王扣留在咸阳。楚国的大臣扶立了怀王的儿子顷襄王，对秦国表示"楚国失君有君"，不在乎怀王能否被释放回国。这些大臣虽则做到了使楚国不致因为"失君"而大乱，但也绝无力量来参加孟尝君所领导的合从攻秦。

这一次的合从攻秦，赵燕两国也都不曾参加。赵国这时候武灵王已于上年退位，传位给小儿子惠文，自称"主父"，在专心准备吞并中山国。中山国原为胡人的一大部落，叫做"鲜虞"，它逐渐扩展，成了一个占有河北省定县至石家庄一带的大国。两年以后，公元前296年，"主父"果然灭掉中山。

燕国在位的国君是燕昭王。他是燕王哙的儿子，无意于攻秦，而有志于对齐报仇，因为齐国曾经在公元前314年乘燕国内乱而入侵，一度占了燕的国都（今日的北京）。燕昭王其后果然报了此仇。

由于这些原因，赵燕两国不曾参加公元前298年的第二次合从攻秦。

第二次合从攻秦，虽则参加者仅有齐韩魏三国，却由于孟尝君领导有方，打到了函谷关，获胜。次年，再打。第三年，又打，打进了函谷关，占领盐氏城，秦国求和，以山西临汾之西南的武遂还给韩国，今日风陵渡所在之地的封陵还给魏国。

第三次合从攻秦，是在公元前247年，距离第二次合从攻秦竟有五十一个年头之久，可见反秦之难。

策动这第三次合从攻秦的是魏国的公子信陵君（魏无忌）。主持这第三次合从攻秦的也是他。他此时原已因事滞留在赵国。由于秦军来围魏国的国都大梁（开封），他率领亲信的好友与宾客奔回大梁，接受他哥哥魏安釐王的任命，做了魏军的统帅，迎战秦军。赵国、楚国、韩国、燕国也都派了兵来，帮助他。

他率领五国之军，与秦军决战于大梁一带获得大胜，秦军的主将蒙骜落荒而逃（大梁一带是在黄河之南，在当时叫做"河外"。与它对岸的黄河之北，今日的"豫北"是所谓的"河内"）。

第四次合从攻秦，是在公元前 241 年，距离第三次合从攻秦仅有六年。策动人是赵国的将军庞煖，参加的有四国：赵楚魏燕。这一次四国的联军不曾打胜。

除了这四次合从以外，冯君实在他的《中国大事年表》中说公元前 287 年有过一次由苏秦与李兑共同发起的合从，参加的是齐赵楚魏韩五国。冯君实只是说了苏李二人"约"这五国合从攻秦，不曾交代这件事做成了没有。

李兑是赵惠文王的"司寇"。苏秦在此时住在齐国，是燕昭王的代表，齐湣王的客人。传说，他暗中负有燕昭王给他的任务：劝齐湣王吞并宋国，以引起其他各国的恐惧，成为各国的公敌。

齐湣王确是在公元前 286 年出兵。五国联军于次年击溃齐军，占了齐国的极大部分，齐湣王走死，齐国剩了莒与即墨两城，齐国的忠臣扶立齐湣王的儿子太子法章为王（历史书上的齐襄王），死守莒与即墨两城。

在这一年，苏秦被人刺杀，死后他的尸首被齐王下令"车裂"。

苏秦不像是一位反秦的人而像是一位反齐的人。

孟尝君

　　战国时代的中国,人才济济。上自各国国王,下至市井小民,都有突出人物。于中间阶层的文臣武将、诗人与哲学家、玄学家、教育家、宗教家、艺术家、科学家,亦复数不胜数。自成一格的又有所谓四大公子,其品格作风与成就,也空前绝后,值得大书特书。

　　关于这四大公子的传奇故事,我们应该感谢司马迁。司马迁以其神来之笔,把他们描写得栩栩如生。虽然,由于是故事,而不是严格的历史,偶尔免不了夸张与加油添醋,甚至有显然不符事实之处,但是比起他所根据的那杂乱无章的《战国策》,其优劣真不可同日而语。总之司马迁的的确确是一位大文豪。

　　所谓四大公子,读者都知道是齐国的孟尝君、赵国的平原君、魏国的信陵君、楚国的春申君(前三人都是国王的子孙;春申君不是,却也是一位世家子弟)。

　　孟尝君田文,他的父亲是齐宣王的弟弟田婴。田婴受封于薛,是所谓薛君。孟尝君其后也承袭了薛公之位。他之所以被称为孟尝君,可能是起先被封在尝邑(亦即薛邑之旁的常邑)。孟字的意思是老大。君是战国时期很流行的一种爵号。例如卫国的公孙鞅在秦国立功以后受封于商,便称为商君(君的采邑,称为郡。郡于政府在该地实行极权之时,不由一个君去统治，而由国王派遣一个官吏去统治。这官吏战国初年称为大夫，在秦始皇统一天下以后称为守，在两汉称为太守）。

孟尝君以好客著名，传说他养了宾客三千人。这些宾客又称食客，他们住在招待所里面，白吃白住，不须上班，亦无固定任务，只是偶尔受孟尝君之托，办一些五花八门的大事小事而已，包括到邻国去找要人、拉关系或是在齐国某些城镇放债、收息，或是作孟尝君出门时的随员，或是于孟尝君闲暇之时陪他聊天，或喝酒、吃饭、听唱歌、看跳舞（当然，也有和孟尝君谈学问，或跟随他去打仗的）。

战国以后，各个时代都有达官贵人的儿子，亦即所谓公子，其中也有喜欢交朋友的，如李渊的儿子李世民，然而李世民的朋友只不过是瓦岗寨的十几个人而已，加上不曾在瓦岗寨结盟的其他朋友，大概也未必超过一百人之数。招待三千个朋友，长期管吃管住，不是普通的公子所能办到。孟尝君有一个好父亲与一个好伯父。

孟尝君在历史上所做的一件大事，是在公元前298年，率领齐韩魏三国之兵，打进秦国的函谷关，到了盐氏。这一次合从攻秦，正如楚怀王、信陵君与庞煖所领的其他三次，皆不曾能给秦国以致命的一击。然而，只要敢于抗秦，也就可算得是了不起。

在伐秦以前不久，他从秦国逃回齐国。司马迁上了《战国策》的当，以为他在秦国是当了秦国的宰相，秦国虽则喜欢用客卿，却也不是那么随便就叫什么人当它的宰相的。实则，孟尝君在秦国的身份，只是一个人质。当时，秦国也有一个人质，泾阳君，在齐国。战国时期，两国在建立同盟关系之时，每每互派一个人质在对方。

孟尝君离秦之时，是齐湣王三年（不是司马迁所说的齐湣王二十五年）。湣王是宣王的儿子，与孟尝君是堂兄弟，年龄差不多。湣王于即位以后,曾经授权孟尝君主持政务。湣王与他的父亲宣王的政策不同。宣王是亲秦的;湣王是反秦的。孟尝君之所以急于离秦回齐,可能是暗中奉了湣王之命。

这故事之中的传奇部分,是秦昭襄王不让他走,而且把他囚禁起来。孟尝君托人请求昭襄王的一位宠妃向昭襄王说好话。这位宠妃见到孟尝君送过一件白色狐皮袍料给昭襄王,要求孟尝君也送这么一件白色狐皮袍料给她。孟尝君却只带了一件,并无两件。这时候,有一位随他来秦的食客,会装狗,也会作小偷。此人在某日深夜,装狗,进入昭襄王的深宫,偷出那白色狐皮袍料。第二天,由孟尝君派人送到昭襄王宠妃之处。这宠妃果然说动了昭襄王,把孟尝君释放。

孟尝君被释放以后立刻改名换姓,把"封传"(护照)上的姓名也改了,骑马奔驰到函谷关,在次日黎明之时,鸡鸣以前,由他的另一位随从食客模仿鸡叫,叫得附近真的雄鸡也都应声而叫,于是关吏糊里糊涂的开了关门,孟尝君溜了出去(不久,昭襄王因发觉孟尝君离了咸阳,派人追到了函谷关,已经追不到孟尝君了)。

司马迁的《孟尝君列传》,流传到宋朝王安石手中,王安石写了文章,说孟尝君的食客只是一些鸡鸣狗盗之徒,没有一个配得上称为"士"的人才。王安石的这篇文章被收入《古文观止》之中,是《古文观止》最短的一篇,题为《读孟尝君传》:"世皆称孟尝君能得士,士以故归之,而卒赖其力,以脱于虎豹之秦。嗟乎!孟尝君特鸡鸣狗盗之雄耳。岂足以言得士,不然以齐之强,得一士焉,宜可以南面而制秦,尚取鸡鸣狗盗之力哉?鸡鸣狗盗之出其门,此士之所以不至也。"然而不合逻辑,开头他说"世皆称"三个字很含混。称孟尝君能得士的,是司马迁一人,不是"世皆称"。其实,司马迁之所谓"士",并非王安石自己之所谓"士"。司马迁之所谓士,只是

"诸侯宾客及亡人有罪者"，与读过或多或少的书的文士，或有点功夫或有作战能力的武士。王安石之所谓"士"，却是一位能够办到使"齐国南面而制秦"的文武兼资的奇才，并且是"八字"特别好，有绝对的好运气以实现其梦想的天之骄子。

其次，孟尝君的三千宾客，并非个个都是鸡鸣狗盗专家，个个都是除了鸡鸣狗盗之外，别无他长的特殊江湖人物。因此，王安石实在没有理由说孟尝君不过是一个"鸡鸣狗盗"之雄。

孟尝君能够在担任齐国宰相之时，没有把齐国弄糟，能够发动齐韩魏三国合从攻秦，而且打进了函谷关，打到了盐氏城，这就证明了在他的宾客与部下之中，不仅有一位鸡鸣专家与一位狗盗专家，也有懂得办行政的文人与懂得打仗的武人。

王安石忽略了司马迁所叙述的冯驩的故事。冯驩也是孟尝君的宾客之一。他替孟尝君到薛城向债户索债，收到了十万钱利息，却把所有的债券都烧了，使得这些债户十分感谢孟尝君。后来孟尝君丢官，冯驩去到秦国说动秦昭襄王派人来齐国聘请孟尝君去秦国当宰相。弄得齐湣王赶紧叫孟尝君官复原职（再作齐国的宰相）。像冯驩这样的人似乎不属于鸡鸣狗盗一类。况且，那两位能作鸡鸣与能作狗盗的救命帮手，未必只会作鸡鸣，只会作狗盗（我遇到过一位会口技的，不仅能作鸡叫狗叫，也能与外国人谈天，而且写得一手好字）。

平原君

平原君赵胜是赵惠文王的弟弟,赵孝成王的叔叔,也是魏国公子信陵君的姐夫。他在公元前 257 年国都邯郸被秦军围困之时,亲自率领毛遂等二十名随员到楚国,请求楚考烈王答应出兵来救,获准。

楚考烈王本不想答应,因为在此以前的两年秦军刚刚大胜赵军于长平,屠杀了赵军几十万人(司马迁说,秦军坑了赵军四十五万人)。楚国这时候的军力,早已不是秦的对手。楚考烈王之所以不顾利害,答应了平原君的请求,是由于毛遂在会谈场中,敢作敢为,吓得楚考烈王只好答应。

毛遂是平原君的数千食客之一。他住在招待所三年,默默无闻,平原君对他毫无印象。平原君于决定去楚国请求救兵之时,准备在宾客之中选出二十人同去。选了一阵,只选得像样的,合于理想的十九人,选不出第二十人。毛遂却挺身而出,自告奋勇。平原君说:"人在团体之中,好比锥子放在袋子里,锥的尖子是会穿出袋子,人若有什么长处,也会露出锋芒。为什么你在我这里三年了,我没看见,也没听说,你有什么特长呢?你不能随我去楚国,你留在这里罢。"

毛遂说:"我确是在你这里住了三年,都不曾被你放在袋子里,当做身边的人。因此,我这根锥子便露不出尖儿来。倘若我有机会被你放在袋子里,那我就不仅会露出尖儿,会整个的从袋子里钻了出来。"

平原君听了，便勉强把他也带到楚国去。反正已经有了十九个像样的随员，夹一个不甚够格的也不要紧。

他们二十一人到了楚国的新国都陈城。陈城在河南淮阳，是陈国的故乡，陈国早在公元前479年，已被楚国灭掉；楚国自己的旧国都郢城（在湖北江陵）也已经在公元前278年被秦国拿走。

平原君与楚考烈王在大厅之中的台子上会谈（不是高台子，而是比平地高一些的台子）。谈了很久，从日出之时谈到正午，谈不出什么结果。楚考烈王根本不想答应平原君的请求（这是我们不能怪他的。我在上文说了，秦军在两年前刚刚击溃赵军于长平，乘胜来围邯郸，锐不可当；楚国自己早已被秦国打得一败再败，不成对手）。

毛遂突然上台，插嘴。以他的随员地位，他只配在台下竖着耳朵，恭听台上两位大人物的高论，不够资格上台插嘴。他却上台，大声插嘴说："出不出兵，一句话便可以决定了。谈了半天，谈不出结果，是什么缘故？"

这真是出乎台上两位大人物的意料之外。平原君想拦他也拦不及。楚考烈王当然大怒。他问平原君："这个人是什么人？"平原君说："他是我家的食客。"楚考烈王转身对着毛遂大吼："你怎么不下去？我在和你的主人说话。"毛遂说："你对我吼，是因你的楚国大，兵多。是不是？然而现在，你我二人相距不到一丈，你国大兵多，能奈我何？你这位大王的小命，如今在我的手掌之中！"毛遂边说，边用手捺着他身边所挂的剑，作出随时可以拔出剑来，拼一拼的姿态。这个小动作，却把楚考烈王吓住了。可怜的楚考烈王，自幼长在深宫妇人之手，由太监与官僚抚养，被人奉承一辈子，没见过像毛遂这种说干就干，不在乎白刀子进，红刀子出的亡命之徒（忘命之徒）。而且倘若真的拼起来，这楚考烈王绝对拼不过毛遂（深宫里，学不出什么功夫；要学功夫，只有在江湖上闯）。

楚考烈王张着嘴,傻了眼,听毛遂继续发言:"你说,你在和我的主人说话。好,你为什么在我的主人面前吼我?这不仅是侮辱我,也侮辱了我的主人!我要告诉你:你的楚国大,有五千里见方;你的兵多,有一百万人以上,本来应该成为天下最强之国。为什么却败在白起那秦国小子的几万人之手?一败,再败,三败!一败,被白起占了鄢郢城;再败,被白起烧掉了(宜昌附近的)夷陵城;三败,被白起在国都郢城附近掘了你的祖宗,楚国先王的坟墓。你自己不难为情,我们赵国的人,却替你引以为耻。今天我的主人劝你合从,劝你与赵国合力抗秦,并不是单单为了赵国,也是为了你楚国。我再问你,为什么你在我的主人面前吼我?你说!"

楚考烈王听了这一番大道理,只说得出:"是,是,就照先生的话去办。楚国愿以全部的力量追随贵国抗秦。"

毛遂抓住机会,便吩咐楚考烈王的左右:"快去杀鸡,杀狗,杀马。把这三种畜牲的血装在盘子里端上来。"这些左右,于是很快就端来三个铜盆子的鸡血,狗血,马血。

毛遂向楚考烈王说:"我们现在就歃血为盟。由你大王开始。"于是楚考烈王乖乖地把三种血滴在酒里,喝了。毛遂又请平原君照样做,把三种血滴在酒里喝了。

然后,毛遂自己也把三种血滴在酒里,喝了(这是突破外交的惯例,等于今天在两国签订同盟条约之时,某一方的一名随员,也在双方的全权代表签了字以后,大笔一挥,留下他的芳名)。而且毛遂也叫十九位与他同来楚国的"像样的"随员,都一一喝了血酒。不过,他命令这十九人在台下喝,不许在台上喝。

合从的事成了定案。这是一次小规模的联合抗秦,只有楚赵两国发起,获得魏国参加;不是大规模联合攻秦(我不把这件事,列为四次合从攻秦之一）。虽则小规模，却终于使得秦军撤去邯郸之围。楚国派了春申君带兵去，魏国也派了信陵君带兵去。平原君立刻先回国主持守城。这时候，秦军尚在邯郸周围，把城内的人民困得"易子而食，析骨为炊"。

平原君另有一位宾客，李谈，也是一位了不起的人物。他劝平原君毁家纾难，把家里的财宝与粮食都拿出来，借作军用，也把家里的男女老少都编入军中，分担守城的任务。平原君完全接受，照办。

李谈也帮助平原君在军中挑出三千名勇士，作敢死队。李谈率领这三千名敢死队，对秦军冲锋，把秦军击退到三十里以外。李谈本人阵亡，慷慨成仁。不久，楚魏两国的救兵到达邯郸附近，秦军慌忙从邯郸撤退。

平原君招得了几千宾客，钱不曾白花，精神不曾白费。

信陵君

信陵君魏无忌是魏惠王的曾孙，襄哀王的孙子，昭王的儿子，安釐王的弟弟，平原君的妻弟（小舅子）。他在战国四大公子中，最有英雄气概，不愧是咱们河南老乡（他是开封人）。

他的宾客，据司马迁说，也有三千之数。这三千人其后在他流亡于赵国之时，很多也跑到赵国来追随他。平原君一度做了不够朋友的事，平原君的宾客，也有不少弃平原君而投奔信陵君。

孟尝君的宾客包括一位鸡鸣专家，一名狗盗专家。信陵君宾客则包括一位守城的小吏，一名杀猪的屠户，一名赌徒，一名"卖浆者"。这位卖浆者卖的是什么浆？待考（豆腐浆在当时还没有。豆腐的发明者，传说是汉武帝之时的淮南王刘安。今天台湾的豆腐业同仁所拜的祖师爷叫做"刘安王"。我看，刘安的宾客也很多，包括各种人才，豆腐的发明者可能不是刘安本人，而是他的宾客之一。这位宾客把"发明者"的美名让给了他）。

信陵君的宾客之中，也包括情报专家，与不惜个人生命而替信陵君执行杀人任务的侠士（信陵君不杀好人，却杀过一位杀了他哥哥的妃子的父亲的坏人）。

信陵君一生，做过三件大事：一是救赵，二是救魏，三是领导第三次合从攻秦。

救赵之事,我在上一节叙述平原君之时已经提到。那是公元前257年的事,秦军大胜赵军于长平以后,乘胜围了赵国国都邯郸。平原君带了毛遂等人到楚国,获得楚考烈王答应派兵往救。楚考烈王所派的兵,是由春申君黄歇率领。

平原君也派人到魏国向魏安釐王求救。魏安釐王派了十万大兵,交由大将晋鄙率领,前往邯郸。不久,秦国派人恐吓魏安釐王,说:"不论哪一国,敢于去救赵的,我们在占了邯郸以后,就去揍哪一国。"魏安釐王于是下命令给晋鄙:"把十万大兵停在邺城(河南临漳附近),不必续向邯郸进军,保持观望态度。"

平原君派人告诉信陵君:"邯郸的情况很紧急,这不仅是赵国存亡所关,你的姐姐也将要成为秦军的俘虏。"于是,信陵君决心自己以个人的身份,不以魏国官方的身份,凑集了一百多辆战车与若干骑兵奔到赵国去和秦军一拼。

他行前,去到那年已七十岁的朋友,城门小吏侯嬴那里辞行。侯嬴淡淡地说:"公子,你好好地干罢。我老了,不能追随你去打仗了。"

信陵君走了一阵,越想越气。觉得那个姓侯的老小子,真不够朋友。我这次去赵国找秦军拼命,生死不卜,而他这老小子只是淡淡地说了两句话,于是掉转马头,再找侯嬴,问他一个明白。

侯嬴笑着迎接他,说:"我知道你会回来找我问个明白的。我老实告诉你,我认为你带了一百多辆战车与若干骑兵,要去邯郸和秦军一拼,分明是拿肥肉喂老虎,白白送死。"

信陵君听了,赶紧下拜,求他:"那么,我依你。怎么办?"

侯嬴说:"你去偷令兄(魏安釐王)的兵符,走到邺城,用兵符接替晋鄙的任务,把十万大兵掌握在手,然后才能与秦军拼个胜负。"

信陵君说:"这兵符如何偷?"

侯嬴说:"有人愿意替你偷。此人是令兄的妃子如姬。你曾经替她报了杀父之仇。她一向感恩图报,愿意为你而死。令兄的兵符,正藏在如姬的房中。"

信陵君十分感谢,向侯嬴又拜了一拜,掉转马头。

侯嬴说:"别忙着又走。我的话不曾说完。你有了兵符,晋鄙未必肯让兵,这时候,你需要有力气大的人帮你作断然的处置。"

信陵君说:"谁?"

侯嬴说:"你的另一位好朋友,那位杀猪的朱亥。"

于是,信陵君假如姬之手取得安釐王的兵符,又邀请了朱亥,陪他来到了邺城,见了晋鄙。果然,晋鄙见了兵符,承认这兵符是真的,却不肯交出兵权。朱亥立刻动手,从大袖子里抽出铁锤,断然一击,把晋鄙的头锤得稀烂。然后,信陵君带了那十万大军,浩浩荡荡,奔向邯郸。到达邯郸之时,秦军已经闻风而逃。

信陵君叫一名将军,把十万人带回魏国,自己留在邯郸与姐姐、姐夫团聚。一留便是十年。原因是:他犯了盗窃兵符、杀害晋鄙、矫国王之命去救赵国、对秦国翻脸之罪。这十年期间,他哥哥安釐王既恨他,又想念他。

公元前247年,秦军大胜魏军,占了高都城,向魏的国都大梁前进。安釐王派人到赵国请信陵君回去帮忙。信陵君一方面是不敢回去,另一方面也是仍在生他哥哥的气。于是,他不仅不肯回去,而且宣称,宾客之中,有谁敢劝他回去,他就杀了他。因此,没有人敢劝他。

这时候,真正够朋友的那位赌徒,与那位卖浆者,都不在乎自己的生命,来到他面前,向他说他不要听的话。这两人说:"我们来,准备被你杀。我是要劝你回魏国去。你听完我们的话,再杀我们不迟。我们要告诉你,你坐视魏国灭亡,算是对你哥哥出了气。你是否想对你的父亲,对你的祖宗也出出气? 你的父亲,你的祖宗,有什么事对不起你? 他们的坟墓也就要被秦军翻开,暴尸露骨。他们的祠堂,也将要被秦军毁掉,断了香火。你忍心么? 你还能做人么?"

这两人的话还没完全说完,信陵君大吼一声,吩咐左右备马备车,立刻离开赵国的邯郸,奔向魏国的大梁而去。到了大梁,安釐王见到他,悲喜交集,立刻命令他作"上将军",统率全国车骑,对秦军迎击。

这时候,赵国、楚国、韩国、燕国,都派了兵来。它们之所以派兵来,是因为听说信陵君东山再起,又作魏军的统帅。信陵君于是集合了五国的军队,对秦军作雷霆万钧的反攻,杀得那战无不胜的秦军大败亏输,其领兵官蒙骜与部队失掉联络。

这是著名的公元前 247 年的"河外"之战。"河外"是魏国的地理名词,相对"河内"而言。河内是黄河的"南边之套"的内部,亦即黄河吸入渭河以后向东一转,又向北一转所造成的"套"。套内的地区是山西南部、河南北部,与河北南部(当时黄河在天津之南入海)。套外,亦即所谓"河外",是黄河以南的河南中部与山东南部。简单言之,"河外之战"的战场是在大梁一带。

紧接着这"河外之战",是第三次合从攻秦。信陵君率领五国联军猛追秦军,一直追到了函谷关。秦军退入关内,闭了关不敢出战。其后,五国联军各自回国。

信陵君回到大梁以后,受到安釐王左右的毁谤。这些左右,收了秦国间谍的贿赂,向安釐王进谗言,说信陵君想夺王位。秦国而且派人来,向信陵君道贺,贺他已经继位为王。

安釐王起初不信谗言,终于听得太多,不能不信。他把信陵君上将军职务免了,换人继位。信陵君郁郁不得志,以醇酒妇人自遣,在四年以后就死了。他去世了十八年以后,魏国被秦灭掉。

春申君

春申君是楚国的世家子弟，不是王室的一分子。他姓黄，名歇。

楚怀王死在秦国。儿子顷襄王被楚国人民立为国王。顷襄王斗不过秦，对秦投降，把自己的太子送到秦，作为人质。黄歇以太子随从的身份也来到秦国。其后，顷襄王有病，秦国政府不让这位楚国太子回去。黄歇叫太子化装为楚国使臣的车夫偷出秦国国境，回到了楚。三个月以后，顷襄王去世，太子继位，成为历史上的考烈王。

秦昭襄王知道楚太子之溜走，是黄歇的主意，想叫黄歇自杀。范雎劝昭襄王放他回楚国去。因为：此人回去，可能成为考烈王的宰相，有被秦利用的价值。

果然，黄歇回去，就当了考烈王的宰相。一直当了二十五年，直到考烈王去世之时。然而他却不肯被秦利用。他所采取的政策，不是亲秦，而是反秦。他帮助了平原君救赵；又帮助了信陵君救魏。他参加了信陵君所领导的第三次合从，又在楚考烈王二十二年，亦即秦王政六年，公元前241年参加了赵将庞煖所领导的第四次五国合从攻秦。

这第四次合从攻秦，在名义上是以楚考烈王为主盟人，称为"从长"（从字念纵）。可惜，五国联军虽则打进了函谷关，到达盐氏城，却被秦军击败。

　　不久，春申君接受他的宾客朱英的建议，把国都迁到寿春（安徽寿县）。朱英是春申君的几千宾客之一（司马迁说，春申君宾客的数目也是三千。司马迁把四大公子的宾客数目，都一概说是三千）。

　　黄歇在迁都寿春以后，也把自己所受封于考烈王的淮北之地，献还楚国政府，作为寿春的屏障。考烈王于是改淮北为直属的郡县，另以江东之地，今日苏州、上海一带，封给春申君。

　　春申君把吴王夫差所留下的宫殿废墟修整一番，作为他的别墅；又在今日的上海，疏浚了松江。松江的下游，于是得到一个新的名称："黄歇浦"，黄歇之浦。黄歇浦三个字，慢慢地变成了"黄浦江"。

　　春申君在迁都以前，参加第四次合从攻秦以前，于公元前256年，替楚国吞并了鲁，取得山东南部的一片土地，包括今日峄县的兰陵镇在内。兰陵镇是民国军阀之一张宗昌的出生地，也是抗日战争台儿庄会战之时中国军队的一个据点。春申君把大名鼎鼎的荀况（荀卿）任命为兰陵县的县令。

　　荀况可能是春申君的三千宾客之一。荀况有了县令的薪水，才得以安定下来，写出不朽的著作《荀子》。

　　单就黄浦江的疏浚与安顿荀况于兰陵这两件事而论，春申君对中国经济与中国文化的贡献，可说是非其他三位公子可比。其他三位都是抗秦的勇者，然而其成就是限于军事与政治，而且是有时间性的。春申君黄歇也是抗秦的勇者，其贡献却及于经济及文化，并且是"永久性"的。可叹的是，他最后死于非命，并且连累了全家。

　　有一个姓李名园的赵国人，是春申君的宾客之一。李园把自己的妹妹送给春申君。不久，这女子怀了孕。春申君一时糊涂，听了这位李园妹妹的话，又把她送给考烈王，而不告诉考烈王此人已经有孕（李园妹妹所说的话,是李园叫她说的话)。

考烈王很宠这位姓李的美人,在她生了儿子以后,册封她为王后,立她的儿子为太子。这时候,春申君与李园,都暗暗欢喜,静候这太子将来于考烈王死后继位为王。

春申君是君子,不防备李园。李园是小人,却早已存心杀春申君以灭口。宾客之中的另一人,曾经建议迁都寿春的朱英,却知道了这个秘密,也看出了李园这人居心叵测。

朱英向春申君讨一个差使:到宫里当郎(侍卫)。朱英说:"王命一死,李园必抢先进宫,和他的妹妹共掌大权,那时候他一定杀你(春申君)灭口。倘若你把我安置在宫里当侍卫,我就可以在李园入宫的时候,先杀了他。"春申君说:"李园这个人是弱者,不敢杀我灭口。"朱英听了,知道春申君不肯接受他的建议。以后的日子,不但春申君不好过;他朱英自己,也以早去为妙。于是,他就赶紧离开楚国,走得无影无踪。

果然,考烈王一死,李园抢先进了宫,埋伏下武士,在春申君入宫时把春申君杀了,而且下令捕杀了他全家。

考烈王的太子,那实际上的春申君的儿子,继位为王(历史书上的楚幽王),十五年以后,秦王政灭了楚国。

长平之战

我们在前面已经说到的长平之战,是发生在秦国与赵国之间的一场大战。这是战国晚期规模空前的历史性的决战。秦军于长平(今山西高平西北)歼灭赵军主力,确定了在兼并战争中的胜局。

秦昭襄王时代,是中国历史上的英雄时代。

我们这里所说的英雄时代,是指社会竞争比较激烈,生活节奏比较急迅,杰出人才比较集中,文化风格比较豪放,从而历史进步比较显著,文明创获也比较丰富的历史时期。

在历史上的英雄时代,民族精神的特质一般都表现出积极奋进的风格。

对于秦昭襄王时代的历史特征以及秦人在这一时期的历史表现,历史学家曾经用有力的笔调予以记述,比如,司马迁《史记·六国年表》所谓"海内争于战功","务在强兵并敌",贾谊《过秦论》所谓"追亡逐北","宰割天下"等等,都突出表现了当时社会的急进风格和秦国的强大威势。司马迁《史记·太史公自序》又有所谓"昭襄业帝"的评价,也说明了这一时期秦人的历史成就对于实现"大一统"的意义。

人们都可以明显地看到,当时的时代精神的风格,表现出推崇勇力,比竞智思,奋发有为,积极进取的特征。

历史在当时为焕发人们的才智,为催化社会的演进,为激活文化的生机,提供了优越的条件。

据司马迁《史记·六国年表》的记载,从公元前 475 年,至公元前 221 年秦并天下,这二百二十五年间,前后一共有九十二位君主在政治舞台上进行表演,其中享国四十年以上的有八人,享国五十年以上的,有赵简子六十年,楚惠王五十七年,齐宣公五十一年,周赧王五十九年,秦昭襄王五十六年。

战国晚期在位的两位老年君主,就是周赧王姬延和秦昭襄王嬴稷。

前者所统治的是当时最弱小的国家,后者所统治的,则是当时最强大的国家。

前者的国家,恰恰又是败亡在后者的国家手中。

在公元前 256 年,周赧王去世,第二年,秦昭襄王就正式出兵灭掉了西周。七年之后,秦又灭东周,周王朝于是灭亡。

秦昭襄王又是秦国历史上在位年代最长的君主。

在他所处的时代,秦国已经成为实力压倒列强的,任何人都不能轻视的大国了。

也正是在秦昭襄王时代,秦国表现出了能够实现统一的国力。当时,只有秦国有充沛的实力能够实现统一,已经成为比较明显的历史趋向。

秦昭襄王时代,是秦人东向扩张的全盛时代。不过。按照秦昭襄王既定的东征战略,可能秦军本来是并不急于和在军事上相当强大的赵人直接交锋的,而是应当先征服魏国和韩国,控制中原地区的大部。

根据民间广泛流传的远古时代的传说,秦人和赵人其实原本同出一源。而赵国在赵武灵王"胡服骑射"之后,实际上已经完成了大规模的社会文化改革,已经成为雄镇北方的军事强国。赵国又多山地,出产贫薄,因而秦国东征军之兵锋所向,起初可能并没有以赵国为主要目标。

秦国和赵国的这次大规模的直接的军事交锋,是由于韩国上党郡的归属而偶然引发的。

秦昭襄王四十五年(公元前262年),秦军猛攻韩国的野王(今河南沁阳)。野王守军被迫投降,于是韩国上党郡与国都郑(今河南新郑)之间的联系被切断,成为事实上的飞地。

上党郡太守冯亭于是与百姓商议:我们和郑地的交通联系已经断绝,显然没法子得到韩国的保护和援救了,秦军逼近,韩国无力抗拒,我们不如以上党之地归赵。赵国如果接受上党,秦人愤怒,一定会进攻赵国的。赵国受到攻击,就一定会亲近韩国。韩赵合力为一,那么就可以抵御秦人了。

大家同意冯亭的意见。冯亭于是派人报告赵王,表示归附之意。赵孝成王和平阳君、平原君商议。平阳君说,不能接受,如果接受的话,祸患将会大于收益。平原君则说:平白无故得到一郡之地,当然应当接受了。赵国于是接收了上党之地,封冯亭为华阳君。

秦昭襄王四十六年(公元前261年),秦军连续攻克韩国的缑氏(今河南登封西北)、蔺(今山西离石西)两县。第二年,秦国派左庶长王龁进一步加紧对韩国的攻势,秦军夺取了上党(今山西屯留南)。上党的民众纷纷流亡,逃奔到赵国。赵国在长平(今山西高平西北)屯据重兵,以护卫上党流民。

秦昭襄王四十七年(公元前260年)四月,王龁所部秦军进攻长平。秦赵长平之战爆发了。

在最初的交战中,秦军斩杀赵军一名都尉。赵孝成王与平阳君赵豹商议与秦人媾和,派贵族郑朱作为使者入秦。秦昭襄王接待了郑朱,却并不肯与赵国和谈。

在长平战场上，秦军初获小胜，但是不久就因赵军名将廉颇"固壁不战"，避其锐气的战术而受到阻滞。秦军多次挑战，廉颇都不应战。廉颇准备以这样的方式首先挫杀秦军的锐势，然后等待有利时机再出击。而两军长期相持，对于远征千里的秦军来说，实际上意味着走向失败。秦军历来善于突进急击，只有速战才能成就大功，而攻势一旦受挫，往往就会导致士气的凋败和进攻实力的摧折。秦军主将王龁长期求战不得，秦军所面临的高山夜寒，粮草不继，士卒病伤等不利条件，都使他为久困长平而深深忧虑。

为了战胜赵国名将廉颇，秦昭襄王决意派战功累累的将军白起出任长平秦军的统帅。

白起，眉县人，行伍出身，勇于拼战，善于用兵。秦昭襄王十三年（公元前294年），他已经以军功累进，升到秦国二十级军功爵制的第十级"左庶长"，统率大军进攻韩国的新城（今河南伊川西南）。第二年，白起军功爵升至第十二级"左更"，在伊阙（今河南洛阳南）与韩魏联军会战，斩首二十四万，俘虏其主将公孙喜，攻克五城。于是白起升任秦国国君之下的最高军事长官"国尉"。白起又率军渡过黄河，攻占了韩国安邑（今山西夏县西北）以东的大片土地，一举将秦国的疆域扩展到河汾平原。秦昭襄王十五年（公元前292年），白起军功爵已经升到第十六级"大良造"，与当年商鞅地位最高时相当。同年，白起又率军进攻魏国，占领了大小六十一城。第二年，白起的部队又攻占了王屋山下的战略要地垣城（今山西垣曲东南）。

白起作为主将第一次和赵军直接作战，是秦昭襄王二十七年（公元前280年），他率军攻赵，占领了太行山区的光狼城（今山西高平西）。

白起将军最为显赫的战功,是秦昭襄王二十八年至二十九年(公元前279年至前278年)进攻楚国时所取得的。当时,秦军兵锋凌厉,起初即一举攻克楚国鄢(今湖北宜城)、邓(今湖北襄樊北)等五城,第二年又出其不意,以神奇的跃进速度,插入楚国腹地,竟然攻陷了楚国国都郢城(今湖北江陵),火烧夷陵(今湖北宜昌)。秦军的前锋甚至一直推进到临近汉江和长江交汇处的竟陵(今湖北潜江西)。楚顷襄王被迫出逃,后来不得不把国都迁移到陈地。秦国在郢城设立了南郡。于是,秦的疆土第一次扩张到江汉平原的富庶地区。将军白起因此再次得以升迁,被封为"武安君"。武安君白起又继续挥师渡江南下,控制了巫郡和黔中郡的广大地区。

秦昭襄王三十四年(公元前273年),武安君白起又率军进攻魏国,攻克华阳城(今河南郑州南),威胁韩国国都郑(今河南新郑),歼灭三晋联军十三万人,又击败赵将贾偃部,沉杀其部卒二万人于黄河中。

秦昭襄王四十三年(公元前264年),白起以进攻韩国陉城(今山西曲沃西北)为起点,连续拔五城,斩首五万人。第二年,他率领的秦军又完成了切断南阳太行交通道路的战略任务。光狼城争夺战和这两次军事行动,都是在太行山地进行的。

白起被任命为"上将军"。"上将军",是秦国自此首次设置的最显赫的军职。

秦军和赵军都集聚了全力,准备在这里作拼死的一搏。两军的将领内心都非常清楚,此次决战对于秦、赵两国,不仅关系到军势之盛衰,也关系到国运之兴亡,关系到民气之生死。白起和廉颇作为一代名将,想来都切望在战场上能够直接交手,一试高低。不过,他们虽然在长平曾经亲率两军对垒,历史却终究没有给他们面对面直接进行较量的机会。

长平战区廉颇积粮之处,后来称作"米山"。明末人李雪山曾经作《咏米山》诗,由米山胜迹追念名将廉颇,其中写道:"积雪如山夜唱筹,廉颇为赵破秦谋。将军老去三军散,一夜青山尽白头。"可惜将军之胜谋,却最终没有条件能够得以实践,名将廉颇无故被赵王解职,使战局急转。

赵孝成王命令由赵括取代廉颇,任长平赵军的最高统帅。赵括是曾经于阏与(今山西和顺)之战战胜秦军的马服君赵奢的儿子,自幼熟读兵书,勤习弓马,成年后,更是仪表雍容,言谈不凡,被看作"将门出将"的典范。赵括的母亲马服君夫人上书反对任命只会"纸上谈兵"的赵括为长平军主将,却并没有能改变赵孝成王的决定。

赵括开始在长平前线行使指挥权之后,两军相持的形势果然发生了明显的变化。

秦昭襄王四十七年,即赵孝成王六年(公元前260年)九月,在长平山地,秦军与赵军的大决战开始了。经过激战,上将军白起指挥的秦军完成了对赵括属下四十余万赵军的分割包围。被围困的长平赵军,军粮补给已经完全断绝。

出于对长平之战特殊的战略意义的重视,秦昭襄王风尘仆仆,亲自前往河内。这是秦国的国君巡幸秦国的国土,所至于最东端的空前的历史纪录。《史记·白起王翦列传》记载,秦王闻听赵国粮运道路已经切断,亲自来到河内地方,赐民爵各一级,调发年龄在十五岁以上的男子都参军,集结于长平,阻断赵国援兵的通路。秦昭襄王的河内之行,对于调动兵员,督察粮运,全力加强长平前线的作战能力,有非常大的意义。秦军对赵军远方来援的堵截,也因此具备了成功的条件。

长平被秦军牢牢围定的赵军士卒,绝粮长达四十六天。数十万人经历了空前严峻的生存能力的考验。

在赵军主力被秦军分割,并且陷入秦军包围之后,赵括将军只能把摆脱困境,反败为胜的全部希望,寄托在围外来援上。但是他没有想到秦昭襄王竟然会亲临河内,亲自督察长平战事,阻断各国援赵的通路;也没有想到秦军主将白起竟然会有全歼数十万赵军的魄力。

按照兵法的常规,白起如果确实试图全歼长平赵军主力,那么,在比较双方军势时,应当看到,秦军其实并不占据优胜于赵军的地位。第一,赵军先至长平,而秦军则后至。《孙子·虚实》说:"凡先处战地而待敌者佚,后处战地而趋敌者劳。故善战者,致人而不至于人。"第二,秦军的数量对于赵军也没有形成压倒的优势。《孙子·谋攻》说:"用兵之法,十则围之,五则攻之,倍则分之,敌则能战之。"秦军绝对没有十倍于赵军的兵力,却竟然要实行包围赵军的战略。

在选择基本战术时,白起似乎也违背了兵法的基本原则:比如,秦军严密包围赵军而不留出路。而《孙子·军争》说,"围师遗阙"。另外,秦军围定赵军后,尽管掌握着战争的主动权,然而却迟迟不发动进攻。而《孙子·九地》说:"兵之情主速。"主张用兵利于速胜,不利于持久。《孙子·作战》还说:"凡用兵之法,驰车千驷,革车千乘,带甲十万,千里馈粮。则内外之费,宾客之用,胶漆之材,车甲之奉,日费千金,然后十万之师举矣。其用战也,胜久则钝兵挫锐,攻城则力屈,久暴师则国用不足。夫钝兵挫锐,屈力殚货,则诸侯乘其弊而起,虽有智者不能善其后矣。故兵闻拙速,未睹巧之久也。夫兵久而国利者,未之有也。"白起显然也违背了兵法的这一原则。

白起看起来处处都违背了兵法的原则,然而在战役中,秦军实际上却并没有因此遭受到什么挫败,而且从战局的总趋势看,恰恰相反,秦军越来越占有优势,而赵军的劣势也越来越明显。

在已经找寻不到出路的情况下,心傲而志高的赵括发起了拼死的最后一搏。据《史记·白起王翦列传》记载，至于九月，赵军士兵绝粮四十六日，于是自相残杀，出现了人吃人的情形。又出兵攻击秦军营垒，其将军赵括亲自率领精锐士出击，秦军射杀赵括。赵军大败，四十万战士向武安君投降。

如何妥善地处置这些赵军降卒，成为上将军白起面临的难题。

他再三思索，最终确定了一种彻底解决的方式。长平，于是在历史上留下了永远不能磨灭的悲苦记忆。《史记·白起王翦列传》记载，武安君白起考虑到，此前秦军已经占领上党，上党民众不愿意归顺秦人而归于赵国。赵军士卒也必有反覆之心。如果不尽行处死，恐怕以后不免发生变乱。于是将降卒全部坑杀，只留下年少者二百四十人遣返归赵。

白起率领的秦军前后杀死赵军四十五万人。

长平坑杀赵国降卒事件发生后，赵国人心大受震动。

一五

吕不韦

春申君做了楚幽王事实上的父亲,不曾得到好处,却赔了自己的命。吕不韦做了秦王政(始皇帝)事实上的父亲,却得到极大的好处,当了三年丞相,九年相国。最后,虽则遭遇放逐,却保存了性命。

他既非像四大公子中之三个,为齐赵魏三国王室的一分子;也不像春申君那样,是楚国的世家子弟。他只是一个政治地位不高的商人,虽则是很有钱的商人。

他是韩国阳翟的商人,经常住在赵国国都邯郸。阳翟在河南禹县,禹县在今日仍是全国药材的聚散之地。邯郸即今日的河北邯郸,当时不仅是赵国的国都,而且也是一大商业都市。有钱的商人住在邯郸,或来往于邯郸的极多。市面很热闹,有不少的饭店旅馆与娱乐场所。商人之中的最有钱的每每在家中养了若干能歌善舞的美女,称为姬,作为宴会时表演之用。

在吕不韦的姬之中,有一名被秦国留在赵国的人质公子楚(当时名为异人)所看中。吕不韦把她送给公子楚。司马迁说:公子楚不知道,这位美女已经有了身孕,所孕的是吕不韦之子。

公子楚不仅喜欢这个姬,而且爱她,立她为夫人(作他的妻,不作他的妾)。他与这位夫人生了一个儿子叫做政。这个"公孙政"其后便是秦王政,这个秦王政于统一中国以后,自称为"始皇帝"。他极可能是吕不韦的儿子,而不是公子楚的儿子。

我曾经收集反面的证据,以证明司马迁所说并非事实,而是痛恨秦始皇、痛恨秦国的六国王室成员或孤臣孽子或在坑儒之时幸免于难的儒生,所造出来的谣,借口出气。然而,我不曾找到,只好暂且以司马迁的所说为根据,大谈吕不韦的政治阴谋了。

吕不韦有钱,好客,朋友多,不足为奇,他和公子楚做了朋友,也很自然。他富而不贵,公子楚贵而不富。他有了公子楚作朋友,提高了自己的社会地位,进入了政治圈。公子楚有了他这样的朋友,有了钱花,也足以提高自己的政治地位。

公子楚的祖父是秦昭襄王;父亲是其后的孝文王。母亲是孝文王的一个不甚喜欢的妃子,不是孝文王的夫人(其后的王妃)。孝文王的夫人,是华阳夫人;没有亲生的儿子,想在各位妃子所生的若干儿子中,挑一个作为太子。

吕不韦自己去秦国,带去五百金,买了珍贵物品,设法送到华阳夫人之处,说是公子楚的,也说了公子楚如何崇拜华阳夫人,想念华阳夫人,感激华阳夫人待他如亲生儿子一样。

这一招很成功。华阳夫人也派人到赵国,赏东西给公子楚。嫡母与这位受宠的庶子之间,因信使来往联系,渐渐变成了像亲生母子一样了。

秦昭襄王四十八年,秦赵两国翻脸,秦军大败赵军于长平;次年,秦军围攻赵国的国都邯郸。赵国君臣,依惯例,可以杀掉秦国留在赵国的人质公子楚。在杀他以前,先派人把他关起来。

吕不韦有钱而舍得用,花了六百金贿赂看守公子楚的人,让公子楚逃去,逃到秦军阵营,随军回秦国。

昭襄王在五十六年(公元前251年)去世,公子楚的父亲孝文王继位,立刻，由于华阳夫人的建议与坚持，册封公子楚为太子。数个月之后，孝文王去世，公子楚以太子的身份继位为王（做了历史上的庄襄王）。

这时候，吕不韦早就再度来到秦国。新即位的庄襄王，在次年（庄襄王元年，公元前249年）任命吕不韦为丞相，同时封他为"文信侯"，食邑十万户。

吕不韦当丞相，一直当到庄襄王三年，庄襄王去世。在这三年期间，他替庄襄王吞了"东周"，吃了韩国的成皋荥阳，魏国的高都，赵国的榆次。

所谓"东周"，不是东迁洛阳的周朝王廷，而是周公旦后裔的诸侯国之一：东周公爵国，周公旦本人被封在成周（洛阳），儿子伯禽被封在鲁。伯禽的后裔，作鲁侯（不是鲁公）。春秋书中所称的鲁定公、鲁哀公等等，其公不是公爵之公，而是等于英文之中的 Lord，不是英文之中的 duke。

周公旦的小儿子承袭了成周的公爵国，其嫡系后裔世世代代，被称为周公某或周公某某。例如，周公黑肩。到了战国之时，这个公爵国分裂为二，一是东周公爵国在洛阳，二是西周公爵国，在洛阳之西。秦庄襄王所灭的东周，便是在洛阳的公爵国。

周的王室，在幽王之时丢掉镐京，在平王之时另建王廷于洛阳，仍叫做周，并不自称为东周。称平王之后的周为东周的是后代的历史家。

在洛阳的周王廷，于公元前256年结束。最后的一个周王，周赧王，亲自跑到咸阳，把户籍、地图，及若干档案献给了秦昭襄王。当时，王廷的土地，只有三十六个小城，人口，只有三万人。各国的土地与人口，在魏惠王称王以前，名义上仍属于周，虽则不是直辖。魏惠王及其他四国的王纷纷称王以后，他们的土地与人口便和周王廷毫不相干了（楚君一向是自称为王，与周王在事实上是平起平坐的。不过，在礼貌上对周王相当尊重）。

秦庄襄王有了韩国的成皋、荥阳，又有了魏国的高都，赵国的榆次，使得以后他的儿子（吕不韦的儿子）秦王政，容易灭掉魏赵两国。

秦王政继位为王之时，年纪不满十四岁（有十三足岁）。朝廷大权仍旧操在吕不韦之手。吕不韦通过"太后"（秦王政母亲）之支持，用秦王政的名义把自己的官衔由"丞相"升为相国。

他当相国，当到秦王政九年，遇到嫪毐（读作 lào ǎi）造反，受累，于次年，秦王政十年，丢掉了官，到河南洛阳一带，"就国"（到所封的文信侯国去居住）。一年多以后，秦王政又下令免去他的文信侯的爵位与食邑，流放他到蜀（四川西部）。吕不韦觉得自己不必再长途跋涉了，就在自己的文信侯的侯府，饮了毒酒而死。

那造反的嫪毐，是吕不韦介绍给太后（秦王政的母亲）的一名假太监，和太后私底下生了两个儿子。他于秘密暴露之时企图以造反的方法先发制人，保护自己。他战败，被杀。他的"三族"（父族、母族、妻族）的所有成员，也都被杀死。

吕不韦在担任秦王政的相国之时，九年中，又取了韩魏赵三国不少的险要地区。赵国的将军庞煖于秦王政六年（公元前241年）领导楚赵韩魏燕五国的军队，做了历史上第四次的合从攻秦的壮举，不曾能够奈何秦国。吕不韦，正如秦国前前后后所用的客卿一样，是对得起秦国的。

他自己也正如四大公子，养了很多宾客。这些宾客之中的文人，替他捉刀，写下了一本好书，叫做《吕氏春秋》。吕不韦十分高兴，认为这本书不仅内容好，文章也好。他把这本书挂在咸阳的城门，说："任何人倘能改动其中一个字，就赏给千金。"结果，没有一人来改字领赏。我把这件事告诉了一位美国朋友。美国朋友说，"大概是大家都知道，这千金之贵，可能会带来灾祸罢。"

尹仲容先生曾经也是《吕氏春秋》的忠实读者。他批注了《吕氏春秋》一遍。在他以前，别人也有批注过《吕氏春秋》的。

秦始皇的神秘身世

就在长平之战取胜几个月之后，秦昭王四十八年（公元前259年）正月，秦国一位新的王族成员嬴政，也就是后来的秦始皇，出生在邯郸城中为质于赵的秦昭王之孙异人的居宅。

因为母亲是赵国之女，又出生于正月，于是又姓赵氏，名为政。

长平之战后，异人在阳翟巨商吕不韦帮助下回到秦国，衣楚服而拜见原为楚女的华阳夫人，华阳夫人分外高兴，让异人改名为"楚"，又名"子楚"。

嬴政和他的母亲后来也辗转回到咸阳。

从嬴政复杂的身世渊源看，与赵国和楚国各有近缘。这可能也是在统一战争中，他曾经在秦军占领赵国和楚国的中心地区之后就立即亲临其地的原因之一。

公元前251年，秦昭王在他执政的第五十六年逝世。他的儿子嬴柱继立，是为秦孝文王，时年五十三岁。华阳夫人被立为王后，子楚被立为太子。

秦孝文王在位仅仅数月就死去，时年三十二岁的子楚继立，是为秦庄襄王。秦庄襄王即位的第二年，吕不韦以"定国立君"之功，被封为文信侯，任为丞相，食邑之富足，超过了秦国历史上以往的贵族。

秦庄襄王在他继位后的第三年去世，太子嬴政立，年十三岁，时在公元前246年。

关于秦庄襄王的儿子嬴政的神秘身世，历来议论最多。

公元前3世纪后期，秦国终于用武力平定了天下。

秦的统一，是中国古代历史进程中划时代的大事。如果说秦完成统一是中国历史舞台上的一出大戏，吕不韦就是这出戏中的一个主角。李商隐《井泥四十韵》中的诗句："嬴氏并六合，所来因不韦"，就强调了这一事实。吕不韦的生涯富于戏剧性波澜。他曾经极尽显贵，最终又归于悲剧结局。历代史家有不少人喜欢特意渲染其奇诡经历，或者以政治道德油彩重加涂抹，使其文化形象大失其真。

吕不韦出身阳翟富商，据说往来贩贱卖贵，家累千金。然而他和一般的商人不同，能够凭借非同寻常的政治敏感，发现质于赵国的秦贵族子楚奇货可居，于是决心进行政治投机，出谋出资支持这位当时身份地位并不高的"秦诸庶孽孙"取得王位继承权。

吕不韦不惜"破家"以"钓奇"的政治策划后来终于成功。子楚即位，是为秦庄襄王，吕不韦封侯拜相，食洛阳十万户。他的政治投资果然获得了回报。

秦庄襄王元年，吕不韦还亲自率领秦军灭东周，扫荡了周王室的残余，真正结束了以周天子为天下宗主的时代。同年，秦军伐韩，取得成皋和荥阳，置三川郡。次年，秦军强攻魏、赵，得赵地三十七城。秦庄襄王三年（公元前247年），秦军又攻韩、赵，置太原郡，并瓦解了进逼函谷关的五国联军。

秦庄襄王即位三年后去世，太子嬴政立为王。这就是后来的秦始皇。吕不韦做了相国，号称"仲父"，成了实际上的执政者。

在秦王政幼弱，由吕不韦把握军政大权的数年之间，秦军顺利进取韩、赵、魏等国地方，又击破五国联军，逼迫楚国迁都。如果以太行山、白河、汉江下游一线贯通南北，这条线以西的辽阔地域，都已经成为秦国的疆土。应当看到，当时这一界线虽然大体两分天下，而西部地区却实际已经占据了能够控制并进取东部地区的优势。后来刘邦战胜项羽，汉景帝平定吴楚七国之乱，都同样是据这一界线以西地方，举军东进，取得成功的。

从秦庄襄王元年（公元前 249 年）起，到秦王政十年（公元前 237 年）免职，吕不韦在秦国专权前后共十二年。这段时间，正好是秦国军威大振，统一战争取得决定性胜利的历史阶段。

在吕不韦时代，秦国的经济实力已经远远优于东方六国，秦国的军事实力也已经强锐无敌。当时，"以天下为事"，期望"得志于天下"，已经成为秦人直接的政治目标。应当说，秦实现统一，在吕不韦专权时大势已定。后来大一统的中央集权的秦王朝的建立，吕不韦可以说是当之无愧的奠基者之一。秦国用客可以专信，比如商鞅、楼缓、张仪、魏冉、蔡泽、吕不韦、李斯等，照明代学者张燧《千百年眼》一书中的说法，"皆委国而听之不疑"。在这些出身他国的政治家当中，吕不韦可以和商鞅并居前列。

吕不韦是中国历史上以个人财富影响政治进程的第一人。

吕不韦以富商身份参政，并取得惊人的成功，就仕进程序来说，也独辟蹊径。吕不韦的出身，自然也是他身后招致毁谤的原因之一。而这种由商从政的道路，虽然后来履行者并不很多，但是对于中国古代政治文化风貌的影响，也许是有特殊意义的。

吕不韦的历史形象，是有桃色污点的。

传说他和秦始皇的母亲有秘密的情爱关系。后来还曾经引荐了一位有特殊性能力的嫪毐入宫，以满足太后的需要。

吕不韦的情感经历污染宫闱，又有嫪毐秽事，都见于司马迁的记载，所根据的，应当是秦国史《秦纪》，大约是比较可靠的。不过我们通过《战国策·秦策》宣太后言及性事时毫不避忌，可以知道这本来就是秦人的风俗特征，也反映了秦人记史的传统。秦重女权。秦国政治史上曾经屡次发生太后专权，把握朝政的情形。这种政治异常往往又与道德异常相伴随，即太后专权时每有后宫秽行的传闻。这种现象的发生，或许不应当由吕不韦等个人承担主要责任。

实际上掌握着秦国军政大权的吕不韦据说与太后关系暧昧，在传统史家笔下其政治形象于是蒙上了深重的阴影。不过，我们今天回顾这一现象，倒是应当用较为冷静的历史主义的态度，更看重他的政治实践和文化倾向的历史效应。

吕不韦事迹中最为世俗之人所瞩目的，是关于秦始皇血统的传说。

司马迁在《史记》中说，秦始皇的生母，吕不韦心爱的女人赵姬是已经先自有孕，而后才归于子楚的。然而，对于这样的说法，明代已经有学者指出是战国时期的"好事者"的捏造。梁玉绳《史记志疑》据司马迁说赵姬"至大期时"，生下了儿子政，以为本来已经排除了嫌疑，澄清了疑点，人们实在不应当误读《史记》。究竟什么是"大期"呢？这里所说的"大期"，有十月和十二月两种解说，但是无疑不能理解为不足月。

自然也不能排除这种可能，也就是如王世贞《读书后》中所推想的，吕不韦的门客借此传说，又大加渲染，以丑化秦始皇，而六国亡国之人又进一步夸大传播其事，是想让天下之人都知道，在六国灭亡之前，秦国已经先自亡国了。

而后世文人热心炒作这一传闻，以艳市俗，则是出于另外的目的。

　　中国人长期有异常关心他人私生活的习惯,市井中人特别喜好议论男男女女之间的是是非非。于是后来多有人以轻薄之心议论嬴政的身世,甚至有称他为"吕政"的。

　　实际上,秦始皇私生之说即使属实,这种男女私秘,知情者也只有吕不韦、赵姬和子楚,而他们都是绝无可能把这既是个人隐私,又是政治机密的内情宣露于外的。以严肃的眼光看历史,秦始皇就是秦始皇,嬴政也罢,赵政也罢,吕政也罢,都不应当影响我们对于他的历史作用的评价。

蕲年宫事变

20世纪80年代初,一个寻常的傍晚。陕西省考古研究所雍城考古队的几位学者在进行野外考古勘察时,在陕西省凤翔县长青乡孙家南头堡子壕的一处断崖上,发现了战国秦汉建筑遗迹。

土层中一件瓦当显露在考古学家面前。经过清理和刷洗,可以看到瓦当上面的四个字:"蕲年宫当"。

这是当年蕲年宫使用的瓦当。

蕲年宫,曾经在历史上留下了鲜明的印迹。

在秦王政即位后的第九年(公元前238年),嫪毐因为秽乱宫闱的行为终于败露,在嬴政往雍(今陕西凤翔)行郊礼时发动兵变,以窃取的秦王玺印和太后玺印调动国都卫戍部队和附近地方军进攻蕲年宫。

当时秦国的都城是咸阳。但是,雍,作为秦国故都,历经从秦德公至秦孝公二十代的辛苦经营,早已被建设成为一处具有正统象征的政治文化圣地。这里集中了许多处秦国故宫,也是秦人宗庙的所在地。

秦王经常往来于咸阳和雍之间,为秦的军事政治成功寻求祖先的庇佑和神学的保障。

对雍地的军事控制,有可能影响秦国政治的全局。

嬴政及时察觉了嫪毐兵变的阴谋,抢先发军平定变乱,追斩嫪毐,又在咸阳一举清洗了嫪毐集团成员数百人。

蕲年宫之变,是秦国历史上规模较大又直接震动王族上层的一次罕见的内部动乱。

嬴政果断的处置方式,显示出他非同寻常的政治才具。

嬴政因嫪毐政变事涉及吕不韦,不久就宣布免去其丞相之职。秦王政十二年(公元前 235 年),又迫使吕不韦自杀。

嬴政全面把握了国家权力。

对于吕不韦失势到自杀的过程,《史记》中有这样的记述:秦王政十年十月,罢免相国吕不韦。蕲年宫事变发生后,秦王政怨恨太后,让她定居雍地,不愿再相见。后来经过齐人茅焦的劝解,心情有所缓和,又将太后迎归咸阳。同时,命令吕不韦回到他的封地洛阳。

事历一年多,列国诸侯的宾客使者依然往来道路,向吕不韦致意。说明吕不韦的政治影响和文化影响是相当广泛的。秦王政已经感受到吕不韦的严重威胁,担心发生变故,以致不得不迫使他离开他所熟悉并可能演生政治变故的洛阳地方。他致信吕不韦,责备道:你对秦国有什么功绩,竟然能够封君河南,食十万户? 你与秦国有什么亲缘,竟然能够号称“仲父”? 你不要再居住在洛阳了,你还是带着你的家属,到蜀地去吧!

吕不韦意识到自己的实力逐渐削减,已经无可挽回,担心最终还可能将被处以死刑,于是饮鸩而死。

六王毕，四海一

秦王嬴政当政时，秦国的经济实力已经远远超过了东方六国，秦国的军事实力也已经强锐无敌。

当时的秦国，在列国关系中，已经成了说一不二的"老大"。

列国的国君和政要，已经谈秦色变。

当时，统一天下，已经成为秦人直接的政治目标。秦王嬴政策划并且指挥了逐一蓊灭六国的战争。

《史记·秦始皇本纪》记载，在统一战争中，嬴政曾经多次亲临前线进行战地督察。

随着秦军向东推进，秦王政十三年（公元前234年），秦军大破赵军，斩首十万，嬴政亲临河南（今河南洛阳）。

秦王政十九年（公元前228年），秦军在进攻赵国的战役中取得决定性胜利，俘获赵王，又引兵欲攻燕（国都在今河北易县），屯中山（国都在今河北定州）。嬴政亲临邯郸（今河北邯郸），后从太原（今山西北部）、上郡（今陕西北部）返回咸阳（今陕西咸阳）。

秦王政二十三年（公元前224年），秦军大举攻楚（国都在今安徽寿县），俘获楚王，秦王又亲临郢陈（今河南淮阳）。

阳陵虎符,是秦始皇调动军队的凭证。

　　湖北云梦睡虎地十一号秦墓出土竹简有一卷《编年记》,逐年记述了秦
昭襄王元年(公元前 306 年)到秦始皇三十年(公元前 217 年)统一全国的战
争过程等军政大事,同时记有一个名叫"喜"的人的生平和其他有关事项。

　　对于秦王嬴政当政后统一战争的进程,我们可以看到《编年记》中有
这样的文句:

　　十三年,从军。

　　十五年,从平阳军。

　　十七年,攻韩。

　　十八年,攻赵。……

　　十九年,□□□□南郡备敬[警]。

　　廿年,……韩王居□山。

　　廿一年,韩王死。昌平君居其处。有死□属。

　　廿二年,攻魏梁[梁]。

　　廿三年,兴,攻荆,□□守阳□死。四月,昌文君死。

　　[廿四年],□□□王□□。

这是"喜"这位秦军下级军官对于自身经历的记录。关于其中所谓"十七年，攻韩"和"廿二年，攻魏粱[梁]"以及最后"廿四年"一条，我们在司马迁《史记》中的《秦始皇本纪》和《六国年表》中都可以看到相应的历史记载。

据正史中的记录，秦人翦灭六国的战争是以摧枯拉朽般的气势完成的，秦军以神武之风，迅速洗荡了各国反抗的力量：

秦王政十七年（公元前 230 年），秦灭韩。

秦王政十九年（公元前 228 年），秦将军王翦破赵，克邯郸。赵王迁投降，邯郸成为秦的一个郡。

秦王政二十二年（公元前 225 年），秦灭魏。

秦王政二十四年（公元前 223 年），秦灭楚。

秦王政二十五年（公元前 222 年），秦灭燕，灭赵。

秦王政二十六年（公元前 221 年），秦灭齐。

九年之间，秦一一翦灭六国。

秦国完成了统一大业，嬴政自称"始皇帝"，中国历史从此开始了新的纪元。

秦的统一，标志着中国进入了"大一统"政治的时代。

从此以后，由高度集权的中央政府对各地施行有效的政治管理，成为历史的定式。

千古一帝

对于秦始皇的评价,历来多有争议。

有人说他是天下第一暴君,有人说他是开创了中国政治史的新纪元的伟大的帝王。

有意思的是,对于秦始皇给予肯定的评价的人,往往在历史上也是多有争议的人。

比如明代的李贽,在他的名著《藏书》中,就有"始皇帝,自是千古一帝也"的说法。李贽的言论,曾经震动了当时的思想界。可是世人和后人对他的评价,却褒贬不一,有完全对立的意见。

秦始皇的功劳,最主要的,就是实现了统一。

回顾春秋战国时期列强竞胜的历史,对于历史影响比较大的国家,多位于文明程度处于后起地位的中原外围地区。这些国家的迅速崛起,对于具有悠久的文明传统的"中原"即黄河中游地区,形成了强烈的冲击。对于这一历史文化现象,《荀子·王霸》中已经有所评论。

荀子说:"五霸"虽然地处僻陋之国,却能够武威震撼天下。齐桓公、晋文公、楚庄王、吴王阖闾、越王勾践,都是僻陋之国的领袖,但是"威动天下,强殆中国"。

就是说,"五霸"虽然都崛起在文明进程原本相对落后的僻陋地方,却

"千古一帝"秦始皇。

能够以新兴的文化强势影响天下，震动中原。

"五霸"所指，说法不一，如果按照《白虎通·号》中的说法，是齐桓公、晋文公、秦穆公、楚庄王、吴王阖闾。也就是除去越王勾践，加上秦穆公，仍然可以说是地处僻陋之国，却能够武威震撼天下，"皆僻陋之国也，威动天下，强殆中国"。

在战国晚期，七雄之中，以齐、楚、赵、秦最强，到了公元前3世纪的后期，则秦国的军威，已经势不可挡。

在这一时期，强国的军事政治实践，已经和"大一统"的理论联系了起来。

"大一统"理想的提出，是以华夏文明的突出进步和我们民族文化共同体的初步形成作为历史基础的。

儒学经典中较早可以看到"大一统"理想的表述。

《诗·小雅·北山》中有"溥天之下,莫非王土。率土之滨,莫非王臣"这样的话,可以理解为四海之内,山野都是"王"的土地,民众都是"王"的奴隶。这一诗句,后来被频繁引用,成为一种坚定不移的政治信条。

《左传·昭公七年》记载,臣下有分君权的企图,受到严正的责难:"一国两君,其谁堪之?"提出这一见解的人,还引用了《诗经》的名句:"溥天之下,莫非王土;率土之滨,莫非王臣。"《孟子·万章上》也引述了《诗经》中的这一句,以及孔子"天无二日,民无二王"的话。不过,孟子对"溥天之下,莫非王土。率土之滨,莫非王臣"的解释,与一般的理解似乎略有不同。孔子所说的"天无二日,民无二王",见于《礼记·曾子问》和《礼记·坊记》,然而都写作"天无二日,土无二王"。

很显然,"天无二日,民无二王"或者"天无二日,土无二王",也是"大一统"政治意识的朦胧体现。

"大一统"一语的明确提出,最早见于《公羊传·隐公元年》。

对于《春秋》一书中为什么以"王正月"启始这一问题,注者解答道:"大一统也。"

"大一统"政治体制,是儒学学人的政治理想,但是,在当时春秋战国百家争鸣的时代,却并不仅仅是这一派政治学说的主张。和一切政治概念同样,同一政治命题,可以从不同角度来进行解释,可以为不同立场的人们所利用。对于"大一统"来说,儒学思想领袖们往往期望回复周王朝的"大一统"。其他学派则倾向于建立在新的政治基础上的新的"大一统"。

　　早期法家的政治理论就是以君主权力的一元化作为思想基点的。《慎子·佚文》记录了慎到的言论。他说:"多贤不可以多君,无贤不可以无君。"强调政治权力一定要集中,避免二元和多元的倾向,因为这种倾向将导致动乱,正如《慎子·德立》所说:"两则争,杂则相伤"。《太平御览》卷三九〇引《申子》也说,这种高度集中的君权,是以统治天下为政治责任的,"明君治国","一言正而天下定,一言倚而天下靡"。以"天下"作为管理的对象,表明事实上"大一统"的意识已经深入到法家理论的核心之中。

　　"天下"的说法,最早见于《尚书·大禹谟》,这就是所谓"奄有四海,为天下君"。可见"天下"的观念,一开始就是和"大一统"的观念相联系的。应当看到,这一观念,显然不是单纯的地理观念,也不是单纯的文化观念,而是一种政治观念。

　　与当时"天下"意识的普及大致同时,许多思想家都相应提出了统一天下的主张。

　　《孟子·梁惠王上》说,孟子见梁惠王,梁惠王问:天下怎样才能安定呢?

　　孟子回答道:天下归于一统,就会安定。

　　梁惠王又问:谁能够使天下归于一统呢? 孟子回答说:不嗜杀人的国君能够使天下归于一统。

　　另外,《孟子·离娄上》中还宣传了孟子这样的观点,认为国君如果好仁,则可以天下无敌。对于同样的政治主张,《孟子·尽心下》则表述为"仁人无敌于天下"。

　　《荀子·王霸》也曾经提出"人主者,天下之利势也"的观点。

　　《易·系辞上》也说,"圣人"以"易"为思想基础,就可以"通天下之志","成天下之务","定天下之业"。

使"天下"归于"大一统",已经成为许多政论家的政治理想。统治"大一统"的"天下",已经成为许多政治家的政治追求。

《墨子·尚同中》也曾经提出过"一同天下"的说法。

甚至庄子也曾经发表类似的涉及"天下"这一政治命题的意见。如《庄子·天道》所谓"一心定而王天下",《庄子·让王》所谓"唯无以天下为者,可以托天下也"等。

成为战国晚期秦国政治建设和政治管理指南的《韩非子》一书,可能是先秦诸子中说到"天下"一语频率最高的,竟然多达二百六十七次。其中可以频繁看到所谓"霸天下","强天下","制天下","有天下","取天下","治天下","王天下","一匡天下","强匡天下","进兼天下","谓天下王","为天下主","取尊名于天下","令行禁止于天下"等说法。而"一匡天下"出现四次,"治天下"出现六次,"王天下"也出现六次。

很显然,谋求对"天下"的统治,谋求"大一统"政治体制的建立,已经成为十分明确的政治目的,已经成为十分急切的政治要求。

我国早期地理学名著中,有一部著名的《禹贡》,后来也被收入《尚书》中,列为儒学基本经典"十三经"的内容。《禹贡》分天下为九州,又分别论述了九州的土气、物产,以及向中央政府贡奉的品物、方式和道路等。一般认为,《禹贡》成书于战国时代,并不能体现夏代制度。据有的学者考定,《禹贡》大约是梁惠王积极图霸期间,魏国人士于安邑撰著成书的,是在魏国霸业基础上设想出来的大一统事业的蓝图。

"大一统"的理想能够形成,又得以传布,表明华夏文化走向同一、走向成熟的历史进步迈过了新的里程碑。

实现"大一统"可能有不同的形式。《孟子·公孙丑上》中可以看到孟子提出的反对通过战争手段"以力服人",而应当推行"王道",实施"仁政"才可能实现"大一统"的主张。但是,我们所看到的当时的政治现实,却是各个大国都在积极强兵备战,连年兼并不休,企图通过武力使"大一统"的理想得以实现。

《吕氏春秋·荡兵》说,古代圣王和古代贤王都有"义兵",就是以正义的军队、正义的战争实现其圣贤之业,而一概否定军队、否定战争的见解,是荒谬的。"义兵",其实是医治天下弊病的"良药"。以实现"大一统"为目的的战争形式,就被看作"义兵"。

我们甚至还看到,长沙马王堆汉墓出土帛书中成书于战国晚期的体现道家以所谓"自然"、"无为"为中心的政治思想的《十六经》中,以《观》为题的一篇,也明确肯定了在"今天下大争"的形势下,应当坚持"为义"的"兵道","伐乱禁暴",取得成功。

秦国就是以强大的军事力量为基础,通过严酷的战争形式,靠着打了无数胜仗,才一一击灭六国,建立了第一个高度集权的专制主义帝国,实现了"大一统"的政治局面的。

按照《史记·秦始皇本纪》中李斯等人赞美秦始皇的说法,即:"今陛下兴义兵,诛残贼,平定天下,海内为郡县,法令由一统,自上古以来未尝有,五帝所不及。"所谓"海内为郡县,法令由一统"的"大一统"的局面,是通过"兴义兵"的战争过程实现的。

儒学虽然早就提出了"大一统"的理想,但是却好像并没有能够真正找到实践"大一统"的正确道路。战国时期以法家为主的诸家学派的共同努力,使"大一统"终于成为一种政治现实。但是在新的历史时期,儒家为巩固和强化"大一统",进行了更重要的理论建设和政策设计。

还应当看到,老子学说其实是以所谓"小国寡民"作为社会理想的。《老子》第八十章写道,小国寡民,使其即使有高效率的器具也不使用,使民众畏惧艰险而不向远方迁徙。虽然有舟车,也不乘用,虽然有武装,也不炫耀。使民众回复到结绳记事的远古时代,满足其饮食衣裳,安于其住居礼俗,"邻国相望,鸡犬之声相闻,民至老死,不相往来"。这里体现的社会观、政治观和经济观,看起来都是和正统"大一统"思想不协调的。但是,这一思想的产生和传播,也自有历史文化的基础,是我们不应当忽视的。另一方面,我们还应当注意,《老子》书中提出的这种主张,其实大体是符合古代中国农耕经济和农村社会的基本状况的。可见这种状况和国家的"大一统"政体,并没有根本的矛盾。

"大一统"的理想,当时为社会大多数人所共同向往。秦国实现"大一统"的战争过程,与历史进步的方向是一致的。

秦王朝是中国历史上第一个"大一统"的专制主义政权。

秦王朝的建立,是以当时社会普遍要求统一的文化倾向作为重要背景的。秦的统一,是中国历史上的一件大事,也是世界历史上的一件大事。

李贽在《史纲评要》卷四曾经有这样的评论:"始皇出世,李斯相之,天崩地坼,掀翻一个世界。是圣是魔,未可轻议。"秦王朝的建立,使得中国历史上第一次真正实现了统一。对于嬴政、李斯们的政治表演,有"是圣是魔"的不同的历史认识,但是秦的统一推进中国历史进入了一个新的阶段的事实,是大家都公认的。

天下既已一统,如何对政治渊源有别、经济水准悬殊、文化传统各异、民俗风格不一的各地区实现有效的管理,秦王朝上层集团经过多次郑重的讨论,做出了正确的决策。

秦始皇管理天下,表现出非同寻常的勤政的风格。

他在统一战争进行期间,就曾经有三次远程出巡。翦灭六国、平定天下后,又曾经五次巡行各地。在灭齐之后的第二年,秦始皇就驱车出巡,帝车隆隆,在千里长途扬起了滚滚烟尘。《史记·秦始皇本纪》记载:"二十七年,始皇巡陇西、北地,出鸡头山,过回中。"鸡头山在今六盘山一带。回中,在今陕西陇县西北。帝车的轨迹,可能已经西至于今甘肃临洮。同年,秦始皇开始"治驰道"。驰道工程虽然主要服务于帝王出行,但是对于秦汉交通网的构成也具有重要的作用。

秦王朝建立之后,秦始皇第二次出巡,即以东方新占领区为方向:"二十八年,始皇东行郡县。"登泰山,禅梁父,又沿渤海海岸东行,至于胶东半岛的东端,又沿东海海岸南行,回程经过彭城(今江苏徐州),南渡淮水,又浮江而行,最后自南郡(郡治在今湖北江陵)经由武关(今陕西商南南)回归。这一次出巡,云梦睡虎地秦墓出土竹简《编年记》中也有反映,写作:"[二十八年]今过安陆。"正是秦始皇"自南郡由武关归",途中经过安陆(今湖北云梦)的记录。

《史记·秦始皇本纪》所记载秦王朝建立之后秦始皇第三次出巡的情形,竟有出入生死险境的经历。据说在阳武博浪沙(今河南郑州东北)地方,曾经遭到武装敌对者的袭击:"二十九年,始皇东游。至阳武博浪沙中,为盗所惊。"追捕未得,于是令天下戒严十天,进行大规模搜捕。秦始皇又登临位于今山东烟台的之罘山。回程经过琅邪(今山东胶南南),由上党(郡治在今山西长治西)返回关中。

此后第三年,秦始皇再一次东巡,亲临碣石。又巡视北边,从上郡(郡治在今陕西榆林南)返回咸阳。同年,秦始皇派将军蒙恬发兵三十万人北击匈奴,夺取了包括今河套地区的所谓"河南地"。

次年,也就是秦始皇三十三年(公元前214年),又在西北地区对匈奴用兵,成功地将匈奴势力逐出今陕西、内蒙古交界地区直至阴山一带,在当地置四十四县,沿河修筑城塞。又派蒙恬北渡河夺取了高阙(今内蒙古杭锦后旗东北)等军事要地,修筑亭障以防御草原游牧民族的侵扰。并且从内地移民以充实边县。三十四年(公元前213年),又调发工役人员修筑长城。

可以推知,秦始皇经营北边的一系列重大决策,是在他出巡亲历北边之后形成的。很显然,重要的区域政策的制定,是以他亲自对当地的实地考察为基础的。

秦始皇最后一次出巡,是在秦始皇三十七年(公元前210年)。秦始皇行至云梦,望祀虞舜于九疑山,又浮江而下,过丹阳(今安徽马鞍山东),至钱唐(今浙江杭州西),临浙江,上会稽山,祭大禹,望于南海,又还过吴(今江苏苏州),沿海岸北上,最终病逝于行途中。

据《史记·蒙恬列传》,秦始皇心怀"欲游天下"之志。关于秦始皇出行,《史记·李斯列传》有"祷祠名山诸神以延寿命"的说法,《史记·秦始皇本纪》又可见"东抚东土,以省卒士"词语,但是,秦始皇不避霜露,辛苦出行的目的,并不仅仅是祷祠各地名山诸神以求长生,也不仅仅是亲自慰抚镇守东方的秦军卒士。琅邪刻石文字中可以看到的所谓"皇帝之明,临察四方","皇帝之德,存定四极",其实也透露出秦始皇在当时的交通条件下,风尘仆仆,往来于东海北边的动机,有通过这种交通实践了解天下四方的文化风貌,从而巩固和完善秦王朝政治统治的因素。

秦始皇渴望长生不死，派人入海求仙。

秦始皇每天"以衡石量书"，确定阅览一百二十斤文书的日夜定额，不完成定额，不能休息。

秦始皇通过琅邪刻石自称"皇帝之功，勤劳本事"，"忧恤黔首，朝夕不懈"。这样的言辞可能是大体符合事实的。

在这种勤政作风的另一面，是绝对的独裁专断，"天下之事无小大皆决于上"。当时人对于他于是有"贪于权势"的批评。皇帝专权，使得丞相等诸大臣都只能看皇帝的脸色行事。大臣只是执行皇帝个人的意志,甚至丞相也没有独自处理重要政务的权力。臣下不敢发表不同的政见,不敢直接批评皇帝的过失,各自"畏忌讳谀",于是形成了皇帝无视自己的失误而日益骄横,臣下畏于帝王的威权而谄媚取容的政治空气。

中国政治的新秩序

秦王朝的政治制度，在许多方面表现出新鲜的气息。

秦统一后，国土空前广大，据司马迁在《史记·秦始皇本纪》中记载，其地东至海滨暨朝鲜，西至临洮（今甘肃岷县）及羌人居地，南至"北向户"，到了北回归线以南的地方，北则据河为界，与阴山并行，东至辽东。于是分天下以为三十六郡，郡置守、尉、监诸官职，分别负责行政、军事、监察。

秦王朝最初设置的三十六郡，包括：陇西（郡治在今甘肃临洮）、北地（郡治在今甘肃庆阳西南）、上郡（郡治在今陕西榆林南）、汉中（郡治在今陕西汉中）、蜀郡（郡治在今四川成都）、巴郡（郡治在今重庆）、邯郸（郡治在今河北邯郸）、钜鹿（郡治在今河北平乡西南）、太原（郡治在今山西太原南）、上党（郡治在今山西长子）、雁门（郡治在今山西大同西）、代郡（郡治在今河北蔚县东北）、云中（郡治在今内蒙古托克托东北）、河东（郡治在今山西夏县）、东郡（郡治在今河南濮阳南）、砀郡（郡治在今河南商丘）、河内（郡治在今河南武陟南）、三川（郡治在今河南洛阳东）、颍川（郡治在今河南禹州市）、南郡（郡治在今湖北江陵）、黔中（郡治在今湖南沅陵）、南阳（郡治在今河南南阳）、长沙（郡治在今湖南长沙）、九江（郡治在今安徽寿县）、泗水（郡治在今安徽淮北西）、薛郡（郡治在今山东曲阜）、东海（郡治在今山东郯城)、会稽(郡治在今浙江绍兴)、齐郡(郡治在今山东淄博)、琅邪(郡治在今山东胶南南)、广阳(郡治在今北京)、渔阳(郡治在今北京密云)、上谷(郡治在今河北怀来东南)、右北平(郡治在今天津市蓟州区)、辽西(郡治在今辽宁义县西)、辽东(郡治在今辽宁辽阳)。管辖京畿诸县的"内史",是和郡平级的行政单位,然而不在"三十六郡"之内。后来,随着疆域的扩展,又设九原(郡治在今内蒙古包头西)、南海(郡治在今广东广州)、桂林(郡治在今广西柳州西)、象郡(郡治在今广西崇左)、闽中(郡治在今福建福州)五郡。于是,除了内史管理的京畿地区外,秦有四十一郡。

秦的政区范围的确定,标志着中华帝国最基本的文化圈的初步形成。后来中土文化向四方传播,都是以此作为主要基地的。

在秦的地方行政体系中,郡的下级单位是县。少数民族地区的县级行政单位则称"道",这是因为当时中央政府对于这些地区一般只能控制主要的交通线,并由此推行政令、集散物资的缘故。秦县的数量大约有一千左右。

郡县制度,是春秋战国时期以来逐步形成的地方行政制度。

关于"县"的设置的最早的资料,见于《史记·秦本纪》的记载。这就是秦武公十年(公元前688年)伐邽冀戎后,在所占领地区设立了最初的"县",以及秦武公十一年(公元前687年)在杜地和郑地设置了"县"。《国语·齐语》说,齐桓公时,曾经有"三乡为县,县有县帅"的制度。《左传》中,可以看到有关晋国、楚国等国曾经设县的记录。顾炎武《日知录》卷二二《郡县》写道:"当春秋之世,灭人之国者,固已为'县'矣。"就是说,"县",起初是列国兼并时代管理新占领区的行政区设置。顾炎武又指出,"当七国之世,而固已有郡矣"。通过战国时期的历史,我们可以看到,郡制,也是中原周边地区后起的强国赵、燕、楚、秦初创的新的地方行政制度。

郡县制度为秦王朝继承发展,成为后来历代王朝中央政权控制地方行政的基本形式。

秦王朝对于是否实行郡县制度,曾经进行过两次御前大辩论。

秦刚刚实现统一之初,丞相王绾曾经主张实行分封制以维护帝国的安定。

王绾认为,诸侯初破,燕国、齐国、楚国旧地距关中遥远,如果不分置诸侯王的话,就没有办法镇抚管理。他建议秦始皇分立诸子。

秦始皇吩咐朝廷对这一意见开展讨论,群臣大都表示赞同王绾此议。只有廷尉李斯提出了不同的政治见解。

李斯说,周文王、周武王分封了许多子弟同姓为诸侯,但是后来这些诸侯国与周王朝的关系越来越疏远,又彼此如同仇敌一般互相攻击,连周天子也没法子禁止。现在,赖有陛下之神灵,海内实现了一统,都成为直属朝廷的郡县,诸子和功臣可以用国家的赋税收入给予丰厚的赏赐,这样便于控制天下,这是实现海内承平的"安宁之术"。而分置诸侯,是不宜施行的建议。

秦始皇采纳了李斯的意见,他说:天下苦于战争长久不息,就是因为侯王割据相互争夺的缘故。现在幸有祖先神灵护佑,使天下终于安定,如果重新分立诸侯国,就会再次埋下战争的隐患,要想谋求海内安定,岂不难哉!廷尉的主张是正确的。

秦始皇三十四年(公元前 213 年),就是否推行郡县制,曾经又发生过一次著名的御前辩论。

秦始皇置酒咸阳宫,博士七十人在御前祝酒。仆射周青臣进颂说,以往秦国地方不过千里,赖陛下神灵明圣,平定海内,放逐蛮夷,日月所照,莫不宾服。以诸侯统治旧地设立郡县,于是人人自安乐,不再有战争之患，天下可以传之万世。自上古诸帝王，都不及陛下的威德。于是秦始皇大悦。

随后博士齐人淳于越进言，则直接反驳了周青臣的说法。

他说：殷周政权能维持千余岁，正是因为封子弟功臣，自为枝辅。今陛下有海内，却废除分封制而推行郡县制，做事不遵循古训而能够长久的，从来没有听说过。

秦始皇命令就此进行讨论。李斯又批驳了"师古"的主张，以为五帝的政策不相重复，三代不相沿袭，但是各自都实现了安定进步，政制只能依时势而变化演进。明确了郡县制政治革新的意义。李斯又指出古来天下散乱，不能一统，以致出现"诸侯并作"，"诸侯并争"的严重危害。他坚持郡县制对于"创大业，建万世之功"有重要作用的主张。李斯肯定郡县制的意见得到秦始皇的赞同，而对于与此不同的政见，随后又有以"焚书"为标志的严厉打击的措施。

明代思想家李贽在《史纲评要》卷四《后秦纪》中曾经称李斯倡行郡县之议是"千古创论"，又就"置郡县"之举赞誉道，李斯等人，都是应运豪杰、因时大臣。假使圣人重新复生，所推行的政策也不会有所改变的。

秦王朝的统治者确定了"置郡县"的地方行政管理制度，确实是英明的政治决策。

秦灭六国之后，秦王政以"天下大定"，而名号如果不变更，则无法标志成功，使事业传之后世，于是承袭"三皇"、"五帝"传说，自称"皇帝"。据《史记·秦始皇本纪》，嬴政宣布："朕为始皇帝。后世以计数，二世三世至于万世，传之无穷。"秦的统治终于未能长久，但是，秦王朝的若干重要制度特别是皇帝独尊的制度，却对此后两千多年的历史演进发生了深远的影响。

秦王朝建立了比较完备的中央政权组织。中央执政集团中权位仅次于皇帝的最重要的官职是所谓"三公"，就是丞相、太尉和御史大夫。

秦国制度原本有相、相国之职，秦实现统一之后，见于记载的相应官员有丞相隗林、丞相王绾、左丞相李斯、右丞相冯去疾等。丞相是朝廷首席文官，总理全国政务。太尉原称尉、国尉，是朝廷首席武官，是负责全国军事事务的最高长官。御史大夫地位略次于丞相，是负责监察的大臣，位列上卿。

"三公"之下又有"九卿"，分工管理不同的政务部门。实际上所谓"九卿"官职并不限于九。这一官僚制度体系大体为西汉王朝所继承。按照《汉书·百官公卿表上》的说法，这一级别的官职有：奉常，秦官，掌宗庙礼仪。郎中令，秦官，掌宫殿门户。卫尉，秦官，掌宫门卫屯兵。太仆，秦官，掌舆马。廷尉，秦官，掌刑辟。典客，秦官，掌诸归义蛮夷。宗正，秦官，掌亲戚。治粟内史，秦官，掌谷货。少府，秦官，掌山海池泽之税，以给供养。中尉，秦官，掌徼循京师。

略次一级的官职，又有：将作少府，秦官，掌治宫室。詹事，秦官，掌皇后、太子家。将行，秦官掌皇后宫事。典属国，秦官，掌蛮夷降者。内史，周官，秦因之，掌治京师。主爵都尉，秦官，掌列侯。我们看到，秦王朝的政治制度已经相当严整完备。后来有"汉承秦制"的说法，就是说秦代的这一制度为汉代统治集团大体继承沿袭。

在中国古代政治史中，秦代的官制确实有着特殊重要的意义。《汉书·百官公卿表上》说，周政衰败，官制混乱，战国并争，各有变异，秦兼天下，建皇帝之号，立百官之职。汉因循而不革。秦以前的官制还有待进一步研究，然而一般都公认，秦立百官之职，汉代基本因循又经进一步健全之后，确实确立了中国历代王朝官制的基本格局。

中国传统政治体制的基本构架，就这样初步建立起来了。

焚书坑儒

　　秦王朝的统治表现出的最突出的特色，就是高度的集权，高度的专制。秦王朝在思想文化方面的政策，也有同样的风格。

　　秦王朝虽然统治的时间并不长，但是所推行的文化政策，却在若干方面产生了相当深远的历史影响。

　　"书同文"，原本是孔子提出的文化理想。孔子的孙子子思作《中庸》，引述孔子的话说："今天下车同轨，书同文，行同伦"。他又指出，虽然踞有政治地位，但是没有相应的政治道德，是不能够主持礼乐的；而即使有相应的政治道德，但是未能踞有政治地位，也是不能够主持礼乐的。

　　"书同文"，已经成为文化统一的一种象征。但是在孔子的时代，按照儒家的说法，有其位者无其德，有其德者无其位，"书同文"实际上只是一种空想。战国时期，分裂形势更为显著，书不同文也是体现当时文化背景的重要标志之一。正如东汉学者许慎在《说文解字叙》中所说，由于诸侯力政，不遵从周天子，于是礼乐典籍受到破坏，天下分为七国，各自文化特征都不同，"言语异声，文字异形"。

　　于是，秦灭六国，实现统一之后，丞相李斯就上奏建议以"秦文"为基点，要实现天下文字的统一。凡是和"秦文"不一致的，统统都要予以废除。

秦始皇统一中国后，统一币制。此为通行全国的秦半两。

秦始皇统一中国后，统一度量衡。此为秦铜量器。

国　　名	秦	楚	燕	齐	赵　魏　韩
统一前"马"字的不同写法					
统一后秦篆"马"字的写法					

秦始皇统一中国后,统一文字,将繁难的大篆省改为小篆。

　　历史上的这一重要文化过程,司马迁在《史记·秦始皇本纪》的记载中写作"书同文字"与"同书文字",在《六国年表》与《李斯列传》中,又分别写作"同天下书","同文书"。

　　《汉书·艺文志》和《说文解字叙》都曾经说到,秦文字有八体,就是大篆、小篆、刻符、虫书、摹印、署书、殳书和隶书。其中主要是小篆和隶书。大约郑重的场合用小篆,一般的情况下用隶书。李斯的《仓颉篇》,赵高的《爰历篇》,胡毋敬的《博学篇》,是官方正式颁布的文字范本,都是用小篆书写的。

　　秦王朝统一文字,是中国文字演变史上的一次大转折。

　　不过,所谓"书同文",并不是一个简单的只靠行政命令就可以在短时期内全面实现的过程。文字的变革,因为秦王朝短促而亡,其实并没有能够真正完成。"书同文"的事业在汉初继续进行,实际上到汉武帝时代才可以说逐步走向定型了。

　　经过了这一转折,汉代的文字和先秦的文字表现出相当大的差异,以致汉时以渊博著称的学者也已经难以通谙先秦的文字。

　　秦王朝的"书同文"虽然并不像有些人理解的那样成功,但是当时能够提出这样的文化进步的规划,并且开始了这样的文化进步的实践,应当说,已经是一个值得肯定的伟大的创举。

　　秦王朝推行文化统一的政策,当然并不仅仅限于文字的统一。

　　我们在秦始皇出巡时在各地的刻石文字中,可以看到要求各地民俗实现统一的内容。比如琅邪刻石说到"匡饬异俗",之罘刻石说到"黔首改化,远迩同度",都表示各地的民俗要予以改造,以求整齐统一。而强求民俗统一的形式,是法律的规范,就是所谓"普施明法,经纬天下,永为仪则"。

　　更为明显的实例,是会稽刻石中还说到皇帝"亲巡天下,周览远方","宣省习俗,黔首斋庄",对于当地民俗的干预,已经相当具体。例如,妇人有子而再改嫁,或者丈夫死后妻子改嫁,或者逃嫁而遗弃子女等现象,都受到谴责,宣布要予以惩治,期望建立所谓"防隔内外,禁止淫泆,男女絜诚"的新的道德秩序,甚至宣称"夫为寄豭,杀之无罪"。对各地民间家庭婚姻习俗的强制性改造的方针,表现出新政权文化统制的空前严厉。

　　掌握最高政治权力的秦帝国的统治者期望直接以强制手段改变民俗,确定新的有利于"常治无极"的"法"、"令"、"轨"、"则",也就是新的文化规范,以实现会稽刻石所说到的"大治濯俗,天下承风"的局面。

　　《汉书·地理志下》写道:民众的性情是有地方差异的,刚和柔,缓和急,以及音声的不同,都和水土之风气有关系,这就是"风";而好恶和取舍的价值倾向,以及动静的变化,又都和君上的情感影响有关,这就是"俗"。孔子说:"移风易俗,莫善于乐",是说圣王在上,有统理人伦的责任,以正确的文化导向,促使各地民间风俗"混同天下一之乎中和",然后方可以成就所谓"王教"。

　　统一国家的建设，必然促成文化的融合与统一，这是没有疑义的，然而问题在于实现这一过程的手段和方式。

　　战国时代，各地居民因长期分裂的政治形势造成的不同的心理状态是很明显的，秦人风俗与东方各国更有相当大的差异。秦实现统一之后，秦王朝企图以强制手段将秦地风俗推行全国以"匡饬异俗"，"大治濯俗"，追求所谓天下民俗文化的"混同""中和"。如云梦睡虎地秦墓竹简《语书》就写道："圣王作为法度，以矫端民心，去其邪僻（辟），除其恶俗"，说明秦政府在实现统一的过程中，在战争警报尚未解除之际，就已经将这种"移风易俗"的事业作为主要行政任务之一，并以法律为强制手段，以军事管制的形式强力推行这一政策了。

　　古代风俗中至今能够留下最明显遗迹的莫过于葬俗。陕西临潼秦始皇陵西侧赵背户村发掘的秦始皇陵劳役人员墓地，发现死者的葬式大多数与秦人墓葬头向西的传统相一致，出土骨架一百具，其中只有四具是传统的仰身直肢葬，绝大多数都是蜷曲特甚的屈肢葬，与关中地区春秋战国时期秦国屈肢葬的蜷曲情况相同。这种现象，应该理解为出身关东地区的劳役人员在专制制度下生前备极劳苦，死后仍被迫以秦人风俗就葬。

　　秦王朝在思想文化方面谋求统一，是通过极其强硬的专制手段推行有关政策的。所谓焚书坑儒，就是企图完全排斥东方文化，以秦文化为主体实行强制性的文化统一。为了实现这种统一，甚至不惜采用极端残酷的手段。

　　秦王朝力求以专制手段实现文化统一的政策和战国以来思想文化倾向自由的传统，终于发生了激烈的冲突。

　　秦王朝建立了高度集权的专制主义政治体制之后，战国时代旧有的文化体制被否定，文化成为政治军事的附属，私学盛起的形势一去不复返,生动活跃的文化气氛被洗荡一空。一些儒生和游士于是私下批评时政,引用儒学经典《诗》《书》及百家语,以古非今。

在秦始皇三十四年(公元前213年)关于郡县制的御前辩论中,丞相李斯批判了儒者遵行古制,实行分封的主张。

他说,先古五帝三代制度不相承袭,各因时势之变异用不同的方式治理天下。当今陛下创大业,建万世之功,其意义,当然是狭隘浅薄的儒生不能理解的。儒者所说三代分封之事,当代不可以遵法。李斯又说,古者天下散乱,不能统一,诸侯并争,厚招游学,形成了引述古典来批评当今,用空虚的理论指责实际的政策的风气。现在天下已经平定,法令出于皇帝,而私学却公然非毁法教,诸生不师今而学古,批判当世之政,惑乱民众之心。政令一旦颁下,都各自站在自己学派的立场上妄加批评否定,以超越主上、标新立异来抬高自己的名位,甚至公然诽谤朝政。如此不加制止,上则损害皇帝的威望,下则扩大私党的影响,因此必须严厉禁绝。

李斯又建议,除秦官定史书《秦纪》以外,其他历史记载都统统予以烧毁。除了博士官所掌管的以外,天下有私人收藏《诗》《书》及百家语的,都必须上缴,由地方官员负责烧毁。有胆敢私下讨论《诗》《书》的,要处以弃市之刑,敢于以古非今的,诛灭其家族。官员知情而不举报者,则与其同罪。焚书令颁下三十天仍然拒不遵行的,罚作筑守边城的劳役。不过,医药、卜筮、种树一类技术书籍,不在焚烧之列。

李斯的建议得到秦始皇的批准。

秦始皇焚书,是对先秦思想文化成就的冷酷的否定和粗暴摧残,是中国文化史上一次严重的浩劫。

焚书之后不久,又发生了坑儒事件。

秦始皇下令焚书坑儒。（图选自明刻本《帝鉴图说》）

　　秦始皇晚年，独断专行，又迷信方术，欲求长生。曾经受到他信用的侯生和卢生不满秦始皇贪于权势，专好以刑杀强化自己的威权，于是相约逃亡。秦始皇大怒，以侯生和卢生的"诽谤"之罪，疑心诸生在咸阳者多以妖言扰乱民心，于是派御史严厉拘审，将所谓违反禁令的诸生四百六十多人坑杀于咸阳，以警告天下有不同政见的文化人。

　　秦始皇的长子扶苏劝谏道，天下初定，远方人心尚未安宁，诸生不过诵法孔子之学罢了,现在以严酷之法处置他们,担心天下将会发生动荡。

秦始皇大怒,下令让扶苏离开都城咸阳,到北方边疆蒙恬的部队里担任监军的职务。

焚书坑儒等极端的措施,造成了思想文化的凋零,同时也激起了读书人对秦政普遍的抵触和反抗。

对于焚书坑儒,历来有种种的否定与抨击,但是当时历史条件和文化背景的复杂,也是不可以简单论定的。明代思想家李贽在《史纲评要》卷四《后秦纪》中曾经这样评论李斯关于焚书的上书:"大是英雄之言,然下手太毒矣。当战国横议之后,势必至此。自是儒生千古一劫,埋怨不得李丞相、秦始皇也。"

但是李贽在《藏书》卷二《混一诸侯·秦始皇帝》又写道:"直使儒生至今犹害怕。"这也是事实。

秦王朝对于思想文化控制的手段确实厉害。这反映了秦王朝当政集团比较急进的行政作风,同时又表现出长期战争之后行政军事化的历史惯性。

以吏为师

秦王朝文化政策的一个重要特征,是强调所谓"以吏为师"。

"以吏为师",就是由官吏承担思想文化方面的领导,代替了先前私学繁盛时代的"师"。

这是一个重大的历史变化。

李斯在建议焚书时,曾经说道,过去诸侯并争,所以游学大盛。而现今天下已定,法令出于一,百姓应当努力投身生产,文人应当学习法令制度。

他又对于所谓"私学"批评干扰"法教"的情形提出了严厉的指责,以为如此将会导致专制权力在思想文化领域里发生动摇。

在李斯等人的眼里,"私学"和"法教",形成了尖锐的文化对立。

推行焚书令之后,他又提议用行政力量指导文化行为,明确要求:"若欲有学法令,以吏为师。"

以所谓"若欲有学法令,以吏为师",取代了原先相当活跃的"私学",表现出秦政权重"法"而轻"学"的文化价值取向。后来汉代人评价秦政时,对此多有严厉的批判,指出了秦王朝这一文化政策的反文化的实质。

其实,所谓"以吏为师",或许也可以理解为并不以简单的"学法令"为限。这一指令所针对的"学"的意义,实际上涵盖了极宽泛的文化范畴。

比如《史记·秦始皇本纪》裴骃《集解》引述徐广的说法，就指出有的记载并没有"法令"二字，就是说，直接写作："若欲有学，以吏为师。"

如果这样的说法能够成立，那么，秦王朝实行的文化统制的严酷，更表现为全方位的思想禁锢了。

云梦睡虎地发掘出土的秦代简牍文书中，有一篇南郡守腾颁发给本郡各县、道的公告《语书》。在这篇公告中写道：圣王制定法律，用以端正百姓的意识，改造邪戾的性情，清除恶劣的习俗。由于法律不尽完备，百姓中多有伪诈奸巧，以致干扰法令实施的。所有的律令，都是要教导百姓改造邪戾的性情，清除恶劣的习俗，使他们能够成为良善之民。

《语书》又责备道：现在法律已经齐备，但是仍然有一些官吏民众不予遵守，习俗淫侈放荡的人未能收敛，这将导致主上的大法不能实行，邪恶的风气得以助长。如此，则严重危害国家，也不利于百姓。

可见，"民心"、"乡俗"等文化形态，是"法度"所"矫端"的对象，而"吏"的作用，确实也是相当突出的。按照《语书》中的说法，即："凡良吏明法律令，事无不能殹（也）。"以为良吏如果明习了法律令，则可以应对任何复杂的行政难题。在秦王朝的价值评定体系中，"法律令"被抬高到万能的地位，"良吏"也被抬高到万能的地位。

"以吏为师"，宣告了春秋战国时代发生于民间，曾经向历史提供过伟大文化贡献的"私学"终于被取缔。

于是，政治领导文化，政治规范文化，政治统制文化，政治奴役文化的历史定式开始形成。这一定式对于后来中国文化演进的历程发生的影响，是十分显著的。

沙丘政变

秦始皇三十七年(公元前210年),秦始皇再一次东巡。左丞相李斯、右丞相冯去疾以及公子胡亥一同随行。

秦始皇和他的随行人员从咸阳出发,向东南行经云梦,然后浮江而下,视察吴越旧地,又登会稽山(今浙江绍兴东南),临望东海。然后沿着海岸北上,来到黄海之滨的琅邪(今山东胶南南)。接着继续沿海岸行进,抵达荣成(今山东荣成)、之罘(今山东烟台)等地。

秦始皇的车队又继续西行,到平原津(在今山东平原)时,这位辛劳的皇帝终于病重不起。

病情愈益恶化的秦始皇用皇帝玉玺封书赐监军于上郡的公子扶苏,命令他与丧车相会于咸阳,主持葬事。

七月丙寅这一天,秦始皇在沙丘平台(今河北广宗西北)去世。

这位使中国得到统一的王者的人生历程结束了。秦人叱咤风云,号令天下的英雄时代也结束了。

左丞相李斯因为皇帝死于京城之外,担心诸公子及天下会发生变乱,于是决定秘不发丧。

秦始皇的车队一如既往,继续行进。秦始皇的遗体被装载在可以密封车厢的辒辌车中,百官奏事,宦者奉食,都像平常一样。

当时正值暑季，尸车散发出恶臭，李斯、赵高等人又吩咐车队加载一石鲍鱼，以掩盖其气味。

秦始皇赐公子扶苏的诏书虽然已经封缄，却停置在主持机要办公事务的中车府令宦官赵高手中，没有来得及交付使者发出。赵高因为曾经教授秦始皇次子胡亥文书法律知识，私人关系较为密切，于是和胡亥、李斯阴谋毁掉秦始皇所赐扶苏书，重新伪造秦始皇遗诏，假称秦始皇生前交付丞相李斯，立公子胡亥为太子。

赵高在阴谋帮助胡亥取得皇位继承权的同时，又和胡亥、李斯伪造赐公子扶苏及将军蒙恬书，责问其罪过，并且令其自杀。

扶苏、蒙恬心有疑惑，但扶苏从父赐子死不能违抗的观念出发，随即自尽。蒙恬不肯自杀，被囚禁在阳周（今陕西子长北），后来也被迫吞药而死。

这样一来，对胡亥地位的主要威胁都被排除了。

胡亥及赵高、李斯的车队经行直道回到咸阳。在这一年（公元前210年）的九月，在郦山安葬秦始皇。

郦山，是秦始皇经营多年的陵墓。关于秦始皇陵的修筑，司马迁在《史记·秦始皇本纪》中记载，秦始皇刚刚即位，就开始了陵墓修筑工程，统一天下之后，各地派来的工徒多达七十余万人。

秦始皇陵地宫中，据说用水银模仿百川江河大海，以机械方式令其流动不息。司马迁的这一记载，已经考古学者和地质学者用新的地球化学探矿方法——汞量测量技术测定地下汞含量的结论所证实。

出于防止盗掘的目的，秦始皇陵的墓门和墓道据说设置了可以自动发射箭矢的机关。

秦始皇安葬后，为了防止施工人员和葬事劳务人员将有关陵墓结构和封藏的信息泄露于世，秦二世竟然采取了全数杀害"工匠"、"臧者"和"宫人"的残暴手段。

清人钱镨《始皇陵咏》诗为此感叹道："叩之空空但铜漆，复设机弩如警雷。骨枯何待工匠泄，羡门一闭万鬼哀。"

秦始皇陵园及其附近发现的大型兵马俑坑以及其他附属建筑，以实证形式使我们对秦史的认识更为真切具体。

对于秦始皇陵兵马俑坑的作用与意义，研究者的认识各各不同，大致提出了这样几种意见：（1）守卫京城的宿卫军；（2）秦始皇东巡卫队的象征；（3）送葬的俑群；（4）表彰统一全国军功的纪念碑式的"封"；（5）作为概括军事生活的典型"陈兵"，类同于后世神道之侧的柱、碑、石刻像生等。其实，部署在陵园东侧，同时又面向东方的秦俑兵阵，在秦王朝以东方民众为镇压对象，以东方反抗力量为假想敌的背景下，可能也有卫护秦始皇陵的作用。而在后来关于秦始皇陵被盗掘的传说中，盗墓者也恰恰是所谓"关东贼"。

十月戊寅日，秦二世胡亥诏令大赦罪人，正式宣告自己继承了帝位。这正是秦始皇去世之后的第七十二天。

秦二世的暴政

秦二世胡亥是以非法手段取得帝位的。

他担心诸公子及大臣疑而不服,导致变乱,于是密谋杀害诸公子及先帝故臣。在咸阳处死了十二位公子,在杜县(今陕西长安西南)处死了十位公主。

考古工作者在秦始皇陵东侧上焦村西清理的八座秦墓,有引人注目的现象。

其中十八号墓没有发现人骨,其余七座墓的墓主为五男二女,年龄都在二十岁至三十岁左右,大多骨骼分离散置。

十五号墓的墓主肢骨相互分离,置于椁室头箱盖上,头骨则发现于洞室门外填土中,右颞骨上仍插有一支铜镞。

据考古工作者分析,这批墓葬墓主的身份,应当是秦宗室的成员。有迹象表明,这些墓葬的墓主,有可能就是秦二世杀害的公子和公主。

据《史记·李斯列传》记载,公子高曾准备逃走,又担心其家属受到残害,于是上书请求从葬于郦山脚下。胡亥准许了这一请求,并赐钱十万予以安葬。

赵高对秦二世说,先帝临制天下年久,所以群臣不敢发表不同的政见。现今陛下年轻,刚刚即位,如何在与公卿廷议决策大事时维护权威呢？如果所言有误，那么就在群臣面前暴露了短处，天子称"朕"，本来就是说不能轻易让别人听到他的声音。

秦二世信从了他的话，于是常居于宫禁之中，只单独会见赵高决定朝事，后来公卿大臣也很少能够朝见。

这种表现出严重内在封闭性特征的政治形式，使新政权原有的积极的政治活力也被完全窒息了。

司马迁说，秦二世统治时期"用法益刻深"，就是说，其专制统治的严酷，可能更超过了秦始皇时代。当时，不仅"黔首振恐"，而且"宗室振恐"，社会上下都被深重的黑色恐怖所笼罩。

秦时专制制度的明显弊病，已经严重妨碍了政治机器的正常运行。

秦二世当政初，年仅二十一岁。他自以为年少，即位不久，百姓不能集附，又仰慕秦始皇巡行郡县而威服海内的事迹，决意东巡。据司马迁在《史记·秦始皇本纪》中的记载，秦二世元年（公元前 209 年），李斯、冯去疾等随从新主往东方巡行。这次出行，时间虽然颇为短暂，行程却甚为辽远。秦二世及其随从由咸阳东北行，抵达碣石，又沿海岸南下，至于会稽，又再次北上至辽东，然后回归咸阳。

四月秦二世回到咸阳，七月就爆发了陈胜起义。不久，秦王朝的统治就迅速走向崩溃。可以说，秦二世巡行郡县，以炫耀强权，威服海内的政治目的，其实并没有实现，对沿途山海之神都一一礼祠所表现的虔敬，似乎也没有得到预期的回报。

从秦二世东巡经历所体现的行政节奏，可以反映这位据说辩于心术而讷于口才的新帝对秦始皇所谓"勤劳本事"，"夙兴夜寐"，"朝夕不懈"，"视听不怠"，以及每天"以衡石量书"，不完成审阅一百二十斤文书的日夜定额则绝不休息的勤政风格的继承。但是，秦王朝所面临的政治危机，已经不是一两个政治活动家凭个人的才智和努力能够挽回的了。

秦王朝统治时期，民众所承受的最沉重的负担，是徭役的征发。

这一现象的极端表现，是征发"闾左"服役。据说正是因此而导致了政权的崩溃。汉代人总结秦王朝灭亡的原因，往往以"发闾左之戍"与"收泰半之赋"并称。"闾左"，就是"闾佐"、"里佐"，也就是秦王朝基层政权的基本支持力量。他们本来是基层农耕生产的组织者和地方治安秩序的维护者。徭役征发的过度，已经不得不使这些人也受到冲击。

政治危机于是已经演进到无以挽回的严重地步。出现了人人自危，欲叛者众的局面。

唐人鲍溶《倚瑟行》诗有"泉宫一闭秦国丧"句，认为秦始皇去世，秦的国运也一同葬入郦山地宫之中，秦帝国实际已经灭亡。

这种认识可能暗含对秦二世权位的合法性有所否定的倾向，但是就历史真实而言，其实是不准确的。

秦二世因政变而暴起，又因政变而暴亡，统治虽然短暂，然而在位三年，也曾经有勤政的表演。他遵循秦始皇远巡的辙迹东行郡县，傍渤海至于辽东，傍黄海、东海至于会稽，行程相当辽远。以现今公路营运线路里程计，考虑经行不同路线的因素，总行程在八千八百公里以上，甚至超过一万公里。其出巡春季启程，四月还至咸阳，虽具体行期尚难以确知，但即使按照保守估算，以历时百日计算，平均每天的行程也至少达到近九十公里，甚至超过一百公里。这在当时十分简陋的交通条件下，作为帝王乘舆，无疑已经创造了连续高速行驶的历史纪录。而出行者"跋涉山川，蒙犯霜露"的辛劳可以想见。

作为统一帝国来说，秦王朝和隋王朝都是二世而亡。而汉王朝、唐王朝、明王朝等，也都在第二代权力接递时发生过血腥的武装争斗，有时爆发政变，甚至导致战争，同样值得注意。专制政体在这样的关键时刻出现政治危机，可能是必然的。后世史家讨论秦王朝与隋王朝的政治教训，往往关注第一代帝王死后最高权力交接形式的合法性和合理性问题。于是对于扶苏的缅怀，成为千古话题。其实，面对既成的政局，分析政策的正与误，或许是更有意义的。

关于秦二世的政策是否对于秦的灭亡发生主要作用，有不同的意见。一种观点，认为秦亡的主要责任应当由秦始皇承担。例如《汉书·谷永传》所谓"秦所以二世十六年而亡者，养生泰奢，奉终泰厚也"，《三国志·魏书·杨阜传》所谓"秦始皇作阿房而祸及其子，天下叛之，二世而灭"，都将主要罪责归于秦始皇。而所谓"二世不恤天下，万民有怨畔之心"，于是"陈胜起，天下畔，赵高作乱，秦遂以亡"，以及《汉书·五行志中之下》所谓"至于二世，暴虐愈甚，终用急亡"，《旧唐书·食货志上》所谓"二世发闾左而海内崩离"等，则以为秦二世也负有历史责任。白居易《答四皓庙》诗"秦皇肆暴虐，二世遭乱离"句，也具有一定的代表性。实际上据司马迁在《史记·秦始皇本纪》中的记载，尽管秦二世即位不过一年，大泽乡起义即爆发，然而他"复作阿房宫"，"用法益深刻"等行为，确实使社会矛盾更加尖锐了。

全面认识秦末历史，应当承认秦始皇和秦二世都必须承担政治失败的责任。

贾谊在《过秦论》中曾经说，如果秦二世及时实行政策转变，是可能避免秦覆亡的结局的。

他写道："今秦二世立，天下莫不引领而观其政。"民众苦难，其实是"新主"的一种政治资源，假使"二世有庸主之行，而任忠贤，臣主一心而忧海内之患，缟素而正先帝之过"，"以威德与天下"，则必然可以扭转政治危局,实现安定。

《后汉书·杨终传》中,也可以看到"秦筑长城,功役繁兴,胡亥不革,卒亡四海"的意见,暗示秦二世"革"秦始皇之政的可能性及其可能较为光明的历史前景。

历史的假设虽然对于历史研究没有意义,但是对于借鉴历史经验,可能是有参考价值的。

对于秦二世的悲剧,有的学者又分析说,其因素包括秦始皇焚书坑儒,"灭先王之学"的文化政策,以致秦二世缺乏必要的文化资质,"胡亥之生也,《诗》《书》不得闻,圣贤不得近"。这一议论出自唐代著名诗人元稹之口,新旧《唐书》的《元稹传》都有记载,值得引起注意。李商隐《赠送前刘五经映三十四韵》诗在"焚坑逮可伤"之后,又有"挟书秦二世"句。"挟书"是指《挟书律》,即对私藏书籍者严刑治罪的法令。诗人在对文化专制主义进行谴责时,秦二世也是对象之一。

指鹿为马

赵高出身宦官，熟悉上层政治生活，又精于权术。他使秦二世逐渐疏远李斯，自己得以把握了政治中枢的决策大权。

二十一岁的秦二世信用赵高，排斥异己，繁刑严诛，赋敛无度，于是政治危机越来越严重了。

赵高用尽心机强固自己的地位和权力。

能够反映他当时丑恶的政治表演的，有著名的"指鹿为马"的故事。

赵高有心全面专权，担心群臣不能全数顺从，于是先自设计测验。他将鹿进献于秦二世，而号称为马。秦二世笑道："丞相弄错了吗？竟然谓鹿为马。"于是问左右，左右或者沉默不语，或者称马以阿顺赵高。也有个别称其为鹿的，事后都被赵高暗中谋害。后来群臣都不得不畏惧赵高。

在民众暴动的强大压力下，惶悸不安的秦二世在泾渭之交的望夷宫斋祀。赵高指使其女婿咸阳令阎乐率兵逼宫，秦二世被迫自杀。

唐人胡曾《咸阳》诗于是写道："一朝阎乐统群凶，二世朝廷扫地空。"

赵高在逼死秦二世之后，又以为继任的秦贵族子婴"以空名为帝，不可，宜为王如故"，取消了帝号。秦政权的统治于是被迫恢复到战国时代的状况。实现大一统政制的秦王朝因秦二世之死实际上已经覆亡。

在子婴废帝号改称秦王四十六天之后，刘邦军入咸阳，秦亡。

在分析秦王朝灭亡的原因时,有人认为秦二世时代发生的政治变故,是由于赵高等人利用了他的昏庸。指鹿为马的故事广为传诵,就是以这样的认识为基点的。宋代政论多见这种意见,如《宋史·唐坰传》所谓"秦二世制于赵高",《宋史·杨大全传》所谓"盗满山东而(赵)高、(李)斯弄权,二世不知也",《宋史·胡铨传》所谓"秦二世以赵高为腹心,刘(邦)、项(羽)横行而不得闻"等。这些议论,自有当时特殊的政治背景,也在一定程度上反映了秦末历史的真实。

秦代是"忠"的道德准则在政治生活中占据主导地位,成为社会行为准则的历史时期。秦始皇东巡刻石,有"端直敦忠,事业有常"的宣传。赵高等伪造的秦始皇遗诏,对于扶苏、蒙恬,也有"为人子不孝","为人臣不忠"的指责。

"忠"和"不忠",在秦时专制制度下,常常是以帝王个人的态度为标尺的。

秦始皇时代,蒙恬、蒙毅受到特殊信用,"名为忠信,故虽诸将相莫敢与之争焉"。而秦二世时代,赵高欲以灭蒙氏,则以所谓"不忠而惑主"使胡亥囚禁蒙毅,胡亥遣御史令蒙毅曰:"今丞相以卿为不忠,罪及其宗。朕不忍,乃赐卿死。"秦二世二年(公元前208年),右丞相冯去疾、左丞相李斯、将军冯劫建议停止阿房宫工程,减轻民众徭役负担,遭到秦二世的驳斥:"上毋以报先帝,次不为朕尽忠力,何以在位?"于是置三人于死地。

沙丘政变之后,"赵高因为胡亥忠计",谋害宗室故臣,他的权位的迅速上升,秦二世称之为"以忠得进"。但是恰恰就是赵高,策划谋杀了秦二世,又在反秦起义军逼近关中时与刘邦暗中联络。

显然,以秦时通行的"忠"的政治道德尺度来衡量,赵高品性言行的卑下,也是显而易见的。

李斯的悲剧

李斯是楚地上蔡人。年少时,曾经任郡小吏。他看到吏员宿舍的厕所里的老鼠吃的都是不干净的东西,又因为经常被人和狗所惊吓,惶惶不可终日,但是仓房里的老鼠,却平素不受惊扰,坐拥满仓谷物,没有饥饿之忧。于是感叹道:人的地位,就好比老鼠一样啊,最重要的,是选择好所处的位置。

李斯曾经从荀子学帝王之术,后来辗转来到秦国,开始从政。

韩国水工郑国,为了削弱秦国的国力,动员秦国组织大规模的水利工程,并主持设计和施工。这就是后来的"郑国渠"。事情发觉后,秦国宗室大臣劝说秦王,认为诸侯国人来秦国做事的,都是有心效忠其主而力求败坏秦国的,"请一切逐客"。李斯也在被逐之列。

他著文力陈开放政治对于秦国的益处,希望秦王坚持任用别国来客。这就是著名的《谏逐客书》。

秦王于是废止逐客之令,破格任用李斯。李斯后被任为廷尉。统一之后,又升任丞相。李斯以敏锐的政治眼光,说服秦始皇实行郡县制。明法度,定律令,李斯也出力甚多。

秦始皇去世后,李斯在沙丘参与赵高、胡亥等策划的政变。

秦二世上台之后,推行极端专制的政治,甚至李斯等人也不能轻易向秦二世直接提出政策建议。

关东反秦起义军兴起,严重威胁秦王朝的统治之后,秦二世屡次责备李斯居三公之位而未能安定天下。

李斯曲意逢迎秦二世,建议进一步强化君权,严酷刑罚,以谋求建立所谓君主独制于天下而其他力量无所制约的绝对集权的政治体制。一时路人中受刑致残者往往多达半数,死刑犯的尸体每天都堆积于街市,执法残厉、杀人众多的官员被看作忠臣。

秦二世听从赵高的建议,深居于宫中,政事都由赵高来决策。赵高诬称"丞相居外,权重于陛下",又提出对李斯之子,当时担任关东要害地区三川郡(郡治在今河南洛阳东)行政长官的李由可能与关东反秦起义军暗自联络的怀疑。

李斯与右丞相冯去疾、将军冯劫进谏秦二世,请求减轻民间赋役,停止阿房宫工程。秦二世命令将李斯等下狱治罪。冯去疾、冯劫被迫自杀,李斯被腰斩于咸阳市。

李斯在走向刑场时,对同行的儿子说:我想和你一块儿,再牵着黄狗出上蔡东门行猎,追逐狡兔,岂可得乎?说罢父子抱头痛哭。

李斯被处死,其三族也被夷灭。

有人说,李斯是极端忠正而冤死的刚直之臣。司马迁则说,李斯身为三公,明知正确的政治原则,却不能规劝主上纠正偏差,在政治强权面前阿顺苟合,推行苛政酷刑,又听从赵高的劝说,发动政变,拥立秦二世。在天下反叛力量群起之时,方才劝说秦二世修正暴虐之法,不是已经太晚了吗!

李斯的悲剧,在于贪求个人权位,依附黑暗政治,甚至不惜助纣为虐,最终自己也葬身于权争的漩涡之中。

秦政的"德治"包装

东周诸国面对秦军势的崛起，曾经有"秦暴"的说法。

这是不是敌对政治力量的没有根据的恶意攻击呢？

似乎并不完全是。

汉世以来的历代史家评价秦政，也往往批判其"暴虐"。

自两汉以后，秦王朝的历史形象，其实已经定格于"暴政"。

但是我们在考察秦政治史时可以看到，秦王朝的当政者在推行暴政的同时，则以"德政"为标榜。在"秦暴"批判的对立面，我们看到"秦德"的宣传。

贾山《至言》写道：秦始皇自称始皇帝，其次称二世皇帝，希望能够以一至万，"皇帝计其功德，度其后嗣，世世无穷"。

秦王朝"秦德"宣传之突出实例之一，就是秦始皇东巡时在各地刻石，往往直接写作"诵功德"，"诵皇帝功德"，"称成功圣德"，"立石刻颂秦德"等。例如在琅邪刻石中，"德"字就出现了四次。

秦王朝执政者自以为得意的"功德"，首先在于结束了战争状态，实现了和平安定。这就是所谓"威德"、"武德"。总结秦实现统一的历史意义，从我们民族文化发展的总体趋势评价，确实应当肯定其"威德""自上古不及"，然而秦王朝行政的特征，则与儒学理想的"德治"相距甚远。

这正如贾谊《过秦论》中所指出的,由于没有认识到攻和守其势不同,取与守,应当采取不同的方法,以致在实现统一之后没有能够及时实现政策调整,最终不免败亡。

据后来的政论家分析,秦王朝其实有两次可以切实推行"德治"的机会。一次是在秦实现统一之后。另一次是在秦始皇去世,秦二世继位之后。

但是政论家对于秦行"德政"的可能性的分析,只是一种假设。这种假设在历史的实际中必然成为泡影,是因秦政治文化的特定的固有传统和时代条件所决定的。

在先秦时代,"德治"思想是源起于东方的具有先进意义的比较成熟的政治思想。秦定都雍城的君主是秦德公,其在位时间为公元前 677 年至公元前 676 年。以"德"为谥,说明秦的主体政治思想与东方诸国的共同之处。据《史记·十二诸侯年表》和《六国年表》,春秋战国时代列国君主中以"德"为名号者仅此一例。足见秦国上层政治人士对"德"的倾心。

秦孝公下令国中,回顾秦穆公事业,有"修德行武"语。

分析活跃于秦政坛的政治评论家和政治实践家的言论,如赵良、蔡泽、李斯等,都曾经强调过"德"的意义。可见"德"的观念在秦国是有一定的影响的。

商鞅劝说秦孝公推行变法,也曾经以"至德"作为宣传。不过,他又明确说道:秦的"德"和殷周的"德",是不可以相提并论的。

在战国时期与西汉时期之间,政治观念史存在秦王朝统治时期这一重要的中间环节。"德治"思想在这一环节中,发生了显著的历史变化。这一变化,是有重要文化意义的。

考察对于秦政形成显著影响的历史文献,以"德"字的出现频率计,

《商君书》十四见，《韩非子》一百一十八见，《吕氏春秋》一百一十三见。可见，"德"这一成为东方地区文化热点的政论命题，在秦国也是逐渐受到重视的。

不过，秦地通行的"德"的政治文化内容，确与东方存在着差异。例如《商君书》中有关"德"的论述，表现出对于"德"的崇拜的某种保留。《韩非子》中对"德"的理解，也与儒学正统宣传明显不同。《吕氏春秋·论威》还提出了"凶德"之说，认为与"义兵"相联系的"凶德"，也具有正义的性质。

和秦政有关的"德"的理念，其实在某种意义上丰富了传统"德"的学说，在中国"德治"史和"德治"思想史上，具有特殊的意义。作为"德治"思想的历史中继，影响秦政的"德"的观念虽然与其东方起源有所变异，在中国古代政治思想史上仍然具有值得重视的文化价值。

"秦德"的宣传和"秦暴"的实际，形成了鲜明的对照。

考察中国历史文化，应当穿破表面透视其真质。分析涉及政治文化的现象更是如此。正如鲁迅所说的，历史上"人的言行"，在明处和暗处，"常常显得两样"，古来帝王们炫示"德治"的种种政治宣传，其实往往是"黑暗的装饰"，"是人肉酱缸上的金盖，是鬼脸上的雪花膏"。秦王朝作为第一个"大一统"的专制主义政权，因"秦德"宣传所肇始的政治虚荣、政治伪装、政治欺骗的风气，传递千百年而成为一种传统。

回顾历史，一些距离理想的"德"十分遥远的暴虐的帝王、昏庸的帝王、荒淫的帝王，都不愿意舍弃"德"的旗帜。即使是专制时代的"英德之主"、"圣德之主"，在接近真正意义的德政之外，仍然多有有意夸饰的"德"的宣传。所谓"德治"，长期成为千百年来封建专制制度的一种"仁慈的"政治文化的包装。而影响政治全局的这种现象，可以说是起始于秦王朝专制主义体制的建立。

二八

秦汉之际大变局

由秦始皇的统一,分裂而为六国贵族子孙的割据;这可以说是封建势力的反动。中间经过楚汉战争,由割据而又转到西汉的统一,这又表明了封建的残余力量毕竟脆弱,而统一的要求,才是当时的主潮。

刘邦也许把握住了这个要点,所以他终于战胜项羽。项羽在作风上,始终不曾离开分封诸侯的做法:他广封诸侯,自为霸王,努力恢复秦始皇统一以前的局面,所做的只能称为是开历史倒车。

刘邦呢,是起自平民,对于平民的要求,了解得较为深切。所以,后来对于诸侯王的子孙,也不像项羽对他们那样的尊重;他占领了一块新的地方,也不急于封赠给一个旧贵族,或创造一个新贵族。说他自私,当然是可以的,但他这种自私,恰好代表了反封建的平民要求,倒是天下之至公了。

参加秦二世元年七月的革命运动的,可说有两种人:第一种是所谓戍卒、流氓及一般的平民;第二种是六国宗室与六国的将相遗臣。属于第一种的有陈涉、吴广、刘邦、张耳、陈余;属于第二种的,有田儋、田荣、田横、魏咎、魏豹、韩王信、张良、项梁、项羽。在号召的能力上,贵族应占优势;但时代所宠遇的,却是平民。平民不但在数量上较为众多,在方法上较为彻底,而且他们是眼光向着未来,要创造新的天下,不像贵族们仅仅留恋于割据封建的过去。在平民的领袖之中，无疑的，刘邦是意识最清楚的一个。

我们为了知道楚汉战争的背景，必先充分明了秦始皇统一的实际。我们必须清楚：秦始皇所铲除的封建，在本身上实已到了必须铲除的时候。是封建制度已经于事先崩溃了吗？"崩溃"，这字眼并不适当。我们应该说，春秋时代的典型封建，到了战国末期，已经充分"发展"而"转换"了。远在春秋的时候，采邑便已开始集中，产生了著名的"上大夫受县，下大夫受郡"的现象，小诸侯的采邑逐渐沦为大诸侯的郡县，这种趋势我们可以称之为前期统一趋势。其结果，是造成了七个大国于当时中国的领土之上。所有的中国人，也开始有了民族的自觉，觉得无论燕齐秦楚任何一国的人，总之都是中国人，属于一个血统，一个文化。超于七国之上的是天下；这天下，应该统一。为了实现这个统一，这七个大国的公子王孙与知识分子，不再觉得必须忠于他们的小区域、小国君；只应忠于他们的民族统一的理想，可以随意选择一个诸侯如秦孝公，或一个公子如孟尝君，作为实现理想的凭借；于是产生客卿，产生食客、辩士、游侠、亡命等等。经过相当的时期，秦国由于地理的优越及历代君主的英明，很明显地成为中国大一统的希望，犹如意大利民族的皮埃蒙，德意志民族的普鲁士。各侯国的志士都纷纷入秦，秦国也一贯的采取延揽客卿的政策，以吸收天下的人才，招引天下的属望。贵族们，也许要努力反抗那发动于秦的统一运动；平民们，至少在起初，是拥护这个运动的。

为什么终于在二世元年，平民要揭竿而起呢？原因是，秦始皇不该将专制与统一同时并行。既然铲除了诸侯贵族的政权，拿郡县代替封建，不该同时又用暴虐的手段来对付那刚从诸侯政权解放出来的平民。平民武装的普遍没收，大量的移民戍边，使得刚有喘息希望的天下人民，感觉到这新的局面较之旧的更难忍受,于是怀疑统一,追念封建,即使对于拥护旧贵族不感兴趣的人,也想自为新的贵族,于是大家便不约而同地行动起来,一夫发难,百夫响应,陈涉自称楚王,刘邦自称沛公……

等到平民既经发难以后,贵族的残余分子才跟着起来,各就本人的势力所及,为复国的运动。但这些贵族分子,很少六国诸侯的嫡系,简直可以说是没有。比较接近于宗室的是魏咎,在亡国以前为宁陵君,配得上称为公子。其次是田儋,为齐国宗室的远族。

楚汉的战争,虽只经过五年,但在中国的军事史上,却占有极重要的位置。在春秋的时代,所谓战争,差不多只是一两天的交锋;其后规模扩大,有"围城"之类的举动,也至多是几个月或十几个月的事。到了秦始皇消灭六国,时间是延长了,但交战的双方,在力量上并不是对等的。只有楚汉,才是两雄相对,而且战场扩充到当时中国幅员的全部。

二九

陈王奋起

在二世元年（公元前 209 年）推翻秦室的造反运动之中，首先发难的是陈涉。他本是河南太康县农村中的一个长工，这时候夹在九百个戍卒之中，要远戍渔阳（河北密云），中途借着大雨阻滞行程的机会，便煽动了同行的戍卒，说限期已经耽误；迟到，按秦的法律是当斩的；逃亡，也是不免一死；不如索性造反。于是杀了带领这九百戍卒的军官，自称将军，以吴广为都尉，定国号为大楚，不设国王，诈称秦始皇的长子扶苏与楚将项燕尚在人间，奉为领袖。后来，从安徽宿县发展到河南的淮阳，即陈国的故都，陈涉才索性自称楚王。但是天下各方崛起的群雄，都喜欢称他为"陈王"。他自己姓陈，所据的地方又是陈国的故都，所以称他为陈王，比较称他为楚王，要更合逻辑，更为顺口。

陈涉在宿县起义的时候，只有九百人；到了据陈称王，便已有了战车六七百乘，骑兵千余，步兵数万。他早已分遣徒党，到各方面去扩充势力，葛婴向南，武臣向北，周市向东，吴广向西。葛婴到了九江郡，立了楚的"宗室"襄强为王，后来听到陈涉自己立为楚王，就杀了襄强，归陈请罪。武臣呢，到了邯郸，便决定自封赵王，割据为雄。

被派往东方去的是周市。当周市兵到山东的时候，齐国宗室的远族田儋，已经杀了秦朝的狄县县令（狄县在今天的高苑县西北），自为齐王；

周市只好回兵河南，占领魏国的故地，请陈涉册封魏国的宗室魏咎。同时，赵王武臣也派了韩广，向河北省北部发展。韩广完成任务，却也效法武臣的故智，自号燕王。于是楚、赵、齐、魏、燕，都已有王，差不多恢复了秦始皇统一以前的局面。剩下的只是韩国的土地尚在秦手，陈涉也未曾册封何人为新的韩王。

被派往西方去的是吴广，陈涉封他为假王。吴广进展到荥阳（郑州西北）便与李斯的儿子三川郡守李由，相持不下。陈涉又另外派了曾经充当过项燕的军师的周文，率领数十万大军，绕道西进。周文顺利进入函谷潼关，进迫咸阳，驻兵于戏亭（临潼东北），不幸遇着秦将章邯极有能力，率领郦山的苦工与"奴产子"（奴隶们的儿子）大败楚军。周文退出关外，一退再退，终于自杀。

这时候已是二世元年十一月。章邯乘胜东进，解了荥阳之围，又屡败楚军于今日郏城、许昌及淮阳的西境。陈涉逃奔安徽阜阳，在蒙城西北的地方为部下所害。陈涉既死以后，部将秦嘉立景驹为楚王。陈涉的另一部将召平，矫陈涉之诏，立项梁为楚的上柱国。项梁进攻秦嘉、景驹；杀了他们，成为反秦运动的领袖。

项梁拥立名字叫做心的楚怀王的孙子（二世二年六月），仍称为楚怀王。章邯已与齐魏二国的军队，会战于临济的城下，齐魏之军大败，魏王咎自杀。齐王儋的从弟田荣，逃奔东阿，为章邯所追逼。项梁与刘邦、项羽，率兵来解东阿之围，大破章邯，乘胜南屠城阳，再破秦军别将于濮阳之东。项梁留攻定陶，施以围攻。刘邦、项羽二人则向西扩展，取得雍丘，在雍丘斩杀李斯的儿子三川郡守李由；又继续攻打外黄、陈留二县。这时候，留攻定陶的项梁，被章邯统率了增援的秦军，前来袭击，不幸战死。

反秦运动的前途，领导造反的责任，从此落在刘邦与项羽二人的肩上。

三〇

项羽在巨鹿大显威风

刘邦、项羽二人在陈留听到项梁的凶耗,立即会同项梁的另一部将吕臣,回师东向,在徐州与砀山的一条线上,排成抵御定陶、保卫盱眙的阵势:"吕臣军彭城西,项羽军彭城东,沛公军砀"。

极度恐怖中的楚怀王,这时也来到彭城,与吕臣、刘邦、项羽相会。他虽然是一个极平庸的人,但在危急的时候,也常能发挥很大的勇气与魄力,这时突然发号施令,夺去项羽与吕臣的兵权,由自己直接统率。对于刘邦,他独垂青眼,封为武安侯,任命为砀郡的郡守:"砀郡长"。吕臣被他调署为"司徒"。吕臣的父亲吕青,被他拜为"令尹"。项羽被他命为副指挥,"次将",跟随上将军宋义,去救被围的赵国。

赵国的国王赵武臣,于章邯大兵压境的威胁之下,已为叛将李良所杀。陈余和张耳逃出邯郸,找到了赵国的一个宗室赵歇,奉为赵王。章邯令王离追围张耳、赵歇于巨鹿城(今河北平乡县),自己留驻(平乡县南的)棘原,一面防备楚国的救兵,一面凭临大河,接应陕西与敖仓输来的粮食;在大营与王离的营垒之间,筑了一条甚长的甬道,以求便于输运。陈余逃到正定一带,集合了几万救兵,驻军于巨鹿城的北方,但自顾兵少,未敢就与章邯交锋。燕王韩广,齐相田荣,虽则均派有援军前来,也是深沟高垒,袖手旁观。

项羽攻入咸阳，重新分封诸侯，自封西楚霸王。

　　宋义统率楚军，行抵安阳，滞留四十六日，采取了相同于陈余及燕齐诸将的政策。是个人的胆怯？还是等待两虎相斗，一死一伤，再从而"我乘其敝"，如他自己所说？或是居心观望，暗中与齐国勾结，共谋袭楚，背叛怀王，如项羽所指摘？我们毋庸加以判断。总之，奉命救赵，而不执行救赵的命令，则是事实。宋义有该杀的罪，而敢于杀他的只有项羽。

　　项羽是一个二十五岁的英勇少年，在山东河南都已屡次立了功勋。这时候，叔父既已死于敌人之手，自身又被夺了兵权，同时看见造反的赵国为秦军破灭，宋义却拥了大军，观望不前。国仇，家恨，义愤，与个人的郁郁不得志，都堆积在项羽的心中。他对宋义贡献立即渡河的意见，不仅遭受了讥嘲，什么"披坚执锐，义不如公；坐而运策，公不如义"，又蒙受公开的侮辱与威吓，宋义下令："猛如虎，狠如羊，贪如狼，强不可使者皆斩之！"项羽忍无可忍，拿出刺杀殷通的身手，毅然决然，第一步"即其帐中斩宋义头"；第二步，立刻派当阳君英布，率兵二万，渡河救赵。

在巨鹿的城下，英布获得小胜。陈余继续向项羽请兵，项羽便索性率领全军渡河，沉舟，破釜，烧营，只带三天的食粮，使得全体军士，皆有必死的决心。在战略上，他采取外线包围的方法，把那位围攻巨鹿的王离，用楚军来反包围。同时，断绝王离与章邯之间的甬道。前后与秦军交战九次，九次都是楚军与秦军单独作战，诸侯军只敢作壁上观。王离终于被虏，项羽完成任务，获得诸侯将军的一致崇拜拥护，不仅为楚怀王的上将军，而且是"诸侯的上将军"。从此，他成为反秦运动的实际的领导者。

章邯于此次挫折以后，丧失了对自己的自信力，增加了对项羽的畏惧。这时候，赵高对他表示不再信任；同时也有人向他劝告，脱离秦廷，与诸侯的军队缔结合纵的条约，瓜分秦的领土，南面称王。经过六个月的考虑，与一两次的继续战败，章邯决定投降。项羽立刻封他为雍王，留在楚军的部队里，作为参议；另外派自己的亲信司马欣为上将军，统率章邯的旧部，为攻秦的先锋。

诸侯的将军，跟随项羽去西向攻秦的，有赵国的司马卬、张耳，齐国的田都，燕国的臧荼。兵员的总数，有六十万人以上。

大军行抵洛阳，张耳的部下申阳已经先期平定三川郡（洛阳一带），迎接项羽。走到洛渴以西的新安，章邯旧部的秦军，表露出动摇的倾向，项羽便于一夜之间，将他们加以包围，全数活埋，传说埋了约有二十万人之多。

再西，走到函谷关，关上的小卒，不是秦军，而是武安侯刘邦的军队。项羽这才明白，当自己与章邯相持数月，耗费光阴的时候，这留守砀山的刘邦,久已兼程西向,由南阳进入武关,占领咸阳,受秦王子婴之降,比自己先了一着。

秦朝既已覆亡,现今的问题不是反秦运动的领导,而是今后中国政治的支配权。刘邦先项羽而入关,取得了天下人民认为最大的功勋,取得了最高的声望,取得了最优的地势。

单纯为了反秦,项羽就没有入关的必要,关内的秦廷现已消灭,占据关内的是同隶于楚怀王旗帜下的刘邦。但是为了争夺领袖的地位,支配今后的全中国,项羽便不能不立刻入关与刘邦一决雌雄。

刘邦派了军队,守住函谷关。项羽毫不犹豫,立刻命令英布向这一部分的"友军"攻击。这"友军"在英布的面前,真是不堪一击,一击便垮。于是项羽就率领四十万的大军,长驱直入,驻军于戏亭之西的鸿门(临潼县东),威胁咸阳。刘邦已从咸阳(今长安县东),进驻于今日灞桥所在的灞上。

项羽准备以一天的时间,击破刘邦的十万人。就在那一天的早晨,刘邦却亲来鸿门谢罪,只带了一百名卫兵。

刘邦向项羽说:"我与将军共同反秦,我担任黄河南岸,将军担任黄河北岸,我自己不曾估计到,能够先入关,在这里见到将军,这完全是侥幸。现今是有小人,在挑拨离间我们的感情,所以我必须来解释。"年少的项羽,于是为感情所影响,不再有解决刘邦的念头;立刻以盛大的宴会,招待这一位成功的战友。

项羽对刘邦宽大,是因为刘邦先向项羽屈膝,表示拥护。中国第一人的地位,仍属于项羽。虽则刘邦是占了入关的首功,但真正击破秦的主力的,究竟还是救赵的项羽。真正为诸侯之领袖的,自从救赵胜利以后,也是项羽。

所以项羽就不杀刘邦而杀秦王子婴,烧了秦的宫室。又通知楚怀王,说要大封诸侯。将秦始皇所统一的天下,分成一块一块,赏给有功的将军与各国的宗室。项羽说:我要恢复封建的局面。楚怀王当然只有答应。

秦国旧有领土之中,秦岭以北的渭水流域,不宜封给刘邦,虽则刘邦较想占有这一块肥沃的区域。项羽把它分成三块。一块,咸阳以东,封给项梁的老友,自己的部下,曾经代替章邯来统率秦军降卒的上将军司马欣,国都设在栎阳(临潼东北七十里),称为塞王。"塞"是指的"桃林塞",就是今日的潼关。陕北,封给那最先劝章邯投降的董翳,称为翟王(翟与狄本是一字),都城设在高奴,就是延安。咸阳以西,封章邯为雍王,都于废丘。在长安县东南十里。这三个王国,合起来称为三秦,是用来监视刘邦的。

刘邦所封的地方,是秦岭以南的汉中,加上四川。这四川也是秦的领域,但是人烟稀少,离开中原也是最远。刘邦的都城,指定为汉水上游的南郑。刘邦的封号是汉王。

赵王赵歇,改封为代王;赵国的地方另封给跟随入关的张耳,称为常山王。

齐王田市,改封为胶东王;齐国大部分地方,另封给跟随入关的田都,以田都为齐王。齐国旧有领域的北部,封给齐国的宗室田安,称为济北王,因为田安在项羽救赵的时候,曾经以济北的地域归顺项羽。这胶东王田市、齐王田都,与济北王田安,便是所谓三齐。

燕王韩广,改封为辽东王;把燕国的地方,改封跟随入关的臧荼。魏王魏豹,削封为西魏王,都于平阳(临汾)。韩王韩成,本为项梁所立,未曾更动,但暂时不许就国。最勇敢而得力的英布,封为九江王,统治当时的九江郡,都于六,今日的六安。百越的酋长吴芮,封为衡山王,都于邾,湘潭县的株洲。楚怀王的柱国共敖，攻克南郡，封为临江王，都于江陵。赵国的将军司马卬，平定河内，封为殷王，都于安阳。张耳的嬖臣申阳，首先替项羽攻下三川郡，封为河南王，都于洛阳。

以上，共有十八个国王。

项羽认为楚怀王不应继续称王，应该升格，于是尊称他为义帝。

项羽自身，是事实上的皇帝，但又表示谦逊，自封为西楚霸王；都城，他选定了徐州（彭城）。

他大封诸侯，取得霸王的名义以后，对于已焚烧的咸阳，不再留恋，带了秦宫的珍宝美女，很迅速地回到彭城。这是当他叔父遇难的时候，他曾经一度驻兵的地方。也许这离开宿迁不远的所在，也是他儿时的故里。他认为做了霸王而不回彭城，便是"富贵不回故乡，如衣锦夜行"。

这是他一生最得意的时刻。天下的局面，在他以为都安排妥当，事实上，到处都埋下了乱苗，到处都是危机。各国的将军，凡是跟随他入关的，都封为本国的国王，使得原有的国王都要迁徙到较苦的地域。这，便是乱苗。陈余，一个失意于张耳的人，虽然受了三县之封，丝毫不曾感到满足；张耳一日为常山王，陈余便一日不能停止他的愤怒与嫉妒，便要设法推倒张耳，不惜与项羽为敌。陈余自己的力量也许很小，加上田荣，这位事实上的齐国领袖，而不曾受有寸土之封的人，便足以扰乱项羽所统治的半个天下。

况且刘邦尚在那另一半的天下里，正在准备，正在行动，已经开始做他的统一三秦，进一步推翻项羽、统一中国的工作！

三一

先入关者王之

我们若是知道刘邦入关的详细经过,便不至于惊异,为什么刘邦敢于和项羽对抗,为什么他后来能够终于战胜项羽,把中国的政治重新拉到统一的道路之上。

他在入关战争的过程中,表现了他的能力,养成了他的干部,奠定了以后成功的基础。

他有什么能力? 他并不是一个军事家,更不是一个政治家,既不能斩将搴旗,或运筹帷幄,也丝毫没有什么具体的政治概念,或实际的政治计划。然而他表现了什么呢? 他表现了肯干、舍得干、干到底的精神。还有什么? 他能够用人,他知道自己的能力有限,必须借重别人的能力;他又随时都觉得他自己所用的人还嫌不够多,不够好,于是不断的吸收新的人才。因此,他集合了、养成了他自己的优良干部。干部,正是事业的基础。

当他初起丰、沛的时候,跟随他的只是若干最下层的平民与最低级的官吏。樊哙,"以屠狗为事";夏侯婴,是赶车的"司御";周勃,"以织薄曲为生,常为人吹箫,给丧事";萧何,是沛县的刀笔吏;曹参,是沛县监狱的看守员。

因此,在二世元年九月,他以"亡命"即土匪的资格,起事于沛县的时候,所能做的只是小股流寇式的勾当。当然,他之所以成为亡命,也有一段侠义的、类似于陈涉的经过。他本是沛县的泗水亭长。位置相当于联保主任(里长),奉了秦廷的命令,押送本县的壮丁,至陕西的郦山参加徭役。在遥远的、充满了悲惨远景的长途跋涉之中,逃亡的人数占了很高的比例。他自己并非热心于徭役、拥护秦廷苛政的人。他想,壮丁们以如此的速度逐渐逃亡,大概等到了目的地,所剩也无几了,不如将这些可怜的兄弟们一起释放,自己也免得在交差时受累,落得放荡江湖,不做什么亭长,不做良民。

他以相同于陈涉的决心,干下这一件犯法的事。那时候,比陈涉起义还早,革命的时机尚未成熟;他也就率领了十几位不愿离开他的壮丁,在离家不远的山中落草为寇。

沛县的县令,无法将他剿办。这一位县令,颇像会稽郡的郡守殷通。正如殷通企图响应陈涉,令项羽去招引大盗桓楚,结果是反被项羽所杀:沛县的县令也命令萧何去招引流落江湖的刘邦,共举大事,而结果是,刘邦来时,同时也来了几百名土匪群众。县令中途后悔,想闭门不纳,并且想斩萧何;但他很快便死于城中的"父老们"之手。于是刘邦进城,领导革命。

由于沛县的地方太小,刘邦不便称王,也不曾有别的造反集团给他以任何名义,萧何等人就共推刘邦为"沛公"。从此,刘邦就以沛公的名义,毫无所属地参加反秦的斗争,为造反势力的一小单位。

他的活动,也只是小规模的流寇活动。西入函谷,直捣咸阳,他不仅没有这个勇气,根本还没有这个抱负。他所求的,只是于沛县之外,略为向外扩充,造成一块相当大的地盘。然而,由于他这时候缺乏方法,缺乏优良的干部,始终是攻下一处,便丢去另一处,能攻而不能守。并且活动的范围,只限于邻近的数县:沛县、丰县、滕县、金乡、鱼台、砀山、萧县。他只是一个三四等的流寇。

刘邦从沛县出发，一口气打下了三个县：胡陵、方与、丰县，并且进展到薛县与下邑，击杀了秦的泗川郡郡守。但是，替他守丰县的一个部下，雍齿，却背叛了他，不再听他的指挥，而改听魏王咎的丞相周市的指挥（这位魏王咎，是魏国的宗室，也已经对秦造反，自称魏王）。

刘邦回军到丰县，来打雍齿；打不过雍齿。他转往留县，向驻扎在留县的秦嘉求救（秦嘉是陈涉集团的一分子，被陈涉派到了这个地区来活动，当时陈涉还不曾自称"楚王"。秦嘉自作主张，找到了楚国的一位宗室，景驹，立为楚王，自己做了景驹的丞相）。

秦嘉给刘邦以相当的支持，让刘邦又打了三次小仗。第一次小仗，在萧县之西对抗秦军章邯的部下司马尼，被司马尼杀得大败。第二次小仗，偷袭了秦的两个县，砀县与下邑，成功。第三次小仗，再和雍齿较量，又输在雍齿之手。

刘邦转向薛县，投奔驻扎在薛县的项梁。项梁这时候兵精粮足，已经拥立了一个名字叫做心的牧羊童子为楚王，而且称这位楚王为"楚怀王"（以纪念困死在秦国的那一位楚怀王）。项梁拨给刘邦五千名受过训练的兵士，十位优秀军官。刘邦于是一战而收复了他的丰县，把雍齿打得狼狈而逃。

以上，便是刘邦的最初活动。其后他随着项梁北救东阿，又偕同项羽南屠城阳，西取雍丘，我们都已经在前面叙过。

项梁之死，是革命阵容的一大转变，其重要性不亚于陈涉之死。当刘邦、项羽、吕臣共同回师徐州、保卫盱眙的时候，"楚怀王"竟然乘机夺去吕臣与项羽的兵权。项羽被派充宋义的次将，跟随宋义去北救赵王歇于钜鹿。刘邦被任命为砀郡长（等于是砀郡的郡守）。

其后,刘邦向西"略地";入关破秦的壮举从此开始。怀王是否在这个时候,便已命令他西向入关,而且面约以"先入关者王之",我们很应该怀疑。《高祖本纪》上,说项羽颇想分担入关的任务,愿意与刘邦偕同入关。但是怀王的"诸老将"顾虑项羽为人,"剽悍猾贼","诸所过无不残灭",他们劝怀王不要派项羽担任这个偕同入关的任务,而改派刘邦一人去率兵入关。那么,既然所遣的只是刘邦一人,便无所谓"先入关者王之"的"约定"了。况且当时项羽已经随了宋义北上,做救赵的工作,根本不在怀王的左右,哪里有什么"诸将莫利先入关,独项羽怨秦破项梁军,奋愿与沛公西入关"。事实是——刘邦自动向西发展。刘邦当时有一万余人的兵力。

也许怀王所给他的任务,根本上不是向西略地,只是北救赵国,接应宋义与项羽而已。所以,刘邦从砀县出发,向北来到昌邑,会同本地的水寇彭越,共击秦军,不利,还师栗县,夺得刚武侯的部队四千余人,会同魏国的援军,再行北向。第二次,攻秦军于昌邑,仍是不利,这才转向西南,抵达雍丘附近的高阳。

在高阳,他遇到一个当地的文人,郦食其。郦食其劝他注意粮食,袭取秦廷仓储所在的陈留。刘邦获得了陈留的积粟,声势果然大振。郦食其的弟弟郦商,也率领了他所纠合的数千人,来参加刘邦的队伍。

刘邦从陈留的西南,转而向北,到滑县之北的白马津。这是当时的一个渡口。他是否冀图由此经过山西,袭取渭北,或又继续北向,应援项羽?事实是:章邯刚于前月为项羽所败,项羽已不再需要他这一支援军,即使确曾一度需要。总之,在白马津,刘邦击溃秦将杨熊,而不急于渡河;反而向南追击,再破杨熊于中牟之东的曲遇;作战的计划,显然有了变更。

其后,他并不西叩虎牢;却向南,攻破许昌附近的颍阳,这已进入了韩国的旧壤。韩国的志士张良,曾经在留县途遇沛公,这时随了韩王成,只剩下一千余人,正在开展流寇式的游击战争,"得数城,秦辄复取之"。这一支军队,自己成事不足,辅助别人,为大规模的正规军的向导或尖兵,力量却是很大。刘邦藉了韩兵的向导与张良的策划,很容易地从颍阳进入了轘辕关(偃师东南),不经虎牢,而直迫洛阳。

赵国的将军司马卬,已经奉了项羽的命令,取得黄河北岸,也在图谋洛阳。也许"先入关者王之"的悬赏,正是公布于此时罢。无论如何,刘邦对于司马卬是采取了敌视的态度,立刻断绝了偃师巩县之间的平阴津渡口。

洛阳,依然尚在秦军的手中。刘邦与秦军会战"不利",一败,退至登封东南的阳城。在登封,他选定了惊人的新的战略。他留下步兵,集合本军的骑兵,不向西再攻洛阳,而向南直袭宛县。他在鲁山县东南的犨邑,与南阳郡守吕齮作遭遇战,大胜。

吕齮退守南阳郡郡治所在的宛。刘邦以为此人的兵力已很单薄,顿想越塞而攻,再施一次突袭,直捣武关。是张良觉得必须采取较为稳当的办法。若是到了武关而一时不能攻下,吕齮出而截断后路,坚城在前,强敌在后,这是最危险的事。于是刘邦一夜之间再来到南阳城下,围城三匝,绝望的吕齮终于投降。

刘邦从南阳经过今日的镇平、内乡、淅川,到了丹水东岸。溯丹水而西北,可以直达商县之东的武关。刘邦在中途遇到了戚缌与老友王陵,请他们助攻西陵、胡阳;又有番君吴芮的别将梅销,帮助取得了郦县(内乡东北)与析县(内乡西北)。

刘邦兵到武关,赵高便派了人来讲和。赵高已经杀了二世,欲与刘邦分王关中。刘邦依照张良的计策,不理赵高而直接与武关的守将交涉。这些守将都是屠户商人之子,"易动以利",刘邦一一加以收买。同时,令先锋设五万人的炉灶,多张旗帜。在如此的威胁利诱之下,守将们果然允降,不作任何准备。突然,刘邦又向他们进攻。秦兵大败,武关入于刘邦之手。

在蓝田,秦军再破,溃不成军。到咸阳,秦王子婴素车白马,系颈以组,降于轵道之旁(长安县东)。

刘邦达到了先入关的目的。按照所谓"先入关者王之"的约定,他应该被楚怀王封为秦王。他也认为,这是已经不成问题的事。因此,他便派兵守函谷关,守他自己的领域。又招募当地的壮丁,凑足十万以上的兵力。

他不曾料到,他虽派了人守住函谷关,项羽依然要来。项羽以四十万的兵力,压迫他,威胁他,令他退出咸阳。由子午谷前赴汉中,就任什么"汉王",以巴蜀汉中作为他的领域。

秦王,项羽不许他做;秦国的本部,被分封给三个用来监视他的人:章邯、董翳、司马欣。他的十万人的军队,项羽只许他选择二万人,其余的不许带去。

项羽不曾料到,这入关以后的刘邦,已经迥非昔日的刘邦可比。项羽只晓得刘邦是出身为区区亭长,潦倒了半生,倚仗项梁支持,才有了今天割地封王的幸运的五十二岁的"老年人"。项羽自己是一个世世为楚国大将的贵族子弟,年纪才有二十七岁、力能拔山、气能盖世的少年英雄。在项羽的眼中,刘邦是很应当满足的了。这刘邦,即使不肯满足,还能有什么作为!

项羽不曾看见刘邦已经吸收了许多人才:例如郦食其、张良与尚未知名的韩信。刘邦已经建立了军事与政治的声望:在军事上,他能经由武关,袭取咸阳;在政治上,他能除秦苛法,约法三章。这些,都是令人佩服的事。不愿意佩服他的，只有项羽。刘邦自己，当然也不曾预料到能有如此的成功，然而这种成功正足以提高他的自信：当年只是奉命"西略地"或北援项羽，结果，居然能西灭强秦。在白马津，没有胆量渡河西进；在洛阳，又因战败而没有力量西进；后来，居然经由武关而终于达到目的。亭长，成了汉王——完全是因为有了肯干与彻底干的精神。这种精神，既然能够令他由泗水亭长而成为汉王，便能保证他由汉王而成为全国的领袖。

历史，已经用了刘邦的例子，向我们证明这个原则：只须主张正确而又肯干，就能成功；只要肯干，就能有意外的成就。刘邦在过去，仅是肯"向西略地"，结果，居然灭秦；刘邦在未来，仅是肯"报复项羽，打倒项羽"，结果，却完成了中国的重新统一。

三二

刘项争雄

让我们先来研究,他怎么"报复项羽"。

以力量论,他不及项羽。项羽有四十万人的兵力;他现在只剩两万(原来的十万人,已经被项羽留下了八万)。在这二万人之中,又有一些已经被项羽吓得逃走。

韩信便是被吓走的一人,萧何也继续失踪。这对于极端失意的刘邦,真是严重的打击。因为萧何是他多年的朋友,共同起义于沛县的患难之交。萧何的才干,他素来承认是在他之上:萧何是县府的书吏,他只是乡下的亭长。萧何对于他的忠诚,也是他从来不曾怀疑的。然而萧何竟然也宣告失踪,也似乎对于刘邦丧失了信心,这使得刘邦立刻怀疑自己,刚刚增强的自信力于是完全消失。终日惶惶,"如失左右手"。

幸亏过了两天,萧何又走回来。萧何说:他并未逃亡,他是去追回那逃亡的韩信。有韩信便有报复项羽的可能。这对于刘邦又是一件意料不到的事。韩信是谁?

韩信,曾为项梁与项羽的部下,位置甚低,没有什么表现;在刘邦被迫离开咸阳、南赴汉中的时候,韩信抱了相当的希望,自愿跟随汉王,依然位置很低,只是一名连敖(副官),依然没有什么表现。他只跟萧何谈过话,不曾与刘邦有接触的机会。

　　这一次萧何对于若干逃亡的军官，一概不追，而单去追回这位连敖。萧何说，这位连敖的确能够贡献别人所没有的计谋，以解决当前的问题。不过一个如此具有能力的人，应该占有相合于他的位置，他不应该再屈身为连敖，他也不肯再屈身为连敖，他必须为将军、为大将，列于所有的将军之上。然后，他才肯贡献他的方法。

　　萧何的保荐，刘邦绝对依从，立刻筑坛，拜韩信为大将。大将韩信，也立刻拿出消灭项羽的办法。

　　韩信的办法是战略。战略要建筑在政略上面，政略要建筑在政治现状的分析、各种力量的比较上。韩信说，刘邦应该承认，他个人的能力不如项羽。同时，刘邦应该乐观，因为环境不利于项羽。

　　项羽分封天下，有欠公平，铸成大错。在西方，令章邯、董翳、司马欣，分王三秦；令刘邦僻处汉中：不仅为刘邦本人所恨，亦为三秦父老所恨。三秦的子弟，未死于讨平陈涉之时，亦死于项羽尽坑降卒于新安之时：这笔账，全算在章邯的身上。董翳、司马欣无名之辈，毫无声望，只是项羽的私人，自然也连同章邯为三秦父老所恨。三秦的父老，的确很思念那灭秦而不杀子婴，取咸阳而不烧宫屠城，除秦苛法而仅仅约法三章的刘邦。

　　在东方，项羽不该迁逐齐王、赵王、燕王。这三位崛起的诸侯，都不曾有罪，都曾经派兵遣将来助项羽入关。现在项羽却分封这些遣来的将官，田都、张耳、臧荼，各自回国为齐王、常山王、燕王，驱逐原有的国王，使屈身为胶东王、代王、辽东王。这不仅令人不平，而且助长叛乱，提倡叛乱。项羽在山东、河北、辽东，都一一种下了乱苗。

　　在中部，魏王变成了西魏王。魏国的东部变成了西楚霸王的领域。韩王，项羽不使之国，不令他回任，于是韩国的旧壤无形中也成了西楚霸王的采邑。义帝原都彭城，项羽要他将彭城让出，作为西楚霸王的都城。

义帝被流放到郴县；走至中途，又遭项羽暗杀。

韩信继续向刘邦说："项羽已经丧失了天下人的信仰，他只是名义上的霸王；虽则一时很强，我们很容易使得他变成很弱。"况且他对于部下不肯信任，只是匹夫之勇；他对于有功的，舍不得赏赐与封赠，只是妇人之仁。打倒他，不是难事。办法呢，我们赶快准备。等待东方有事、项羽无暇西顾的时候，以迅雷不及掩耳的手段，第一步击破章邯、董翳、司马欣，第二步出函谷关，直捣彭城。

以上，便是韩信与刘邦所定下的计策。中国的舞台之上，刘、项二人的争雄于是开始了。

那忠义兼顾的、可敬可爱的张良，这时已不在刘邦的左右。他送了汉王就国，便辞别汉王回去，辅佐韩王韩成，企图恢复故国。无奈项羽始终不令韩成就任，他于是只得以全部心力帮助刘邦。以前他对于刘邦只是义，今后他于义字之外，又加上昔日对于韩王的忠。在追随刘邦、由咸阳前往汉中的途上，他曾经劝告刘邦，烧绝子午谷的栈道，对项羽假意示弱，以汉中巴蜀为满足。这一个计策，收到预期的效果。项羽果然离开陕西，对刘邦不再顾虑。项羽一心讨伐逐走了田都、杀了田市、自立为齐王的田荣。不料田荣未平，刘邦已经另由故道出兵，吞并三秦。故道为今日宝鸡汉中间的公路线的所在。

赵王歇也同时对项羽造反。鼓动赵王歇的是陈余。陈余极力反对张耳以常山王的名义来享有赵国的地盘，把赵王歇挤到代国去。陈余与张耳本是极好的朋友，为什么又反对张耳呢？因为在章邯围赵的时候，两人之间发生了误会。陈余在城外拥兵不救，困在巨鹿城内的张耳，在巨鹿解围之后，曾经责备陈余，逼他辞去大将军之职。因此，两人才种下冤仇。项羽待陈余并不太薄，封他为侯，给了他三县的采邑，但是，陈余为了反对张耳,却不得不连同反对项羽所造成的局面。于是鼓动了赵王歇,叫他不要去代国,应该联络田荣,来共同违抗项羽的命令。

响应田荣的,陈余之外,另有彭越。彭越本是梁山泊所在地巨野泽的水寇。刘邦攻打昌邑的时候,彭越曾经参加,刘邦未能将昌邑打下,而去打别的城池,彭越仍旧回到他的老巢。在项羽大封诸侯的时候,不曾轮得到他,但是他已经有了一万余人,毫无所属。陈余造反以后,他就拥护陈余,做了陈余的将军,占据了定陶一带的济阴郡。

英布,项羽所最亲信而又封为九江王的,也开始有消极的背叛行为。项羽令英布来帮忙讨伐田荣,他称病不去,命他出兵,他又只肯派出几千个人而已。

项羽不得不以自己一个人的全力来对付田荣。从楚汉元年的五月起,直至楚汉二年的正月,无暇西顾。刘邦便利用这个时间,围章邯于废丘,降董翳、司马欣于高奴及栎阳,分兵收取陇西、北地、上郡,统一了今日的陕西、甘肃两省;一面派薛欧、王吸,出兵武关,与南阳的王陵部队会合,牵制楚的兵力,一面出兵函谷,受河南王申阳之降,击破项羽所新封的韩王郑昌,占领成皋、荥阳的险要地点,到达郑州附近。等到项羽在楚汉二年正月,灭了田荣,刘邦又由临晋渡河,受西魏王魏豹之降,攻下安阳,俘虏了殷王司马卬。于是刘邦聚集了五位诸侯的兵(塞王、翟王、河南王、西魏王、殷王),共有五十六万余人,会师洛阳,为义帝发丧,申讨项羽。

项羽不该在楚汉二年十月,杀掉了义帝。给了刘邦以申讨他的口实。

项羽这时仍在齐国,因为田荣虽死,他的兄弟田横,又拥立了田荣的儿子田广,继续反抗。因此刘邦更得长驱直入,由洛阳沿着今日的陇海路线,一举而占领彭城。

这对于项羽是极大的侮辱。在这个时候,胜利似乎已经属于刘邦。

刘邦不仅成为诸侯的领袖,而且占领了项羽的国都彭城。

在彭城一朝快意的刘邦,开始尽量的享受。当年在咸阳,他最先获得秦宫的美女与珍宝,但是樊哙与张良阻止了他,不让他享受,教他爱惜名誉,后来这些美女珍宝都被项羽掳去。现在,难得又属于他,那么,当然要天天宴食。他,已经胜利;他刘邦已经是天下第一名的英雄!

项羽在齐国,不能忍受彭城所传来的消息。

刘邦在彭城的兵力有五十六万。项羽,为了攻打刘邦的五十六万,认为只需要三万。项羽带了三万名的骑兵,以绝对值得称赞的战略,南出胡陵、萧县,绕道彭城的西南二方,为迂回包围歼灭战。从早晨到中午,杀了汉兵十几万人,汉兵又有一些死于泗水,或被追击而死于灵璧之东的睢水之上。"睢水为之不流。"

刘邦本人,也陷在三重的包围之中。若不是侥幸遇着大风,飞起满天遍野的沙土,汉王也许不能走脱。他虽则是走脱了,却已经没有了往时袭取彭城的气概。刘邦逃到沛县,被追到沛县,丢了父亲,丢了妻子。他又逃向砀县的下邑,中途遇着自己的儿女,惟恐有了儿女便逃不快,屡次推他们下车,慌慌张张的惟恐被敌兵追及。他最后到了下邑,得到吕泽的接应;再向西逃,到了荥阳(今天的河南荥泽),集合了诸路的败军,又有萧何从关中送来的老弱,他这才稍得喘息,与楚军相持于索县(今天的河南荥阳)及索县西南的京县之间。

三三

鸿沟分界

楚汉两军，前后相持三年，主要的阵地始终在京、索、荥阳、成皋之间。

拿近代的话来说，这差不多是阵地战。相当于今日壕沟的是城墙与壁，壁是土墙。在野外的阵地中，楚汉双方均筑有这样的壁，作为掩护。汉军的前锋是在荥阳。后方输送全靠渭河、黄河，以敖仓为终点，在敖仓与荥阳之间，有类似交通壕的设置，叫做甬道，也就是狭长的双重的壁。今日突破阵地，是用坦克车来冲锋；在古代，非得敌人也出壁来应战才有交锋的可能。因此，需要挑战、骂阵等等。但到了交锋的时候，也有一种陷阵的利器，那便是用马拖的兵车。汉军之中最擅长使用兵车的是夏侯婴。他每次作战，均能"以兵车趣攻战疾"，所谓趣攻，所谓战疾，都含有"冲"的意思。两军相持都能维持甚久，原因是交锋的机会很少，平常都是用弓弩保持自己的阵脚，以补助土壁之不足。

在京县与索县之间的楚汉两军的阵地，很显明，汉军的一方占有地形上的优势。索县之正西有广武山，西北有虎牢关，西南有嵩山。在索县与虎牢之间，又有汜水。更西，是巩县，已经到了很高的黄土层。凡是走过陇海铁路的人，未有不惊奇于这汜水车站以西的一层比一层高的黄土层。在这里，楚军来攻汉军，便是仰攻。就交通的情形来说，汉军所占的地势，也较为优良。从栎阳到敖仓有黄河接着渭河，两岸均为自己或友军的领域,不受任何威胁。并且以水道来运输粮食与补充兵员,顺流而下,也远胜当时陆地上的车运。因此,一败涂地的汉军,退到索县一带便能稳住,长胜的楚军竟然费了几年的力量,而不曾能越过巩县。

除了地理的因素之外,汉军之所以能够与楚军相持于此,还有政治上、战略上更重要的原因。当刘邦彭城突围,狼狈西奔的时候,荥阳(荥泽)的守军虽多,未必能抵抗得了项羽的主力。是倚靠辩士萧何疏通了九江王英布,突然在安徽西南,宣布背楚附汉,才牵制了大量的楚军。虽则英布终于为项羽所击破,丢掉了九江郡的地盘,但刘邦已能从从容容,布置妥当新的阵地。

在后方,他又除去了心腹之患,那死守废丘的章邯。废丘城,他引水来灌,城中的军民投降,章邯自杀。为了安定后方的人心,巩固后方的防务,于是立刘盈为太子(即后来的汉惠帝)。太子与萧何留守栎阳,令诸侯的世子,凡是在关中的都来栎阳,为太子的侍卫(实际上是藉以确保诸侯忠顺的人质)。一切的庶政与军国大事,均责成萧何:制法令,立宗庙,筑城邑,计户口,以及转粮给军,补充兵员。能于事先奏明刘邦的,先奏后行;时间上不允许先奏的,准许萧何先行后奏。前方后方,因此,保有了密切的合作。后方组织的坚固,足以保证前方的胜利。在敌人的后方,刘邦又发展游击的工作。虽则英布已经失败,只身来到汉王的军营,但是他仍有一部分的兵力留在九江郡的地域。刘邦帮助他派人去召集这些散兵,果然又集合了数千之众。刘邦同时分了一些汉兵,去增大九江兵的声势。

英布以外,奉刘邦之命担任游击的又有一个彭越。彭越原是巨野泽的水寇,对于山东省西南部,河南省东北部,与江苏省西北部的边区最为熟悉。在汉王东袭彭城的时候,他已经聚集了三万余人,占有了十余城

萧何采摭秦法，重新制定律令制度，为《九章律》。

邑，在外黄加入刘邦的大军。刘邦既败，他收兵退处于黄河北岸，滑县附近。此后他就以定陶、巨野一带为根据地，"往来为汉游兵，击楚，绝其后粮于梁地"，竭力破坏彭城与荥阳之间的交通与输运。

反之，在项羽的一方也未尝没有对付刘邦的对策。项羽在彭城之战的明日，就设法使得附和刘邦的诸侯，一一背汉归楚。塞王司马欣与翟王董翳逃到项羽的军中，帮助项羽来围攻荥阳。西魏王魏豹，则假托回国省亲，立刻断绝了黄河的渡口，与刘邦脱离关系。这对于全恃水道运输的刘邦造成了很大的威胁，因为黄河的北岸有一段是在西魏国的境界；而且倘若西魏的兵,一旦由临晋津渡河西向,栎阳与全部的关中,便遭遇极大危险。

刘邦认为这西魏叛变必须迅速解决。他派遣辩士,辩士失败。他只得派遣军队,交由韩信率领。韩信设疑兵于临晋,突从夏阳渡河而一举占领安邑,俘虏魏豹。魏豹再度降汉,又成了汉军守荥阳的将领之一。但是西魏国的土地不能再交给魏豹,刘邦他不想另封其他的人。他设立河东、太原、上党三郡,把这三郡都一概划入自己的汉国。这是刘邦的一贯政策,他在甘肃与陕西,已经设置了陇西、北地、上郡、渭南、河内、中地诸郡。以郡县代替封建,是刘邦增厚实力的秘诀;因此,他能够脚踏实地,打下一处,便据有一处(其后灭了项羽,大封功臣同姓,也只是实行郡国制度,于郡县的基础之上,加一层封建而已,以十五个郡直属中央,余下的才分封各国)。

韩信平了西魏之后,在上党郡的阏与(和顺县西北),遭遇了赵代二国的援军。代王陈余,本是最先反楚的一人,他逐走项羽所封的常山王张耳,迎归赵王歇,而自封代王;他与刘邦理应站在同一条战线。无奈刘邦收容了张耳,因此陈余又不得不与刘邦为敌。结果,在阏与,陈余的大将夏说为韩信所斩杀。

韩信随即由娘子关,东出井陉。陈余自恃兵多,不肯听从李左车的计策,以奇兵截断韩信的粮道,以正兵堵住井陉的关口。他专要等待韩信的部队走出娘子关,正式交战,一决雌雄。到了正式交战的时候,韩信先是诈败,败退到预先布置于绵蔓水河边的一万人的营中,就突然作坚强的抵抗;韩信在当天的黎明之前,又已经派出两千人埋伏于赵军营垒附近的山上,这两千人此时都走下山来,袭取赵军的空营,拔去陈余的军旗,插上汉军的军旗。陈余及其部下,向前不能击破韩信的水上军,退后又回不了自己的营垒,军心立刻动摇。陈余被追斩于泜水之上,赵王歇成为俘虏。

汉军的声势，恢复了东袭彭城时的浩大。远在今日北京的燕王臧荼，也向汉军输诚。这是汉王三年十月至十二月的事（这时候仍用秦的历法，以十月为岁首，三年十月紧接二年的闰九月，东袭彭城是在二年四月，战败是在五月）。

但是项羽仍不为黄河北岸方面的局势所摇动，仍旧坚持着在荥阳城下的阵地战。他的战略，是断绝汉军与敖仓之间的甬道，使得汉军因乏食而屈服。这战略相当收效。刘邦数次讲和，愿意割荥阳以西为汉，荥阳以东为楚，项羽不许。刘邦又改用陈平的计策，以金钱收买项羽的左右，离间他的君臣。范增因见疑而辞职，死在回居巢县家乡的中途，彭城附近。项羽继续围攻荥阳，刘邦继续死守。

这时候敖仓刘邦的甬道常遭断绝，荥阳是否尚有死守的价值，或有无守的可能，开始值得考虑。刘邦决定，他自己先离开荥阳。在某一天的夜里，他命令纪信伪装自己，夹在二千名女子之中，出东门诈降，引起了楚军大众，一齐聚集东门来观看女子，他就带了几十个骑兵，出西门遁出，回到函谷关内，征调新兵。

新兵征调齐集，他不出函谷，而忽然改出武关。项羽只得引兵南向，他却坚守宛县，不肯交战，暗中命令彭越，利用这个时期，在北方骚扰徐州附近的下邳，大破楚军。项羽回师去击彭越，刘邦就跟踪追击，驻军成皋。项羽只得又丢开彭越，赶来对付刘邦，第一步以全力攻下荥阳，第二步进围成皋。刘邦自知不敌，逃出成皋，北渡黄河，到了修武。

在修武，他诈称汉王的使者，在夜里骑马走进韩信与张耳的军中，趁着韩张二人尚在酣睡，夺去他们的兵符，更换各单位的军官。他于是又直接掌握了若干军队，声势复振，布置兵力在黄河北岸，为南岸的声援。同时命令张耳回国，多调赵兵助战；又命令韩信袭齐，攻取山东。此外，派了刘贾,以两万人渡白马津,到定陶帮助彭越。彭越随即攻占陈留、外黄、睢阳等十余县城。

在汉王四年的开始,项羽觉得阵地战不妨拖延,而敌人的游击队伍,不可不早日肃清。他决定以十五日的光阴,彻底解决彭越,令大司马曹咎谨守成皋,勿与汉军交锋。无奈曹咎忍受不了汉军的辱骂,终于在五六日后出城应战,渡兵汜水。楚军半渡,汉军反攻,楚军大败,曹咎自杀。汉军收复了成皋与荥阳,在荥阳的东边围住楚军的大将钟离昧。这消息传到了项羽那里,项羽刚刚击败彭越,取回陈留、睢阳等城,不得不中途放弃那消灭彭越的计划,回到荥阳的阵地来。

齐国的情形也发生变化。齐国的田氏,诚然是项羽的敌人,但已经入于休战的状态之下。刘邦一面派了韩信,去图谋齐国的土地,一面又派了辩士郦食其游说齐王田广,令他附汉反楚。田广听从了郦食其的游说。不料韩信又突然击破齐国驻扎在济南(历下)的军队。田广怒而烹杀郦食其,继而仓皇东奔,放弃临淄,在高密遇到项羽所派来的、由大将龙且所率领的援军。

龙且与韩信夹潍水而战,龙且在水东,韩信在水西。交战的前夜,韩信叫兵士用一万包的沙袋,塞住潍水的上游。交战开始,韩信引兵渡河,佯作不胜,退至水西。龙且引兵追击,半渡,韩信叫兵士提去上游的沙袋,于是楚军的大部分不能渡河。结果是:楚齐联军全军覆没。龙且被杀,田广被俘。韩信被刘邦封为齐王,齐国与彭越的游击区连成一片,从临沂与定陶两路威胁彭城。

项羽这才开始感觉恐慌。他派人去游说韩信,劝韩信中立于刘、项二人之间,三分天下;韩信不听。他又派人去疏通刘邦,说与其这样相持下去,徒苦百姓,何妨你我二人单枪独马,一决雌雄。在项羽的本意,无非表示厌倦战争,希望和解。因此,这誓不并立的,相持数年的两位英雄,又有了一次直接谈和机会。不料刘邦十分骄傲,根本拒绝了项羽的要求,利用谈和的机会,当面宣布项羽的十大罪状。项羽大怒,立刻以伏弩惩戒刘邦,刘邦胸上带箭,退入成皋。

不久,和约依然成立。楚汉两军,划定鸿沟为界,鸿沟所占的土地,在大体上是今日的贾鲁河。项羽也许认为双方已经可以暂时和平相处。张良认为这正是最后大决战的开始。

三四

垓下决战

　　两军所争的只是气的盛衰，而现今正是项羽气衰的一刹那。他竟然满意于鸿沟协议，立刻引兵东归，似乎抛弃了消灭刘邦的思想，希望回彭城享受他的仅余半个的天下。

　　不，项羽诚然气衰，他也决不是一个如此无志气的人物。他是困于环境，困于兵疲粮尽，前方没有进展，后方遭受威胁，而不得不暂时如此。他若是回到彭城，获得相当时期的喘息，谁能料定他不重整旗鼓，再来一决雌雄？到了那个时候，未必汉军仍能占有如今日的优势：兵多，粮足，稳固的荥阳成皋间的阵地；大量的、彭越与英布所统率的游击队伍；还有，那智勇兼备的，一举而下魏赵燕齐，战无不胜，威震山西、河北、山东，据有齐国，实为整个北方的局部称王的韩信的拥护。——韩信未必能够永久不听从那些辩士武涉、蒯通等人，永久不愿意与楚汉鼎足而三，三分天下。——等到那个时候，韩信若是突然肯鼎足而三，肯中立于刘项之间，谁能料定项羽那时候不能吞灭孤立的汉；谁能料定项羽不联韩灭刘？

　　张良很冷静地看到了这一步。他认为楚汉若是迟早必须一决雌雄，那么，不如现在就决。

　　因此，在鸿沟协议的次日，他就建议刘邦决战，不顾条约的约束，而追击项羽的东归大军。同时，通知韩信，通知彭越与英布，一齐会师固陵（淮阳县西北），夹击项羽，消灭项羽。刘邦完全接受张良的这一个建议。

项羽统率他的军队，一步一步地向东移动，不曾梦想到刘邦竟然越过鸿沟的界限，扯毁鸿沟协议，一步一步地跟踪而来，追逼不已，一直追到今日淮阳县西北的固陵。愤怒燃烧了项羽的心。他立刻传令全军，停止撤退，回转头来，打击刘邦。这时候，韩信、彭越、英布，都不曾到达固陵，而且根本就不曾有出兵的消息。乘人之危的刘邦，于是反为项羽所乘，大败。刘邦于是又只得深沟高垒，在固陵筑壁自守。

若是没有张良，刘邦的前途真是黯淡得很。刘邦已经离开了优良的阵地，胆敢与项羽作遭遇战，当年不离开成皋的阵地，又加上彭越的游击力量，仅能与项羽相持不下。刘邦从来不曾有资格与项羽作遭遇战。刘邦自己没有精兵，又不知兵法，实实在在远不是项羽的敌手。他若是想成功，惟有借重于彭越、英布、韩信。有什么方法，能使他们遵守会师固陵的命令？他们究竟为了什么，不肯会师固陵，而采取观望，一变从来助汉击楚的态度？

只有张良能够看透他们。他们之所以助汉，不是为了什么理想，更不是为了刘邦能够礼贤下士。刘邦对人是一点礼貌也没有。他们帮助刘邦，是因为刘邦不爱金钱，不惜爵赏，不像项羽那般吝啬。现在他们为什么观望？是恐怕刘邦灭了项羽以后，不再需要他们，不再对他们宽厚，不再有什么封赏。

张良说：赶快通知韩信，告诉他不仅将永为齐王，而且可以扩充地盘，从淮阳以东，直到海边，包括他的故乡。也要告诉彭越，必定封他为王，从商丘北至谷城，都作为他的领域。剩下英布，本已封他为淮南王，现今允许给他全部的淮河以南，再派刘贾领兵增厚他的实力，促进他的行动。

张良的计策，刘邦立刻施行，施行以后，果然见效。韩信、彭越、英布都动员了。战胜于固陵的项羽,再度感到恐慌,商丘被彭越占去,徐州的归路已经截断。英布与刘贾占领了寿县,从寿县进抵亳州,屠城。自己的将领之一,周殷,为汉方所收买,在舒城叛变,占领六安,屠城。韩信也率领了几十万大军,来与刘邦会合。

商丘与亳州之间,已经不允许项羽通过。在寿县与亳州之间,比较有突破可能。项羽就选择了十万人,由淮阳冲向正东,来到灵璧县东南的垓下。

呵!垓下!这是何等悲壮的千古不朽的地名,所谓十面埋伏,所谓霸王卸甲,所谓四面楚歌,许多优美而丰富的文艺题材,将永久以垓下为背景。霸王在此地卸甲,在此地遇到最后的失败,辞别了他一生所最爱的虞美人!

他怎样卸甲?凡是写历史的人,写到这里,都要感到无限的凄怆,几乎不再愿意,不忍心,加以详细描写——是韩信以相同于希腊人在马拉松的两翼包抄的战术,战胜了他。韩信以三十万人居中,孔将军居左,费将军居右,刘邦居后。韩信诈败,楚军深入,孔将军与费将军同时两翼展开。楚军陷入重围,全部覆没。

项羽只剩下八百余人,连夜突围,"南出驰走"。到了天明,汉军才知道消息,派了五千骑兵去追。项羽走到淮河,只剩下一百余人。渡淮以后,问路于农夫,为农夫所欺骗,陷入一大片沼泽之中,被汉兵追及;又突围向东,到了东城(定远县东南),所余的仅二十八骑。这二十八名骑兵到了最后,他仍能分为四队,施演惊人的战术,四队同时突围,指定对面三个山坡,为集合地点。于是一声令下,分向四面驰出,便有汉将一名为项羽所斩杀,片刻之间,项羽的骑兵又集合于三个山坡之上,汉军不能确知项羽的所在。等到汉军分而为三,把三处的楚骑分别围困,项羽又再度冲出,斩汉一都尉,杀了几百汉兵。二十八骑之中,只损失两骑。

项羽带了这二十六骑,又继续向东南奔逃,来到长江的江岸,和县东北的乌江镇渡口。他不幸又为乌江亭长所耽搁,所戏弄。他十分伤怀,为什么像他这样曾经支配天下,分封诸侯的霸王,要受区区一个亭长的侮辱?他感伤,感伤转成惭愧,惭愧转成了恐惧,由恐惧而灰心,由灰心而自杀。

亭长拿"江东千里,亦可以王"八个字来嘲笑项羽的渺小,项羽拿舍得自杀来答复亭长的嘲笑。其结果,渺小的依然是亭长,而项羽仍不失其为伟大!

伟大的是项羽的人格,是项羽的个性,而不是他的做法与他的思想。他之所以失败,并非由于命定。他的错误,除了只知用自己一个人的智与力,而不能用别人的智与力以外,在军事方面,忽略了关中地形的优越;在政治方面树敌太多。

他以为秦朝之所以失败,由于消除分封建国;豪杰之所以反秦,是想恢复分封建国。他又认为惟有大行分封诸侯,才能确立他自己的霸权,贯彻他的号令于全部中国。结果,被封的对他并不忠实,例如殷王司马卬与河南王申阳;或忠实而不肯对他的敌人作坚强的抵抗,如塞王司马欣与翟王董翳;甚至于尾大不掉,向他倒戈,例如英布。至于不曾轮到封赏,封赏而不能满足的人,如田荣、彭越、陈余、赵歇,以及刘邦,一齐成为他的死敌。

人民若是喜欢分封建国的恢复,应该拥护他打倒刘邦,但是人民所要求的,却是除秦苛法,约法三章,司法与行政的简单化,最短期内的和平与保证和平的反分封建国的统一政府。刘邦在陕西、甘肃、山西,恢复了郡县的制度,丝毫未曾引起当地人民的反感,而且由于萧何的善于为中央集权的治理,反而增加了刘邦的作战能力。郡县制度下的刘邦后方,结成一个巩固的整体,远非项羽所能想象。反之,项羽在后方除了用霸王的名义,为封建的号召外,不曾有什么优良的新型的行政机构。

因此,刘邦屡次战败,屡次均能回到自己的关中,项羽垓下一败,竟然徘徊乌江,有江东而不能回。

汉高祖

两汉的统一局面有四百多年。历史上哪一个朝代也比它不上。周朝号称有八百多年,东周占去了一大半,而东周正是春秋战国极分裂的时期。西周所占的一小半比较好点,但也谈不上统一,无非各自为政,共尊天王罢了。并且幅员仅及于黄河中下段的两岸,小得很。

唐朝差不多有三百年,却只有一百三十七年是统一的,那安禄山造反以后的一百五十年,藩镇到处割据。

明清两代较好,但比起汉朝来仍有逊色,因为合得不长。

两汉何以能够如此之久? 这就要从刘邦打天下的经过说起了。说句不好听的话,他是一个流氓皇帝。说得好听点,他是中国历史上以平民资格来领导革命的第一人。

因为他当过流氓,亡命过,所以懂得流氓们的脾气,把他们拢得住,牵得转,压得下,这天下就被他弄太平了。

秦始皇与他的儿子二世皇帝暴虐无道,法令多如牛毛,老百姓动辄得咎,所以陈涉(陈胜)振臂一呼,揭竿而起的比比皆是。那时候,想做革命领袖的多得很,项羽便是其中的一个。但是最后的胜利却落在刘邦肩上,原因在哪里呢? 老实说,是他最富于流氓气。项羽呢,恰巧相反,是公子派头十足的一人。

刘邦战胜项羽后即皇帝位,国号"汉",史称"西汉"。

项羽好面子,自作聪明,不服输,以为谁的本事也不如自己,所以就容纳不下英雄,打来打去,要靠自己一人。刘邦呢,脸皮厚,懂得恭维别人,哄人家替自己拼命,所以就骗得三杰(萧何、张良、韩信)死心塌地,三杰以外,又有樊哙、灌婴、彭越、英布等等,一大批人。像陈平、周勃之类,在他的面前还算是第二流呢。可怜项羽,连一个范增都留不住。

有一个时期,韩信占领山东河北山西,颇能举足轻重,左右于刘邦、项羽之间。项羽在东,刘邦在西,而韩信在北。如果韩信听了蒯通的话,与刘邦翻起脸来,中国用不着等待曹操孙权刘备三人出世,就提前演出三国的好戏了。但是韩信忘记不了刘邦对他的小殷勤,例如刘邦曾经脱下自己的衣服给他穿,推出自己的饭碗给他吃,所以便不肯听从蒯通的话。刘邦懂得对部下殷勤,这就够厉害了。岂但是殷勤而已,他慧眼识英雄,把韩信破格提拔,平地一声雷,从一个逃兵拜为大将,做总司令,这一种拿得起,放得下的魄力,也不是那位舍不得把官给人做,发布了人家官职还迟迟不颁发印信的项羽,所能望其项背的。

等到皇帝做到手,刘邦也没有项羽那么客气。项羽以前在冲进咸阳,把刘邦吓倒的时候,本来大可以做皇帝,叫人把刘邦推出斩首,但是他偏要谦恭一番,仅仅做一个不三不四的西楚霸王。

中国被他分成十八九块,虽则自己留下一块顶大的,但是那其余的十八位新王爷却对他毫不感激,不听调度。他也无可奈何。秦始皇废封建为郡县,项羽废郡县而恢复封建。项羽不曾明白,秦始皇及二世之遭人怨恨,不在于统一与集权的郡县制度,而在于法令繁苛与滥用民力。平民所希求的不是倒扳时针,而是自由与和平。如果在统一之下,可以获得自由与和平,平民并不怎样想念以前的封建和互相砍杀的战国七雄。这一点,刘邦也比项羽清楚。在项羽无非是"有了地盘,大家分分"。刘邦却颇有天下定于一的思想。无可讳言,刘邦是比项羽自私得多。所谓定于一者便是天下属于我一人。今天的我们,由于受了西洋民主主义的洗礼,以及先哲黄梨洲等人的影响,自然会想到这天下为什么要属于你刘邦一人,而且你死了还要传给你的儿子?但是那个时候,刘邦却坦然自承,毫不惭愧:"既然秦始皇有过这个天下,为什么我不能有?况且我是赤帝之子?我在山上当土匪的时候,老婆给我送饭,每每看见有一朵红云罩在我所躲藏的山谷之上!"不过他心里也明白,这种理论基础很脆弱,要紧的还是武力,也就是那些能用武力的将才。因此他一得天下便下辣手,翦灭功臣。

如果韩信、彭越、英布、卢绾不被他一一削除，中国依然是一个割据的局面。那些人都享受裂土而封的王号，号令军令全由自主。事实上，当时中国是"汉，楚，梁，淮南，燕"若干国并立的局面，汉国不过较大而已。等到韩彭英卢诸人，一一被压了下去，全中国才算是汉朝所有，姓刘的所有。

可惜姓刘的子侄中，也有桀骜不驯的人，这却是刘邦始料所不及的了。

白登的耻辱

战国时候,匈奴人已经在北边草原地区崛起。

秦始皇执政时,传言"亡秦者胡也"。据说这是预言秦二世胡亥亡秦的谶语,秦始皇却以为"胡"指匈奴,于是加强北边防务,修筑长城,以蒙恬率重兵控制了战略要地,又开通了纵贯南北的国防道路"直道"。

汉王朝建立之初,经济残破,民生艰辛。

在这一时期,秦时已经兴起的匈奴部族的势力逐渐强大起来,所控制的地域包括贝加尔湖以南辽阔的草原大漠。在秦末中原大战期间,匈奴乘机尽数收回了秦将蒙恬所占领的匈奴地方,又进入长城以南,至于朝那(今宁夏固原东南)、肤施(今陕西榆林南),同时出兵侵掠燕国和代国。楚汉战争时,中原疲于征战,无力北防,匈奴于是日益强盛,军中勇士竟然多达数十万,对新生的西汉帝国形成了严重的威胁。

韩王信徙封于代之后,以马邑(今山西朔县)为都。匈奴南下进军,猛攻马邑,韩王信投降匈奴。匈奴又发军攻太原郡,兵临晋阳(今山西太原南)城下。刘邦于是亲自率军北击匈奴。

时值冬季严寒,士卒多有冻伤堕指者。匈奴单于冒顿佯败,引诱汉军北上。汉军三十二万追击。刘邦先到平城(今山西大同东北),主力尚未抵达,匈奴精兵四十万骑将刘邦围困于平城东北的白登。在匈奴骑兵铁围之中，汉军指挥中枢七日没有能够与汉军主力取得联系，也无法得到后勤补给。后来据说用陈平之计，贿赂单于阏氏，让她说服单于解围之一角，刘邦才终于脱逃，得以与主力会合。匈奴退军，刘邦也引兵南返。

此后，汉与匈奴结和亲之约，相互约为兄弟。汉以宗室公主为单于阏氏，每年给予匈奴织品酒米食品各有定数。不过，匈奴仍然时时南下侵扰代（郡治在今河北蔚县东北）、云中（郡治在今内蒙古土默特左旗东南）、上谷（郡治在今河北怀来东南）等郡，使北边地区社会经济生活难以安定。

在刘邦时代，还屡有汉将因个人政治地位的变化而叛降匈奴，成为匈奴南侵的向导和前锋。实际上，在汉武帝以前的数十年内，汉王朝不得不对强悍的匈奴委曲求和。甚至吕后专政时，匈奴单于致信吕后，有调戏侮辱之词，汉人也只能假装看不见。

▲三七

功臣一个个死掉

中国有"狡兔死,走狗烹;飞鸟尽,良弓藏;敌国破,谋臣亡"的古话,说的是敌人消灭了,帮助自己克敌制胜的功臣,也没有用了。杀害功臣,是中国古代王朝建国之初的通病。在刘邦和吕后当政的年代,开国功臣们就一个个相继被除掉。

汉王朝建立的初年,君臣之间曾经有过平易和谐的关系。据说朝堂上臣下可以歌呼叫骂,拔剑击柱,没有什么规矩。后来著名儒生叔孙通帮助刘邦确定朝廷礼仪,指挥大臣们反复演练,从此出朝时大家一片肃静,鸦雀无声,只有恭恭敬敬地听皇帝训导的份儿。刘邦于是高兴地说,现在我才感觉到当皇帝的滋味了! 看来,"礼",对于统治者可真是个好东西。有了"礼",就有了派头,有了权势,有了威仪,有了秩序。

有一天,刘邦在洛阳南宫大摆酒席。刘邦问身边的臣下:列侯诸将都不要有所隐瞒,告诉我你们的心里话。我所以能够得天下,是什么原因? 项羽之所以失天下,又是什么原因?

有人回答说:陛下对下属不能尊重,而项羽仁而爱人。但是陛下使人攻城略地,所降下者因以予之,这就是与天下同利啊。项羽则妒贤嫉能,有功者害之,贤者疑之,战胜而不予人功,得地而不予人利,这就是他所以失天下的原因。

刘邦则说，你只知其一，未知其二。运筹帷幄之中，决胜于千里之外，我不如张良。管理国家，抚定百姓，筹集运输军需给养，我不如萧何。统率百万之军，战必胜，攻必取，我不如韩信。这三位，都是天下人杰，而我能任用之，这就是我所以取天下的原因。项羽有一位范增而不能用，这就是他所以为我所败的原因。看来，刘邦内心是承认功臣的作用的。

刘邦称赞的这三位人杰，张良跳出政治漩涡，称病闭门，学导引辟谷之术；萧何谦虚谨慎，不置产业；只有韩信不太聪明，居功自傲，不能顺从，最终被吕后杀害。

汉初定天下时，一些曾经与刘邦合力击败项羽的主要将领因为手握重兵、身兼殊勋，被封为诸侯王。韩信被封为楚王，都下邳（江苏邳县南）。彭越被封为梁王，都定陶（今山东定陶）。韩王信被封为韩王，都阳翟（今河南禹县）。吴芮被封为长沙王，都临湘（今湖南长沙）。淮南王英布、燕王臧荼、赵王张耳等，仍然保持原有的政治地位。

刘邦分封异姓功臣，是因为他们已经拥兵据地，对于这一既成事实不能不承认的缘故。当时的七个异姓诸侯王国，封域大致相当于汉疆域的一半。当时西汉中央政府直接管理的土地，只有二十四郡。也许又是历史的巧合。西汉帝国中央政府所直辖的地区与异姓诸侯王国辖地对国土的分割，除齐地诸郡直属中央外，其形势与刘邦、项羽以鸿沟一线分划天下时的情形极其相似。

异姓诸侯王国的存在，显然和专制皇权有直接的矛盾。于是刘邦待时机成熟，从高祖六年（公元前201年）起，开始逐一消灭异姓诸侯。

楚王韩信首先被废黜为淮阴侯。同年，改以太原郡为韩国，徙韩王信王之，都马邑（今山西朔县）。在与匈奴作战时，韩王信被围困于马邑，派使者与匈奴议和。汉朝廷疑心韩王信有二心，派使者前往责问。韩王信心存畏惧,向匈奴投降。汉高祖九年(公元前198年),赵王张敖被废。汉高祖十一年(公元前196年),韩信、彭越相继被杀。淮南王英布起兵与中央政权对抗,于次年败死。

刘邦正是在这一年,即汉高祖十二年(公元前195年)去世。在他临终前,主要的异姓诸侯王都被翦除。

刘邦认为秦王朝迅速灭亡的原因之一,是没有同姓王国屏卫中央政权。于是在削弱和去除异姓诸侯王势力的同时,又大建同姓诸侯王国,以作为中央朝廷的藩护。在刘邦统治时期的最后阶段,刘邦子弟同姓为王者计有九国,即都于彭城(今江苏徐州)的楚王刘交,都于临淄(今山东淄博东)的齐王刘肥,都于邯郸(今河北邯郸)的赵王刘如意,都于晋阳(今山西太原西南)的代王刘恒,都于定陶(今山东定陶)的梁王刘恢,都于陈(今河南淮阳)的淮阳王刘友,都于寿春(今安徽寿县)的淮南王刘长,都于广陵(今江苏扬州)的吴王刘濞,都于蓟(今北京)的燕王刘建。

刘邦末年,诸侯王中,只有长沙王吴芮异姓。九个同姓诸侯王国与异姓的长沙国地域连通,总封域仍然占全汉疆域的一半以上。不过,这些诸侯王国虽然有相对独立的地位,但是原则上仍然受中央政府节制,其封域仍然是西汉帝国的一部分。

在汉高祖刘邦的时代,另外还有周边地区的三个政权,其领地在汉疆域之外。他们只是向西汉中央政府纳贡称臣,却并不受西汉王朝的控制。这样的异姓诸侯,又被称作"外诸侯"。刘邦曾经封外诸侯三人,即封故越王亡诸为闽越王,都闽中地;封秦南海尉赵佗为南越王,统领南海、桂林、象郡地区;封南武侯织为南海王。南海王的属地,大致在闽越国、南越国和淮南国三国之间。

吕后的故事

明代史学家张燧曾经著《千百年眼》一书，作纵横千百年的历史评论。这部书的卷四有"汉高祖尊母不尊父"条，说汉高祖刘邦即皇帝位后，先封吕雉为皇后，封子为皇太子，又追封其母曰昭灵夫人，而他的父亲太公却遗而不封，令人不可理解。又过了两年左右，刘邦相继封刘贾、刘喜、刘交、刘肥为王，丞相萧何以下大小功臣也皆已分别受封，而太公的封号依然未予讨论，群臣也没有一人一言说到此事，这是为什么呢？张燧于是感叹道：刘邦为天子已经七年，而太公却仍然只是一个平头老百姓，两者的差别实在是太大了！

张燧以为刘邦先封其母却遗忘其父大可惊异，却没有说明其中的原因。其实，能够指出"尊母不尊父"这一现象，已经是重要的历史文化发现了。

汉代重女权，也就是说，在汉代，妇女有较高的社会地位，能够发挥较大的社会影响。

世系从母系方面来确定，是远古时代的婚姻关系所决定的。郑樵在《通志·氏族略》中曾经指出，直到三代以后，姓之字多从"女"，比如姬、姜、嬴、姒、妫、姞、妘、嫚、姶、嫪，等等，都是如此。其实，在汉代，仍然可以看到承认女系这一古老文化现象的遗存。汉景帝长子刘荣因母为栗姬，于是被称为"栗太子"。汉武帝子刘据立为太子,因其生母为卫皇后卫子夫,又被称为"卫太子"。刘据的儿子刘进,因生母为史良娣,所以又称作"史皇孙"。平阳公主也随母姓,号"孙公主"。汉灵帝的儿子刘协,也就是后来的汉献帝,因为由董太后亲自抚养,称"董侯"。淮南国太子有称为"蓼太子"者,据说"蓼"也是"外家姓"。这一现象不仅表现在皇族。高祖功臣夏侯婴的曾孙夏侯颇娶了被称为"孙公主"的平阳公主,以至后世子孙竟然改姓为孙。姓氏从母,是古风的遗存。这一现象,在文明程度较为落后的民族的习俗中有所保留。匈奴人风俗,据说贵族都从母姓。汉代上层社会可以看到同样的现象,是令人惊异的。

汉代还多有妇女封侯,得以拥有爵位和封邑的情形。例如,汉高祖刘邦封兄伯妻为阴安侯。吕后当政,封萧何夫人为酂侯,樊哙妻吕媭为临光侯。汉文帝时,赐诸侯王女邑各二千户。汉武帝也曾经尊王皇后母臧儿为平原君,王皇后前夫金氏女为脩成君,赐以汤沐邑。汉宣帝赐外祖母号为博平君,以博平、蠡吾两县户万一千为汤沐邑。王莽母赐号为功显君。王莽又曾建议封王太后的姊妹王君侠为广恩君,王君力为广惠君,王君弟为广施君,皆食汤沐邑。汉光武帝刘秀的儿子刘彊因为无子,三个女儿都被封为"小国侯",刘彊于是终生感激。两汉史籍记载女子封侯封君事,多至三十余例。

汉武帝是武功卓越的帝王,而卫青以皇后卫子夫同母弟的身份被任命为大将军,霍去病以卫子夫姊子的身份被任命为骠骑将军,李广利以汉武帝所宠幸李夫人兄的身份被任命为贰师将军。汉武帝时代的三位名将都由女宠的亲戚擢升,也是可以反映汉代妇女对政治生活有重要影响的迹象。

汉代贵族妇女在婚姻关系和家庭生活中占据较高地位,也留下了比较显著的社会历史印痕。

《汉书·王吉传》记载，汉宣帝时，王吉曾经上疏评论政治得失，谈到"汉家列侯尚公主，诸侯国则国人承翁主"的情形，他认为："使男事女，夫诎于妇，逆阴阳之位，故多女乱"。将所谓"女乱"，也就是政治生活中女子专权现象的原因，归结为社会生活中女子尊贵现象的影响。

"使男事女，夫诎于妇"的情形在民间也有表现。妇女有较高的社会地位，在有些地区甚至成为一种民俗特征。《汉书·地理志下》关于陈国（今河南淮阳附近）地方风习，就有"妇人尊贵"的记述。

吕后专政，其实是汉代重女权的最显著的史例。吕后名雉，单父（今山东单县）人。她的父亲吕公躲避仇家，迁居到沛县，在一次宴会上偶然交识刘邦，看到他状貌风度不凡，内心重敬之，于是将女儿吕雉许配。刘邦为亭长，曾告归于田，吕雉曾经有从事田间农耕作业的经历。

楚汉战争中，刘邦军失利时，吕雉和刘邦父母曾经被项羽俘获，拘于军中以为人质。汉高祖四年（公元前203年），战争形势发生变化，刘邦和项羽言和，吕雉和刘邦父母获释。第二年，刘邦称帝，立吕雉为后。

吕后有谋略且为人刚毅而狠厉，在刘邦剪除异姓诸侯王时曾经临事决断，发挥了重要的作用。

高帝十年（公元前197年），刘邦率军平定陈豨叛乱，吕后留守长安，听说韩信有诈赦诸官徒举事策应陈豨的企图，于是与萧何商议，谎称前线来报陈豨已死，令韩信入宫庆贺。韩信入宫，被处死于长乐宫钟室，并夷灭三族。

刘邦击陈豨时，至邯郸，向都于定陶（今山东定陶）的梁王彭越征兵，彭越称病，只派遣属将率兵前往，刘邦怒，废彭越为庶人，徙居蜀地。彭越行至郑（今陕西渭南市华州区），路遇东行前往雒阳（今河南洛阳东）的吕

绛侯周勃，与陈平等智夺吕氏兵权，拥立文帝，后官至右
丞相。（图选自清末《历代名臣像解》）

后，自言无罪，请求徙处昌邑（今山东金乡西）。吕后以为彭越至蜀则此自
遗患，于是与俱往雒阳。随后又指使人诬告彭越谋反，夷灭其宗族。

吕后之子刘盈即后来的汉惠帝被立为太子，刘邦以为刘盈性情柔弱
不可执政，曾经准备另立戚夫人子赵王如意为太子。由于吕后和诸大臣
反对，太子废立之议没有实现。

刘邦去世后，吕后杀害赵王如意，又砍断戚夫人手足，去眼煇耳，饮药
令其不能言，置于厕中，称之为"人彘"。对于其他刘氏诸王，也加以残害。
汉惠帝因吕后的残虐而惊怖，从此不再听政，后来郁悒病逝。

汉惠帝死后，吕后临朝称制，封吕氏子弟吕台、吕产、吕禄等为王，控

制了京师卫戍部队,又擅权用事,排斥老臣,拔擢亲信。一时号令均出于太后。吕后称制,造成了西汉王朝上层的政治矛盾和政治危机。但是在她称制的八年期间,仍然继续执行了与民休息的政策,奖励农耕,又废除了夷三族罪和妖言令等苛重的法令。因此,在这一时期,社会比较安定,经济生产也得以逐步恢复。

由于刘邦生前与大臣有"非刘氏而王,天下共击之"的誓约,吕后以诸吕为王,遭到刘氏宗室和诸大臣的强烈反对。吕后临终,告诫诸吕据兵卫宫,防止大臣为变。吕后死后,诸吕把握南北军的指挥权。太尉周勃不得入军中主兵,只得伪用符节以非法形式入北军。北军指挥官吕禄放弃了军权,解印而去。朱虚侯刘章在未央宫击杀南军指挥官吕产。于是长安形势得以控制。反对吕氏的势力又分部悉捕诸吕男女,无论年龄长幼都一律处斩。

"吕氏之乱"平定后,诸大臣议定迎立代王刘恒为帝,是为汉文帝。

文景之治

　　西汉王朝经历吕后专政的时代之后，进入了汉文帝刘恒和汉景帝刘启当政的文景时期。文景两代三十九年间，政局稳定，经济得到显著的发展，历来被看作安定繁荣的盛世的典型，通常称作"文景之治"。

　　从社会经济文化进步的总历程看，文景时代的成就，使秦以来的历史实现了一个大变化，由急峻转而宽和，由阴暗转而光明。

　　秦王朝行政，表现出严酷苛暴的特色。董仲舒曾经说，秦时民众承受的屯戍力役等负担，相当于古时的三十倍，田租口赋等负担，相当于古时的二十倍。当时普通民众感受到极其沉重的压迫和剥削，社会经济生活的正常秩序也因此受到严重的破坏。西汉王朝建立之初的政治基点，是对秦王朝暴政的否定。

　　汉世政治语汇中，可以频繁看到"拨乱反正"的说法。《史记·高祖本纪》写道，刘邦去世，群臣赞美道：高祖出身低微，"拨乱世反之正，平定天下"，创立汉家帝业，功最高。于是上尊号为"高皇帝"。《史记·三王世家》也说，"高皇帝拨乱世反诸正"，宣扬至德，平定海内。《史记·秦楚之际月表》中也有"拨乱诛暴，平定海内，卒践帝祚，成于汉家"的赞颂之词。《汉书·礼乐志》也说："汉兴，拨乱反正，日不暇给。"

　　根据唐代学者颜师古的解释：所谓"拨乱反正"，是说"拨去乱俗而还之于正道也"。"拨乱反正"的说法,最早见于《公羊传·哀公十四年》所谓"拨乱世,反诸正"。司马迁在《史记·太史公自序》中也写道:"《春秋》以道义。拨乱世反之正,莫近于《春秋》。""拨乱反正"的原义,是指治理混乱的政治局面,恢复合理的政治秩序。西汉初期,最高统治集团确实在许多方面进行了"拨乱反正"的努力,取得了"拨乱反正"的成功。

萧何是主持汉初政治体制成立的有作为的政治活动家。汉王朝建立之初,他利用民众对秦王朝残厉法制的不满,顺从民意,进行了政治改革。顺应民心以否定秦法,成为汉初政治的标志之一。

萧何之后,曹参接着作丞相,依然遵行萧何时创置的制度。历史上称作"萧规曹随"。曹参以为,确定"清静"作为行政的原则,那么民众自会安定。他选择身边作为助手的主要干部,专门任用不善于言谈的"重厚长者",而部下有言辞激切,刻意追求个人声名的,都一律予以斥退。司马迁曾经以肯定的态度说道:曹参为汉相国,政风"清静",使百姓在秦代酷政之后"休息无为",于是得到天下民众的普遍赞美。正是在这样的政治背景下,西汉统治阶层成就了世代称誉的"文景之治"。

西汉王朝的政治管理和秦王朝的政治管理相比较,有突出的历史性的进步。这种进步,集中表现为"文景之治"的成功。西汉王朝政治风格通过"文景之治"所体现的优异之处,千百年来一直为史家所瞩目。

汉初上层领导集团以崇奉黄老之学作为基本政治导向,努力推行清静无为的政治方针。黄老之学主张"无为无不为",这一原则应用于政治范畴,就是强调行政上不妄为,少有急切的举措,避免苛烦扰民,使社会生活在自然的状况下得以安定。这种政治风格是有利于社会的安定和经济的进步的。

回顾历史,人们通常都会注意到,积极进取的精神对于政治成功往往有重要的作用。但是我们还发现,在某些历史背景下,中国带有原始朴素色彩的"重柔者吉"的辩证法应用于政治生活中,其实有时可以表现出神奇的力量。汉初政治的成就就是例证之一。

无为而治的思想,当时曾经占据着正统的地位。成书于汉武帝初年的《淮南子》一书,可以作为汉初思想的总结。其中《原道》篇所谓"漠然无为而无不为也,澹然无治也而无不治也",就阐述了这一思想原则。在行政实践中推行这样的原则,就应当作到如《淮南子·览冥》中说到的"除苛削之法,去烦苛之事",以及《淮南子·齐俗》中说到的"上无苛令,官无烦治"。无为政治看起来有消极保守的倾向,从某种角度看,却透露出一种科学的客观主义的精神。

秦法严酷。汉文帝对秦代刑罚制度进行了重大的改革。这样的改革主要包括以下这些内容:(1)秦法规定,大多数罪人都没有确定的刑期,服劳役者往往终生不能解脱。汉文帝诏令重新制定法律,按照犯罪情节的轻重,规定不同的服役期限。罪人服役期满,则当免为庶人。(2)秦法规定,罪人的父母、兄弟、姊妹、妻子和子女都要连坐,重者甚至处死,轻者则没入为官奴婢。这一制度,称作"收孥相坐律令"。汉文帝明令宣布废除这一法令。(3)秦法规定,对罪人按照罪行轻重,分别行施黥、劓、刖、宫四种残酷的肉刑。汉文帝诏令废除黥、劓、刖三种肉刑,改以笞刑代替。汉景帝时代,又进一步减轻了笞刑。

上述法制改革的后两项内容虽然实际上并没有得以完全落实,但是汉文帝和汉景帝统治时期的许多官员都大体能够执法宽厚,断狱从轻,于是狱事比较清明,刑罚比较简省,一般民众所受到的压迫可能较秦代有所减轻。

汉文帝刘恒在位期间崇尚节俭,执行"与民休息"。(图选自清刻本《历代古人像赞》)

《史记·张释之冯唐列传》记载了这样一个故事:一次,汉文帝出行,途经中渭桥,有路边行人突然冲犯其车马。汉文帝要求严厉惩处,但是主持司法的廷尉张释之却主张应当严格按照刑法规定,治以罚金之罪。汉文帝大怒,以为惩罚过轻。张释之则坚持说,所谓"法",是天子与天下人共同面对的制度,自然应当共同遵守。现在法律条文规定如此,而处罚却要依据陛下个人的情感倾向无端加重,这样,必然会使法律在民众心目中的确定性和严肃性受到损害。事后,汉文帝承认张释之的意见是正确的。

这个故事,说明当时一些重要的执法官员能够以公正为原则,而汉文帝以天下之尊,在盛怒之下也能够虚心接受不同的意见。

　　在汉文帝、汉景帝时代，对边地少数民族也尽量避免战争，努力维护和平相安的关系。

　　在吕后专权的时代，有关部门提出严格控制关市，在铁器等先进生产工具的流通方面对南越国实行封锁。南越王赵佗于是愤怒，采取和中央政府相对抗的态度，自立为南越武帝，又发兵北上，进攻汉王朝南边的长沙国。在吕后发军击南越以后，南越与汉王朝正式进入交战状态。因为气候条件的不适应，汉军不能越过南岭，两军事实上在南岭一线相持了一年之久，吕后去世方才罢兵，于是出现了所谓"（赵）佗得以益骄"的局面。

　　汉文帝即位，对于吕后时代的政策多所否定，为赵佗在真定（今河北石家庄）的家族墓地置守邑，岁时祭祀，又尊官厚赐，优遇赵佗的亲属。汉文帝又派陆贾为使者出使南越，赐书致意，文辞颇为诚挚。赵佗为这篇言辞恳切，情感亲和的外交文书所打动，致书谢罪，自称"蛮夷大长老夫臣佗"，表示愿意长为藩臣，奉贡职，并宣布废去帝制。于是，自陆贾还报，一直到汉景帝时代，南越称臣遣使入朝。虽然据说在国内仍然暗自沿用旧的称号，但是使臣入见天子时，称王朝命如诸侯之礼。

　　汉文帝后元二年（公元前162年），与匈奴订立和亲之约。此后虽然匈奴屡次背约侵犯北边地区，但是汉文帝只是诏令边郡严加守备，并不组织军队主动出击，以避免加重百姓的负担，使恢复不久的正常的经济生活再次受到破坏。

　　秦代以来，有所谓"秘祝"之官。每当发生灾异时，皇帝令"秘祝"之官祈祝，让罪过和不幸转移到臣下和老百姓身上。汉文帝十三年（公元前167年）下诏正式废除了这一制度，并且声明：百官的过失，都应当由我负责，今"秘祝"之官移过于下，是公开张扬我的不德，实在是我不能赞同的。

　　汉文帝即位不久，就废除了诽谤妖言之罪，以为这一罪名使得众臣不敢尽情直言,而皇帝也无法得知自己的过失。自此允许臣下大胆提出不同的政见。

汉文帝十五年(公元前 165 年),他又诏令诸侯王公卿及地方行政长官推荐品学贤良能直言极谏者,亲自策问,接受他们合理的政治建议并且予以任用。

文景时代比较宽和的政治空气,有利于当时社会经济的发展和文化的进步。《汉书·食货志上》说,"文帝即位,躬修俭节,以安百姓",对于当时经济的恢复和发展,有重要的意义。

在汉初经济恢复阶段,财政困难,物资奇缺,据说连皇帝的乘车也无法驾系四匹同样毛色的马,有的将相甚至不得不乘坐牛车。汉文帝是历史上著名的讲究节俭的帝王。他在位二十三年,据说宫室苑囿狗马服御等无所增益。起先曾经规划在宫中建造一座露台,召工匠预算,大约要花费百金,汉文帝得知后说道,百金相当于中等人家十户的产业,我居住在先帝营造的宫殿中,已经常常感到惶恐羞愧,为什么还要建造新的台呢?

每逢灾荒之年,汉文帝往往令诸侯不必进贡,又解除"山泽之禁",即开放以往属于皇家所专有的山林池泽,使民众能够通过采集渔猎及副业生产保障温饱,度过灾年,扭转经济危局。

汉文帝还公开宣布降低消费生活的等级,精简宫中近侍人员,以减轻社会的负担。

汉文帝还曾经多次下诏禁止郡国贡献奇珍异物。他平时常服用价格平易的黑色织品,所宠爱的慎夫人也衣不曳地,宫中的帏帐不施纹绣,为天下做敦朴节俭的榜样。

汉文帝力倡节俭的极端表现,是在营建他的陵墓霸陵时,提出了薄葬的原则。他明确指示,埋葬时所用随葬器物都用陶器,地宫不用豪华的装饰，陵上地面不筑封土，以求俭省，不致烦扰民众。临终时，他在遗诏中又重申薄葬的意愿，并且具体规定了减省葬祭之礼的内容，明令霸陵山川都维持原有制度，不许更改。

根据后来霸陵也曾经出土珍宝之器的传说，有人疑心汉文帝霸陵薄葬只是一种虚伪的政治宣传。其实，霸陵因山为陵，没有动员大量民众从事土木工程，是确凿无疑的。墓中随葬品的等级和数量，可能因入葬时情形之复杂，有与汉文帝个人意愿不尽相合的情形出现。

还有一种因素也未可排除，这就是汉景帝的母亲孝文窦皇后是在汉武帝建元六年（公元前 135 年）方才去世的，而与汉文帝合葬霸陵。也就是说，霸陵随葬品即使丰富，也有汉景帝的母亲窦皇后在汉武帝时入葬霸陵的因素。西汉皇室女性地位相当高。其时天下空前富足，在汉武帝已经成年的情况下，祖母逝世，也是不可能迁就汉文帝二十余年前的遗制实行薄葬的。以这一思路考虑汉文帝霸陵是否薄葬之谜，可能是有益的。窦太后之女馆陶公主寡居，后来近幸董偃，金钱恣其所用，曾经命令财务管理部门：董君所使用，一日金满百斤，钱满百万，帛满千匹，再向我报告。而这位老太太去世后，最终正是与董君会葬于霸陵。看来，后来盗掘霸陵之所以多获珍宝，有可能是陵园中其他从葬者的随葬品。

洛阳才子贾谊

说到西汉前期的政治，不能不提到洛阳才子贾谊。贾谊是西汉文帝时候的政论家、思想家。他的政治思想在当时和后世都有重要的影响。

公元前 201 年，贾谊生于洛阳。十八岁时，就以熟读诗书，善属文章闻名。后来被河南守吴公召致门下。汉文帝即位后，听说吴公曾师事秦时名相李斯，又号称治政为天下第一，于是征以为廷尉，主持天下司法。因吴公的推荐，贾谊得任为博士。吴公以"治政"闻名，贾谊因吴公举荐，可知贾谊得以入朝，大约主要不是因其文采，而是因其政识。

贾谊当时不过二十余岁，是朝中最年轻的博士。皇帝每次诏令讨论政事，诸位老先生尚在迟疑犹豫时，贾谊已经侃侃而谈。所说的意见，竟然都是大家所深思的。于是人人佩服，以为不可及。于是贾谊很快就被破格提拔为太中大夫。

汉文帝十分赏识贾谊的识见，曾经准备任贾谊为公卿，但是因为周勃、灌婴等老臣的反对，未能实现。后来让贾谊到南方去，任长沙王太傅。

贾谊在长沙著《鵩鸟赋》，发抒内心的怨郁哀伤。后来汉文帝思念贾谊，又曾特地召见，问鬼神之事于宣室殿，君臣畅谈至深夜。唐代诗人李商隐因此有《贾生》诗："宣室求贤访逐臣，贾生才调更无伦。可怜夜半虚前席，不问苍生问鬼神。"感叹他的政治思想受到漠视。

贾谊后来又被任命为梁怀王太傅。汉文帝十一年（公元前 169 年），梁怀王坠马而死，贾谊自伤失职，不久也悲郁去世，年仅三十三岁。

贾谊的政论著作，据《汉书·艺文志》著录，有《贾子》五十八篇，赋七篇。今本《新语》是后人纂辑的贾谊著作汇编。

贾谊的《过秦论》，是最早的比较系统地总结秦王朝兴亡的历史，比较全面地分析秦政之功过得失的著名政论。司马迁在《史记·秦始皇本纪》中，已经大段引录了贾谊《过秦论》的内容，并且真诚地感叹道："善哉乎贾生推言之也！"

《过秦论》说秦以弱胜强，终于实现统一，"鞭笞天下，威振四海"，然而迅速败亡，原因在于"仁义不施，而攻守之势异也"。这里所说的"仁义不施"，是指责秦王朝的统治者以暴虐之心与暴虐之术治国，终于导致了不可挽救的政治危局。贾谊还批评说："秦王怀贪鄙之心，行自奋之志，不信功臣，不亲士民，废王道而立私爱，焚文书而酷刑法，先诈力而后仁义，以暴虐为天下始。"而秦二世又"重以无道"，更变本加厉地推行暴政，从高官贵族到平民百姓，人人自危，因此形成了一旦发生变乱，就迅速土崩瓦解的政治局面。

秦政之失，在于"吏治深刻"和"赋敛无度"，是人们大都注意到的。贾谊特别指出秦始皇独断专行，不信功臣，不亲士民，不行王道而专任私爱的事实，实际上涉及秦王朝专制政治在体制方面的根本弊病。

贾谊说，秦始皇自以为是，文过饰非，秦二世继承这种弊政，因而不改，暴虐以重祸，这样的政权，灭亡不是理所当然的吗？以为极端专制的秦王朝迅速覆灭，是历史的必然。贾谊还具体描述了秦政的这一特色：秦的政治空气沉闷严峻，多忌讳之禁，忠言出于口，还没有说完，性命就已经没有了。因此使得天下之士侧耳而听，重足而立，闭口而不言。言论的严格禁锢,是专制制度的突出特征。不过,这种禁锢并不能平息民众的怨愤,反而会激起更强烈的反抗。

贾谊指出,"攻"与"守","兼并"与"安定","取"天下与"守"天下,夺取政权与巩固政权,战争时期谋求并兼与和平时期谋求安定,政治方针,政治策略,政治风格,也就是所谓"术"、"道"、"政"等,应当是有所不同的。然而秦实现统一之后,却仍然不能改变战时的政治形式,所以"取之"的政策与所以"守之"的政策竟然没有区别。秦王朝最高统治者仍然以取天下的政治方针面对守天下的政治现实。

秦始皇的统治思想没有能够完成应有的时代性转变,以这种思想为基础制订的关东政策自然表现为恐怖的虐杀和苛重的赋役。其结果终于导致秦王朝的迅速败亡。

贾谊根据秦王朝灭亡的历史教训总结的所谓"攻守之势异也",所谓"取与守不同术也"的观点,提出了治国思想的重要原理。贾谊的这一认识,是《过秦论》的思想精髓。

贾谊先后多次上疏陈治安之道,这些奏疏被后世史家称为《治安策》,又题《陈政事疏》。

《治安策》比较集中地反映了贾谊的主要社会思想和基本政治主张。《治安策》作为贾谊有代表性的主要论著,也是体现对后世政论有重要影响的贾谊政论文风格的典型。贾谊在《治安策》中对汉初的社会问题和政治弊病进行了深刻的揭露,并且提出了一系列对策。

汉初以来,中央政权与诸侯势力的矛盾,长期成为危害政治安定的严重隐患。因为中央政府政策的宽容,一些诸侯王确有与朝廷分庭抗礼的倾向。面对当时的这一形势,贾谊建议及早采取有力措施抑制与朝廷离心的势力。他提出"众建诸侯而少其力"的办法,也就是多立诸侯而分别削弱其实力。后来吴楚七国之乱的发生,证实了贾谊的政治预见。而汉武帝时代"削藩"事业的成功,实际上也采用了贾谊"众建诸侯而少其力"的策略。

贾谊还认为礼仪与法令,教化与刑罚不可偏废,特别强调倡导礼乐,实行以儒学为主体的道德教化,以移风易俗。汉武帝时代,确定了儒学在百家之学中的主导地位,实现了《汉书·武帝纪》所谓"罢黜百家,表章《六经》"的历史性转变。

儒学地位的这种上升,当然已经超过了《治安策》中的设计,但是贾谊重视文化建设作用的治国主张,因为顺应了历史演进的方向,其历史预见性得到了证实。

治国务在"安民"的主张,是儒学民本思想的基本内容之一。贾谊《新书·大政上》写道,对于行政,"民无不为本也。国以为本,君以为本,吏以为本"。他又指出,民为邦本,民众虽然至贱至愚,却不可以简慢,不可以欺压。"故自古至于今,与民为仇者,有迟有速,而民必胜之。"在任何时代,敢于与民众为敌者,或早或晚,最终将为民众所战胜。

而以民为本的治国思想,应当落实于使民众得到看得见的物质利益的有效政策上。对于这样的主张,贾谊是这样表述的:"夫为人臣者,以富乐民为功,以贫苦民为罪。"也就是说,执政者成功的政绩,首先应当表现为使民众"富乐"。

贾谊的政治思想,为"文景之治"的成功,描绘出了一幅蓝图。

贾谊提出的所谓"为富安天下"的主张,在实现"文景之治"的时代,已经成为汉王朝的基本国策。

为富安天下

汉初，西汉政府比较清醒地认识了当时的社会形势，对征发兵役和徭役有所自制，又曾经多次对农民减免田租。

汉文帝时代，曾经多次下诏劝课农桑，还在农村乡里设"力田"之职。"力田"作为最基层的农官，经常和"三老"、"孝悌"同样得到政府的赏赐。

西汉王朝以这样的方式鼓励农民发展生产，取得了明显的效果。

在汉文帝时代，直接从事耕作的农民的负担得以减轻。汉文帝二年（公元前178年）和十二年（公元前168年），曾经两次宣布将租率减为三十税一。十三年（公元前167年）还宣布全部免去田租。三十税一成为汉代的定制。汉文帝时代，算赋也由每人每年一百二十钱减少到四十钱。

汉初统治者一改秦时徭役繁重之苛政，注意以"省徭役，以宽民力"作为执政原则。比如，都城长安修筑城墙这样重要的工程，直至汉惠帝时才开始经营。

《汉书·惠帝纪》记载，汉惠帝元年（公元前194年）春正月，修造长安城墙；三年（公元前192年）春，"发长安六百里内男女十四万六千人城长安，三十日罢"；同年六月，又调发诸侯王、列侯徒隶二万人城长安；五年（公元前190年）春正月，再次调发长安六百里内男女十四万五千人承担长安筑城的劳役，三十日解除。

这就是说,修筑长安城墙这样重大的工程项目,调用民力其实是十分有限的,劳役人员来自长安六百里内,人数最多十四万六千人,工期也以三十日为限。

汉文帝时,徭役征发制度又有新的变革,一般民众的负担减少到每三年服役一次。

汉景帝二年(公元前155年),又把秦时十七岁傅籍,即正式成为征发徭役对象的制度改为二十岁傅籍,而著于汉律的傅籍年龄则是二十三岁。汉景帝中元元年(公元前149年),诏令诸侯王丧葬,包括开掘墓圹、修治墓冢及送葬等事,征用民役不得超过三百人。

汉初统治者实行与民休息的政策,对于促进当时社会经济的恢复和发展,有重要的作用。

贾谊曾经向汉文帝提出重视发展农耕的建议。他说,驱使民众归于农耕,就意味着让社会生产的主力用于培植国家经济的根本。如此,则可以使天下百姓各食其力。贾谊以为,这样的话,就"可以为富安天下"。

这位有识见的思想家"为富安天下"即通过发展经济以保障安定的政治设计,在文景时代基本上实现了。

当时,一系列合理的经济政策促进了战乱之后农人回归于农耕生产实践。汉初功臣封侯,据《汉书・高惠高后文功臣表》说,诸侯实力较大的,不过万家,小者则只有五六百户。可是,到了文景时代,流民逐渐返回故土,户口也逐渐有所繁息,列侯实力较大的,可以拥有三四万户,小国与先前比较,也往往户口倍增,经济富足的程度,也大致如此。户口的充分回归与迅速蓄息,是社会生产逐步走向安定有序实现正常化的反映。西汉王朝的国力,也因此得到了空前的充实。

荀悦《前汉纪・文帝二年》引述了晁错这样的话:现今农夫五口之家,

其直接劳作者不过二人,其能够耕作的田地不过百亩,百亩农田收益的谷物,不过三百石。有的学者据此推断,当时农业生产恢复并且得到发展,粮食亩产已经赶上并略超过战国后期的水平了。有的学者估计,当时亩产量折合现今计量单位,达到每亩产粟二百八十斤以上。

司马迁在《史记·平准书》中,有一段关于当时经济形势的记述,形象具体地反映了国家经济实力的充沛和民间经济生活的富足:从汉初经历文景时代至于汉武帝即位之初七十年间,国家没有经历严重的政治动乱,又没有遭遇严重的水旱灾荒,于是民间家给户足,城乡的大小粮仓也都得以充实,而朝廷的财政也历年有所盈余。京师的钱财累积至于千百万,以致钱贯朽坏而没有办法清理点校。国家粮仓太仓的存粮年年堆积,陈陈相因,至于满溢而堆积于露天,导致腐败而不可食用。民间大小民户都风行养马,阡陌之间驰游成群。人们竞相逞示富足,骑乘母马的人,甚至没有资格参与乡间聚会。

农耕经济的空前发展,使得粮价普遍降低。楚汉战争前后,有一石米价格值万钱的记载。而汉文帝时,谷价仅一石数十钱。根据司马迁在《史记·律书》中的说法,当时粮价甚至有曾经达到每石粟仅仅十余钱的历史记录。

游戏结了死仇

　　《史记·孝景本纪》说,汉景帝刘启在汉文帝刘恒的儿子中,既不是长子,也不是少子。为窦姬所生。刘恒在代地时,代王后曾经为他生了三个儿子,王后和这三个儿子都先后去世,于是刘启得以继立。

　　《汉书·外戚传上·孝文窦皇后》的记载略有不同。说到代王王后生子四人。王后在刘恒尚未即帝位时就已经去世,此后所生四子都病死。在选立太子时,窦姬所生刘启年龄最长,于是得立。窦姬随即也成为皇后。

　　窦姬是清河郡(郡治在今河北清河东南)平民女子,吕后当政时,以良家子身份被选入宫。吕后决定出宫女赐诸侯王,每位诸侯王五人,窦姬也在名单之中。因为出身清河,希望能够前往赵国(首府在今河北邯郸),可以离家乡近一些,于是请求所侍奉的主人嘱托主持此事的宦官:将名籍一定安排在前往赵国的五人之中。不料主事宦官疏忽遗忘,误置名籍于代国,并且得到了吕后的批准,已经无法改动。窦姬悲伤涕泣,埋怨宦者,不愿前往,被迫方才成行。

　　但是来到代国之后,代王刘恒最为宠幸的就是窦姬。在窦姬为刘恒生了女儿刘嫖之后,汉惠帝七年(公元前188年),刘启降生了。

　　人们都熟悉汉元帝时因后宫画师作弊,王昭君嫁为匈奴阏氏的故事。窦姬的遭遇,也是因为宦者的有意或无意的疏误而引起的。不过就她个人的生活道路来说，却是由不幸而幸。就历史的发展路径来看，也可以说，如果没有当时那位宦官偶然的失误，也就不会有后来的汉景帝，可能也就不会发生后来汉景帝时代的若干历史变化了。

东汉开国帝王汉光武帝刘秀，是汉景帝的儿子长沙定王刘发之后。刘发的出生，据说也是由于后宫中偶然的历史误会。这是汉景帝时代的事。这一点，我们在下文将要说到。

汉文帝是公元前180年从代地入长安，继承帝位的。

仅仅几个月之后，刘启就被立为太子。

被立为太子的刘启，当时只是一个九岁的儿童。

关于刘启的儿童时代生活的资料，我们所知道的过于简略。目前只能够推测，从很快就被朝廷百官以所谓"敦厚慈仁"的印象立为太子的迹象看，他或许与汉文帝刘恒同时，或者在稍后不久就来到了长安。西汉长安在今陕西西安西北，而代国的首府晋阳，地在今山西太原西南。对于一名八九岁的贵族儿童来说，千里驰行的旅途经历，应当说是极不寻常的。而两汉帝王中在儿时有这样的行旅生活经历的，可能也只有汉景帝一人。

长安宫廷中绮阁金门、锦衣玉食的生活情景自然可以想象。能够引起人们特别注意的，是这样一个故事。司马迁在《史记·吴王濞列传》中记载，汉文帝当政时，吴太子曾经晋见，与皇太子刘启宴饮博戏。博戏时双方发生争执，吴太子性格蛮横，言行有失恭敬，皇太子愤怒，以类似于棋盘的"博局"掷击对方，竟然致死。皇家贵族少年游戏时骄悍相争的态度，描述得十分生动。

吴王刘濞是刘邦的哥哥刘仲的儿子。二十岁时，曾经从刘邦平定黥布反叛，被刘邦立为吴王，封地有三郡五十三城。

据《史记·吴王濞列传》记载，汉高祖刘邦封刘濞，刘濞已拜受印，刘邦又召刘濞近前，仔细端详其面相，说道：看你的面容有反叛之相。他心中不免暗自悔恨，但是已经举行过仪式，不便悔改，于是手拊其背，又说道：再过五十年，有人将在东南方向发起变乱，难道就是你吗？不过，你要记住天下同姓为一家也，一定要老老实实，不得反叛！刘濞顿首保证说：不敢。

刘启少年时因六博游戏争道，以博局相掷击，误杀吴太子，自此与吴王刘濞结怨。

吴太子棺柩被送回吴国，吴王愤愤地说：天下刘姓都是一宗，"死长安即葬长安，何必来葬为！"宣称死在长安就葬在长安罢了，何必归葬！于是吩咐将棺柩送还长安埋葬。刘濞此后心中深埋怨恨，于是不再遵守藩臣的礼节，借口患病，不再往长安朝见天子。

京师推想刘濞失藩臣之礼，称病不朝的原因，一定是因为吴太子的缘故，于是审问吴国使者，刘濞内心恐惧，逐渐滋生反叛之心。

后来刘濞派使者到长安向天子致礼，汉文帝又询问使者。使者答道：其实，吴王现今确实并没有什么严重的疾病，但是朝廷多次审讯吴使者，吴王心中惶恐，因此称病。《文子》说，"察见渊中鱼不祥"。察见臣下的隐私，会使忧患萌生，导致不祥。请求陛下忘记吴王以前的过失，给他改过自新的机会。汉文帝于是释放了吴国使者，又赐予吴王几和杖，以其年老，准许他可以不必上朝。

吴楚七国之乱爆发时，曾经以"博局"掷杀吴太子的汉景帝刘启年三十四岁，时吴王刘濞已经拒绝上朝二十余年，可知吴太子因博争道而致死时，尚是少儿。

《后汉书·孔融传》说，孔融五十六岁时被曹操处死，当时，女儿年七岁,儿子年九岁,因为幼弱得以保全。而孔融被拘执时,据说两个孩子正在"弈棊(棋)"。由孔融子女"弈棋"事迹,可以知道"博"以及"弈棋"一类智力竞技形式,曾经是当时上层社会儿童游艺生活中主要内容之一。

考古工作者在汉景帝阳陵南阙门遗址的发掘中,发现了一件陶质汉代围棋棋局残件。这件围棋棋局,虽然不是皇家贵族用物,但是因为出土于汉景帝陵园,也很自然地会使人联想到汉景帝刘启少时与吴太子争博的故事。

皇太子刘启因游戏时的争执竟然出手伤人,致死人命,是中国古代宫廷史中引人注目的一则史例。这位后来成为一代明君的历史人物在少年时期形成的性格特征,也通过这一故事有所透露。

清君侧

吴地豫章郡（郡治在今江西南昌）有铜矿，又拥有沿海盐产等优越的经济条件，得铸钱和煮盐之利，于是国用饶足。国家不向百姓征赋，朝廷调发徭役时，吴王代百姓出钱以为偿代。又定时慰问地方有才之士，赏赐乡里有功人员。其他郡国的逃亡者来到吴国，追捕官吏要求送还，一律予以拒绝。

吴王刘濞利用铜山海盐的资源优势，吸引人口，发展经济，积累三十余年，得到国中民众的拥戴。这样的形势，使中央政府产生了权益受到侵夺的感觉。

汉文帝时，晁错就曾经数次上书指责刘濞的罪过，建议削其国土以为惩戒。汉文帝宽仁，不忍处罚，而刘濞则愈益骄横。

汉景帝即位后不久，升任御史大夫的晁错又提醒汉景帝重视一些诸侯王与朝廷分庭抗礼的倾向。他说，刘濞长期以来，骄恣无度，又即山铸钱，煮海为盐，招诱天下流亡人口，预谋发动动乱。现在，削夺其封地，可能会发生反叛；可是不削夺其封地，也会发生反叛的。削之，则反叛较早，祸害较为轻微；不削，则反叛较迟，祸害将会更为严重。

晁错又因楚王刘戊的过失，建议削夺其东海郡（郡治在今山东郯城）。此前赵王刘遂封地中的常山郡（郡治在今河北元氏西北）被削夺，胶西王刘卬也被削夺六县之地。

汉景帝刘启在"吴楚七国之乱"中，被迫诛杀晁错。

正在朝廷讨论削吴事宜，尚未作出决策的时候，刘濞听到讯息，担心削地将没有止境，最终必然导致亡国，有心发谋举事。他听说胶西王刘卬勇武好战，诸侯皆畏惧，于是派中大夫应高前往联络。

应高来到胶西国，对刘卬说：现在主上任用邪臣，听信谗言，侵削诸侯，诛罚严酷，得寸进尺，越来越苛刻无理。吴国和胶西国都是知名诸侯，现在也受到监视和约束，不能自安。吴王身患内疾，二十余年不能朝请，经常受到猜疑，无法自白，谨小慎微，仍然不能得到宽恕。听说大王也因事得罪朝廷，又风闻朝廷将有削地的举措，按照常理，其实罪不当至于此，但是按照现在朝廷的政策，可能最终受到的惩罚不仅仅是削地呢！

刘卬说：确实如你所说，那么，你认为应当怎么办呢？

应高说，吴王自以为与大王同忧，愿意因时循理，牺牲个人以为天下除患，大王以为如何？

刘卬大惊，说道：寡人怎么敢如此呢！主上纵然相逼甚急，也只有一死而已,怎么能够不服从天子,不侍奉天子呢?

应高说:现今御史大夫晁错迷惑天子,侵夺诸侯,诸侯都有背叛之心,人心不安,已经到了极点。而彗星出,蝗虫起,都是天下大乱的征兆,这是万世一时的机会啊。而只有经历艰难困苦,方可以成就圣人。吴王愿以诛晁错为愿,追随大王后车,纵横天下,必然所向者降,所指者下,莫敢不服。如果能够得到大王一句表示赞同的许诺,则吴王将约合楚王攻函谷关,守荥阳,据有敖仓积粮,抗拒汉军,准备休息之处,等待大王。大王如果能够亲临主持战事,则天下可并,两主分割,不亦可乎! 刘卬同意了。

应高得到刘卬的承诺,回报吴王。吴王刘濞仍然以为未必可靠,又亲自前往胶西国,与胶西王刘卬当面约定联军西进的计划。

胶西国群臣听说刘卬和刘濞的阴谋,谏阻说:诸侯之地不能当汉帝国的十分之二,为叛逆之举以使太后心中担忧,不是可行之计。现在天下承一帝,尚且都说不易,假令事成,两主分争,一定会增生更多的祸患的。

刘卬不听劝阻,派使者与齐国、菑川国、胶东国、济南国相约,都得到参与反叛的许诺。

不久,朝廷削吴会稽、豫章两郡的诏书果然颁布,刘濞于是正式约胶西、胶东、菑川、济南、楚、赵诸国一同反叛。

汉景帝三年(公元前 154 年),史称“吴楚七国之乱”的吴王刘濞、楚王刘戊、赵王刘遂、济南王刘辟光、菑川王刘贤、胶西王刘卬、胶东王刘雄渠的联合叛乱终于爆发。

叛乱发起之初,叛军尚未正式和汉王朝的军队交兵,七国的战旗就已经沾染了血腥。一些中央派往各国的重要官员和反对起兵的大臣都遭到残酷杀戮。吴王刘濞诛杀二千石以下的汉吏。楚相张尚、太傅赵夷吾劝阻楚王刘戊,被刘戊处死。赵相建德和内史王悍谏止赵王刘遂,也被杀害。

齐王起先同意起兵，后来又反悔，以胶东王、胶西王为首，两国军队与葘川国、济南国的军队合力攻齐，合围齐国都城临菑。

叛军以诛贼臣晁错，"清君侧"，"以安刘氏"为名，军势浩大。刘濞举事，闽越、东越也曾发兵追随。据说赵王刘遂甚至还私下派使者联络匈奴，希望能够发军策应。

刘濞倾全国兵力北进，又号令国中，宣布：寡人年六十二，亲自作统帅，少子年十四，亦为士卒先。国中凡年龄上与寡人同，下与少子等者，皆动员从军。吴军调发二十余万人，于广陵发军，渡淮而进，与楚军会合。又派遣使者致书各诸侯国，公布晁错罪状，希望各国合兵诛之。

刘濞发布致诸侯书，宣称此次起兵的原由，是汉王朝有贼臣专权，本无功于天下，却蓄意侵夺诸侯国土地，歧视虐待刘氏骨肉，使国家社稷受到危害。而陛下多病志失，不能省察。他号称吴国可以动员五十万精兵，再加上南越军队随从北上的，又可得三十万人。

刘濞部署了各诸侯国军队的进军路线。他还依恃吴国财力之富足，宣布了赏赐军功的等级，能够斩捕汉王朝军队各级军官的，分别给予金五百斤到金五千斤的奖赏，能够招降汉军士吏的，也分别情形给予奖赏。刘濞表示各诸侯国军队对军功的物质奖励，都可以由吴国承担。

这是一篇重要的政治文告，其文词之狂傲，鲜明地体现出吴王刘濞的个性。

刘濞的致诸侯王书，由于有"汉有贼臣"，以及"陛下多病志失，不能省察"的话，明确是以晁错作为攻击目标的。因此一般都把刘濞的这一反叛文书，看作"清君侧"的宣言。

所谓"清君侧"，是说清除帝王身边的奸臣、贼臣。《公羊传·定公十三年》已经有"逐君侧之恶人"的说法。而历史上"清君侧"之最典型的例子,还是汉景帝时代吴王刘濞以"清君侧"为口号,借诛晁错为名,发动吴楚七国之乱的事件。"清君侧",后来已经成为一种历史上惯见的政治策略的定式。

刘濞"清君侧"的口号提出,是表现出一定的政治策略眼光的。

自汉景帝当政后,晁错确实虽"无功天下",却取得了一人之下,万人之上的特殊的权位。晁错经常向汉景帝提出有关朝廷大政的建议,每每为景帝所采纳,于是深受信用,势压九卿,基本执政方针和具体的政策策略因他的提议多有更改。一年之内,晁错又升任御史大夫,成了地位最显赫的朝臣。

御史大夫的地位仅次于丞相,而高于九卿。其职责是辅助丞相,总理国政。御史大夫多是从皇帝左右亲信中提任,所以虽然是"贰于丞相"的副职,但是和天子的关系却更为密切。另一方面,丞相位高权重,皇帝不便随时差使,有时候有些事甚或是不愿差使,而宁愿差使御史大夫。御史大夫的职权和地位虽然低于丞相,但是由于主管图籍秘书和四方文报,又熟知法律条文,因此握有考课、监察和弹劾百官的实际权力,这种权力甚至有时可以超越丞相。事实上,御史大夫和丞相,其职权既相辅助,又相制约,所以当时不仅有将御史大夫称为"副丞相"的说法,也有将御史府和丞相府称为"两府"和"二府"的说法。

晁错地位的急速上升,使人难免有皇权遭到侵夺的疑心。而他本人"无功天下"而骤得大位,迅速暴发的事实,也容易使朝廷上下以及地方官员们心怀不平。事实上,以"清君侧"作为口号,可以在多数官僚的心弦拨动低沉的一响,于是争取其内心的称许和同情。甚至对晁错深怀信任的汉景帝,也可能从"陛下多病志失,不能省察"一语中读出似乎在批评背后隐含的某种支持。

在复杂危急的形势下,汉景帝曾经一度犹疑,而最终对于晁错的态度,前吴相袁盎的建议起了决定性的作用。

袁盎,原本是楚人,因父亲曾经有武装反抗政府的经历,被强迫迁徙到安陵。袁盎在吕后当政时曾经任吕禄的舍人,汉文帝即位后任为中郎。

汉文帝曾经从霸陵上驱车驰下峻阪。袁盎骑从,与车并列时拉住辔绳。汉文帝说:"你胆怯了吗?"袁盎说:"臣闻千金之子坐不垂堂,百金之子不骑衡,圣主不乘危而徼幸。今陛下骋六骓,驰下峻山,如有马惊车败的事故发生,陛下纵然可以自己不看重自己,又怎么向先祖宗庙和太后交代呢?"汉文帝于是不再坚持。

有一天,汉文帝来到上林苑,皇后和汉文帝所爱幸的慎夫人陪从。他们在宫中时,常常同席而坐。安排座位时,当时任中郎将的袁盎领慎夫人坐到较偏次的一席。慎夫人面有愠色,不肯坐。汉文帝也愤然而起立。

回到宫中之后,袁盎对汉文帝说:"臣闻尊卑有序则上下和。今陛下既然已经立皇后,慎夫人只是妾而已,妾和主妇怎么可以同席而坐呢!如果这样,就乱了尊卑秩序了。而且陛下一旦亲幸,就予以厚赐。陛下这样看起来是对慎夫人好,然而恰恰是在危害慎夫人。陛下难道不知道吕后迫害戚夫人使之成为'人彘'的教训吗?"于是汉文帝方才气平,又召见慎夫人,把袁盎这番话告诉她。慎夫人从内心感谢袁盎,赐予他黄金五十斤。

可见,袁盎是在上层政治生活中权术熟练的明智之士。他的政治性格,既有清醒刚直的一面,也有圆滑狡黠的一面。

不过袁盎也因为多次直言批评汉文帝的行为,不得长期在政治中枢任职,调为陇西(今甘肃临洮)都尉。他对士卒深怀仁爱之心,士卒们都争先为他效死。后来又迁为齐相。接着又转任吴相,有人对他说:"吴王骄横日久，国多奸邪。现在如果有心劾治，他如果不上书举告君，也一定会利剑刺杀君的。南方地势卑下，气候潮湿，君能天天饮酒，时常劝诫吴王不要反叛就可以了。这样或许可以免除灾祸。"袁盎听从了这一建议，吴王也待之以优厚的礼遇。

袁盎和晁错素来不和。晁错在座的场合，袁盎往往回避。晁错对于袁盎也同样。两人竟然长期未曾同堂对话。

汉文帝死后，汉景帝即位，晁错升任御史大夫，曾经派属下调查袁盎私自接受吴王财物事，判定有罪，汉景帝颁布诏书予以宽赦，于是只是免去官职成为庶人。

吴楚起兵反叛的消息传到长安，晁错与下属官员商量："袁盎多受吴王金钱，特意为其掩饰，说吴王不会反叛。现在果然发起反叛，应当逮捕袁盎，严加审讯，了解他们反叛的阴谋。"下属官员答道："反叛尚未发起时，惩处参与者或许可以预先制止阴谋。现在叛军已经西进，逮捕审讯袁盎又有什么作用呢？况且，推想袁盎也是不会参与反叛的预谋的。"

晁错犹豫未决时，有人已经将消息传递给袁盎。袁盎恐惧，连夜求见窦婴，陈说吴王所以反叛的原因，希望能够在皇帝面前说明形势。窦婴请示汉景帝，汉景帝召袁盎入见。

袁盎进宫时，汉景帝正与晁错在商讨调集军粮问题。

汉景帝问袁盎：现在吴、楚反叛，你是怎样看待局势的？

袁盎答道：不足忧也。

汉景帝说：吴王即山铸钱，煮海为盐，招诱天下豪杰。他在白头之年举事，如果事先没有筹划百全之计，难道能够轻易发兵吗？你怎么会认为他不会威胁国家呢？

袁盎说：吴国在铜、盐等战略资源方面占有优势，是不可否认的，但是他哪里能够招诱到真正的豪杰呢？如果吴王真的得到豪杰，也会辅助他遵行礼谊，不会造反了。他所招诱的实际只是无赖子弟、逃亡人口、盗铸钱币的奸人而已。正因为如此，才导致了变乱。

晁错在一旁说，袁盎的分析是正确的。

汉景帝问：那么，用怎样的策略才能平定叛乱呢？

袁盎请求汉景帝屏退左右，汉景帝于是挥手让侍臣退下，只留下晁错一人在场。袁盎说：我的建议是不能够让臣子得知的。汉景帝又示意晁错退下。晁错不得不回避于东厢，而内心已经暗怀深恨。

袁盎对汉景帝说，吴王和楚王相互致书，说高皇帝子弟各自得到封地，今贼臣晁错擅自贬斥诸侯，削夺其封地，这正是吴楚等国所以反叛的原因。他们的目的，是要西进以诛杀晁错，恢复旧时封地。方今退吴楚之兵的良策，只有立刻斩晁错以向诸侯致歉，派遣使者宣布赦吴楚七国发军之罪，才可能兵不血刃而使七国叛军退去。

汉景帝沉默许久，说道：还有什么别的办法吗？又说：如果能够只是愧对一人而有益于天下，我是愿意的。

袁盎说：愚臣出此计，可能没有更好的选择了，愿陛下深思。

汉景帝原本有心按照晁错的筹划削弱诸侯国的势力，但是对于朝廷的军事政治实力又缺乏自信，这时已经倾向于袁盎的意见。他任命袁盎为主管宗庙礼仪的太常。袁盎于是位列九卿。汉景帝又任命晁错削藩的坚定的反对派窦婴为大将军。袁盎和窦婴原先私交很好，现在因吴楚七国之乱而空前显赫，一时长安和长安附近诸陵的社会上层人士都争先追附他们。窦婴、袁盎出行时，后面随从的乘车每天往往多至数百辆。

在叛军急进，形势危急的情况下，汉景帝因袁盎的误导，产生了如果诛晁错一人则可以安定局面的错觉。

在袁盎提出斩晁错的建议十数天之后,汉景帝命令中尉召晁错,当即逮捕,载行东市。晁错身穿朝衣,在东市被腰斩。这是西汉王朝高级官员被处以死刑的第一例。

晁错升任御史大夫之后,准备清算诸侯之罪过,削其封土。这一建议上奏汉景帝后,汉景帝下令让公卿列侯宗室集体讨论,大都表示赞同,只有窦婴一人提出反对意见,从此与晁错政见往往相异。晁错更改有关法令三十章,诸侯于是都仇恨晁错。

晁错的父亲听说这一情形,从家乡颍川赶来,对晁错说:当今皇帝刚刚即位,你参与高级行政,掌握国家权力,竟然侵削诸侯,疏他人骨肉,大家议论对你多有批评怨恨之言,你应当深思,这究竟是为什么!

晁错回答说:这实在是没有办法的事啊,天子不尊,则宗庙不安。

晁错的父亲则说:按照你的办法去做,姓刘的家里安定了,可是我们姓晁的家里却危险了。我现在得向你告别了!于是饮药自杀。他临死之前感叹道:吾不忍见祸及吾身。

这位老人死后十余日,吴楚七国果然反叛,而果然以诛晁错为名。汉景帝听从窦婴、袁盎进言,竟然下令杀晁错。

晁错死后,汉景帝派袁盎和曾经与吴王刘濞有特殊关系的宗正德侯刘通一同出使吴国,期求吴王退兵。袁盎以太常身份,一同来到已经在围攻梁国的吴楚军前。刘通通知吴王拜受诏书。吴王刘濞轻蔑地笑道:"现在我已经为东帝,难道还要拜别什么人吗?"汉王朝期望杀晁错以使吴楚退军的幻想彻底化作泡影。

明代思想家李贽在《史纲评要》中记述晁错之死的文字之后写道:"'众建诸侯而少其力',此说甚是。削地致反,错之不善谋也。然袁盎借此以报私雠,其业何如?"就是说,削藩的战略意义应当肯定,但是具体步骤是否合理还可以商榷。在另一篇历史评论中,李贽给予晁错"善谋国"的主张以更高的评价,甚至说晁错的战略思想的价值,在某种意义上超过了贾谊,但是对于他与袁盎的纠纷中应当承担的责任,也并不代为隐讳。

与"削地致反,错之不善谋也"的见解相类似,张燧在《千百年眼》卷五《七国缓削则不反》中也提出了如果削藩不采取过激的方式,那么吴楚七国可能不至于反叛的观点。他说:晁错对于诸侯所谓"削之亦反,不削亦反"的判断,是有问题的,其实应当说,削藩过急则必然激起反叛,削藩从缓则可能不至于反叛。刘濞中年受封为诸侯,汉景帝当政时,已经是垂垂老者,其寿不久,如果耐心等待数年,就没有可以发起反叛的首倡之人了。七国虽然强盛,但是可以以中央政府的强权威慑之。晁错不能修养耐性,急切削藩,其身不保而国家危殆,为天下人所笑。俗话说:贪走的人会摔倒,贪吃的人会噎食,不正是说的晁错这样的人吗?

平了七国之乱

汉景帝忍痛杀晁错希望能够平息叛乱,但是刘濞却并不因此罢兵。

《史记·袁盎晁错列传》记载,晁错已死,谒者仆射邓公为校尉,在抗击吴楚叛军的军队中担任指挥官,从前线归来,上书言军事,汉景帝亲自召见,问道:"你从可以接触到吴军的地方归还,知道对方最新军情,他们得知晁错已死,将要退军了吧?"

邓公答道:"吴国策划反叛已经数十年之久,因削地而终于爆发,虽然以诛晁错为名,其真实意图其实并不在于晁错。晁错死后,臣担心天下之士将嗫口而不敢发表政见了。"

汉景帝问:"为什么呢?"

邓公说:"晁错担心诸侯强大不可扼制,所以建议削地以尊京师,这实际上是有利于汉王朝巩固万世之基的正确方针。但是计划刚刚开始实行,就陷于杀身之祸。晁错的遭遇,于内封忠臣之口,于外则为诸侯报仇,臣私下以为这是陛下不能不承认的失误啊。"

汉景帝沉默许久,长叹道:"你说得对,我内心其实也有所悔恨。"事后汉景帝将邓公提升为城阳中尉。

汉景帝此时即使有所悔恨,也已经来不及了。当时的形势是,吴楚叛军兵锋凌厉,席卷淮河南北,又矛头西向,京师为之震动。而胶东国、胶西国、菑川国、济南国军队合力攻齐,对齐国都城临菑形成铁围,齐鲁大地历代文化积累和汉文帝以来经济恢复的收获也毁于兵燹。

司马迁在《史记》中记述了吴王濞叛军中周丘在下邳(今江苏邳县南)、城阳(今山东莒县)等地大破汉朝政府军的故事。

周丘是吴王刘濞的宾客。吴军起事,未渡淮水时,诸宾客都分别得到将、校尉、司马等职任,只有周丘不得任用。周丘是下邳人,亡命于吴,终日饮酒,毫无专长,不为吴王刘濞看重,因此没有任命。周丘进见刘濞,说道:"臣因无能,不能效力军中。臣不敢得到统领部队的职权,只是希望得到一汉节,一定可以对君王有所报答的。"刘濞于是答应了他的请求。

周丘得到汉节,连夜驰入其故乡下邳。当时下邳得知吴王反叛,全城守备森严。周丘以汉节得以入居传舍,以汉使者的身份召见县令。县令来见,周丘命从者立即将其斩杀。又召集其家族亲戚所熟识的县中有才干有影响的吏员,对他们说:"吴国叛军即将兵临城下,屠下邳城不过只是一顿饭的工夫,如果现在归从,全城老少都可以得以保全,你们这样的能者,还有封侯的机会。"因周丘的煽动,下邳全城投降吴军。周丘一夜得三万之众,他派人归报吴王,并率领这支部队北上攻略城邑。兵临城阳时,部众已经多达十余万,大破城阳中尉军。

汉景帝委任邓公为城阳中尉,可能正是因为原先的城阳中尉已经阵亡的缘故。如果邓公原来就是城阳中尉属下的校尉,那么可以推知,汉景帝一定较为具体地从邓公口中得知了城阳中尉军大败于周丘军前的实际战况。

吴楚七国的反叛,形成西汉时期最严重的内乱。西汉王朝经历着最严峻的政治考验。

在这危难之秋,汉景帝想起了父亲生前的嘱咐:"一旦形势危急时,周亚夫是可以担当军事重任的。"

事情的缘由是这样的。汉文帝后六年(公元前158年)冬,匈奴南侵,汉文帝下令边防部队备战,关中也强化防务,以周亚夫为将军,驻军于细柳;刘礼为将军,驻军于灞上;徐厉为将军,驻军于棘门。

汉文帝亲自前往灞上、棘门、细柳三地劳军。至灞上及棘门军,皇帝的车队都直驰而入,将军率领部下乘骑列队送迎。然而来到细柳军时,看到军士吏都身被甲胄,如临战态势,手持锐利兵刃,拉满弓弩,箭在弦上。天子先驱来到营门,不得进入。

先驱说:"天子即将驾临!"军门都尉则说:"将军令曰:'军中闻将军令,不闻天子之诏。'"

不一会儿,汉文帝车队来临,果然仍不得进入。于是汉文帝派使者持节诏告将军:"吾欲入劳军。"周亚夫这才传令打开营壁大门。

守卫营壁大门的士吏对从属车骑宣布:"将军约令:'军中不得驱驰!'"于是天子乘车也不得不按辔缓行。汉文帝车驾来到营中,将军周亚夫手持兵器行礼,说道:"介胄之士不拜,请以军礼见。"天子为之动容,肃立车上,派人致意,宣称:"皇帝敬劳将军。"礼毕即离去。

既出军门,群臣都为此惊叹。汉文帝说:"啊,这才是真将军啊!前此灞上军和棘门军,简直如儿戏一般,敌军如若袭击,是可以俘虏其将领的。至于周亚夫,可得而犯邪!"

于是汉文帝临终时,对于太子有周亚夫可以在危难时将兵的告诫。汉文帝去世,汉景帝即位后即拜周亚夫为车骑将军。

面临吴楚七国之乱,汉景帝任用周亚夫为太尉,作为最高统帅,往东方平定叛乱。太尉周亚夫受命率三十六将军平定吴楚之乱。

出征前,周亚夫请示汉景帝:"楚兵剽轻,难与争锋,我准备放弃梁国,断绝叛军运粮道路,以此制敌,当获全胜。"汉景帝批准了周亚夫的计划。

一方面"难与争锋",一方面"不能久",指出了吴楚叛军的实力特征,周亚夫的正确的战略方针,也因此而确定。汉景帝对于周亚夫制定的克敌方针的肯定和支持,是平叛战事终于取胜的最重要的条件。

周亚夫乘坐当时驰传系统中等级最高的"六乘传"出发平叛。"六乘传"见诸史籍只有两例,另一例是汉文帝以代王身份入长安继承帝位时,也曾经乘坐"六乘传"。周亚夫行至长安以东的灞上,赵涉阻挡车队,劝告说:"吴王长期以来财力雄厚,豢养一批敢死之士。现在知道将军将要东行,一定会派遣间谍刺客潜伏于殽山、渑池地方的崇山险道之间等待。而且兵事神秘,军机不宜泄露,将军何不由此折向右行,走蓝田(今陕西蓝田西),出武关(今陕西商南南),抵雒阳(今河南洛阳),行程相差不过一两天,至雒阳后,直入武库,击鸣鼓,东方诸侯闻之,将以为将军从天而降也。"赵涉的建议,不仅能够避开吴王派遣的刺客,也有益于保守军事机密,可以予叛军以突然的震撼。

周亚夫采纳了赵涉的建议,从武关道迂回抵达雒阳。他派人搜查殽山、渑池之间,果然发现了吴王派置的伏兵。周亚夫以赵涉建议的正确,向汉景帝推荐,任用他为护军。

周亚夫来到雒阳,见到大侠剧孟,高兴地说:"七国反叛,我乘传至此,没有想到雒阳能够保全,而吴楚举大事而不求得剧孟,我知道他们是不会有什么大作为的了!"周亚夫以剧孟归属测知敌方政治战略水准的这一见识,反映了军事不仅是武力的竞争,而且必须以争取民心为基础的思想。

周亚夫率军行至淮阳(首府在今河南淮阳),询问父亲周勃的老下属邓都尉,应当如何确定作战策略。邓都尉说:"吴楚叛军锋芒锐利,而难以持久,我军不必与之争锋,可以从容等待,察知其弊弱,然后破之。方今为将军筹划,不如引兵东北,在昌邑筑作工事,将梁国让给吴王,吴王一定倾其全军精锐攻之。将军深沟高垒,并派遣轻兵控制淮泗之口,断绝吴军粮道。吴国和梁国相互削弱而粮草竭尽,我军乃可以用强健之师击其疲惫之旅,必然可以破吴。"

邓都尉的计谋与周亚夫的战略构想相一致。周亚夫于是引兵东北,坚壁昌邑(今山东金乡西)以南,隔断吴楚与胶西、胶东、菑川、济南、赵诸国叛军的联络,放弃梁国,使吴楚兵在攻梁的战役中消耗实力,又派遣轻骑兵在弓高侯率领下据淮泗口截断吴军粮道。

吴军渡淮以后,与楚军会合,西攻棘壁(今河南永城西北),大败汉军,又乘胜进军,兵威甚壮。梁孝王恐慌,遣六将军击吴。吴军又击败梁军两将,梁军部众溃散。梁孝王数次遣使者到周亚夫军前求救,周亚夫不派一兵一卒救梁。梁孝王又派使者往长安,在御前控告周亚夫,汉景帝于是派人指示周亚夫援救梁国,周亚夫坚持"军中闻将军令,不闻天子之诏"的原则,依然不遵行诏令。梁孝王令韩安国及张羽为将军,用人得当,于是屡败吴兵。

吴军欲西进,梁城坚守,使吴军不敢西行,于是进犯周亚夫军,两军会战于下邑(今安徽砀山)。吴军因粮道已经被汉军断绝,力求速战,周亚夫军坚守营垒,任吴兵数次挑战,仍不肯出战。吴军粮草竭尽,士卒饥苦,又夜攻周亚夫军营垒。汉军军中相惊,士卒相互攻击扰乱,周亚夫卧于帐中不起,直到营中平定。吴军在东南方向大造声势。周亚夫命令加强西北方向守卫,果然吴军暗中集聚力量以精兵强攻西北。吴军未能找到突破口,只得撤退,汉军乘机反击,吴军大败,士卒多饿死,部众叛离溃散。

于是吴王刘濞弃其军,与其麾下壮士数千人乘夜色逃遁,渡江奔走丹徒(今江苏镇江东),企图保有东越。刘濞得东越兵士大约万余人,于是又派人收聚败军逃散之卒。

汉军悬赏千金求购吴王刘濞首级。汉王朝又派使者致礼于东越,说服东越站在中央政府一边。东越人欺骗吴王,诱使吴王出劳军,使人刺杀吴王,盛其头,驰传送往长安。吴军于是全军溃败,大多向周亚夫军及梁军投降。

楚王刘戊的军队大败,刘戊自杀。

吴王刘濞军败后,汉景帝对于全面平定叛乱,发布了语词严厉的诏书,他亲自谴责七王反叛的罪恶,以除恶务尽的原则,号令政府军上下全力"击反虏","深入多杀为功",指示对叛军三百石以上的军官"皆杀之,无有所置"。又宣布对这一诏书不得讨论,敢有非议及不执行的,都处以腰斩之刑。

胶西王、胶东王和菑川王率领的军队围攻齐国临菑(今山东淄博东),强攻三月未能攻破。汉王朝援兵至,胶西王、胶东王、菑川王各引兵归国。

汉军将领弓高侯穨当致书胶西王说:"我军奉诏诛灭不义,降者可以赦免其罪,恢复旧有的地位待遇;不降者灭之。王何去何从,应当尽快择定。"胶西王于是肉袒叩头,至汉军营垒请罪,沉痛地说:"臣刘卬奉法不谨,惊骇百姓,乃劳苦将军远道至于穷国,敢请菹醢之罪。"弓高侯穨当执金鼓接见他,说道:"王亦为军事所苦,希望听到对为何发兵反叛的解释。"刘卬于是顿首膝行,回答道:"晁错得到天子信用,擅自变更高皇帝法令,侵夺诸侯封地。刘卬等以为不义,担心其败乱天下,于是七国发兵,且以诛晁错。现在听说晁错已经被处死,刘卬等谨以罢兵归国。"将军穨当说:"王如果以为晁错不善,何不告知皇帝?竟然在没有诏书虎符的情况下擅自发兵攻击守义之国。以此看来,真实意图并不是要诛晁错。"于是乃出诏书向刘卬宣读。宣读完毕,说:"王其自图。"胶西王说:"像我刘卬这样的，可以说死有余辜。"于是自杀。太后、太子皆死。

胶东王、菑川王和济南王也都被迫自杀，国号被废除，国土归于汉王朝。

郦将军围赵十月，终于攻陷，赵王自杀。

济北王因为被迫附从的缘故，得以免除死罪，改封为菑川王。

吴楚叛乱发生于正月，三月即告基本终结。西汉王朝凭借数十年来所奠定的稳固的政治基底以及所积累的雄厚的经济实力，迅速平定了这次大规模的内乱。

吴楚七国之乱的平定，使汉王朝建立以来最严重的政治危机得以缓解，汉景帝也因经历了极其严峻的政治考验，对于国家的政治控制力有显著的增强。

汉景帝在处分有罪的诸侯，明令其"国除"之外，也对其他王国进行了必要的政治整理。首先，汉景帝乘势收夺诸侯王国之支郡边郡属汉，此外又有改封、徙封等调整措施。而当时总的趋势，是诸侯地方分据势力显著削弱。

例如，特意以续楚元王之后的刘礼为楚王，而其实当时他的楚国仅有彭城（今江苏徐州）及其邻近数县之地。而代国其实也只剩下太原（郡治在今山西太原西南）一郡，其定襄郡（郡治在今内蒙古和林格尔西北）、雁门郡（郡治在今山西左云西）、代郡（郡治在今河北蔚县东北）三个边郡都已经归属中央。

晁错削藩的举措得到汉景帝的认可，其实是因为君臣之心相互印合。汉王朝最高统治者内心久有抑制诸侯势力的期望，只是没有合适的机遇和有效的措施。汉景帝三年的空前动乱，一时使帝王为诸侯的强悍所震惊，而叛乱的平定，又使得削藩成为顺理成章的事。

　　不过,我们看到,在一些诸侯国"国除"和一些诸侯王的封地有所调整之后,汉景帝又分封了自己的儿子为新的诸侯王。

　　一些旧有的诸侯国被翦灭,一些新立的诸侯国又出现了。尽管总的趋势是中央政府的实际行政权力有明显的增强,不过汉景帝继续封王的做法,说明他对于地方诸侯威胁中央的历史有切身的感觉,但是其内心有关中央集权政体的进步意义的觉悟程度,其实依然是有限的。

　　值得注意的是,汉景帝前一代帝王——他的父亲汉文帝,以及后一代帝王——他的儿子汉武帝,都有曾经作为诸侯王的经历。这或许恰好可以反映西汉前期天子与诸侯关系的复杂背景。

　　不过,作为天下至尊的皇帝,对于诸侯国的政情有一定的了解,可能也是有一定好处的。

唐姬误会

唐姬本来是汉景帝后宫妃子程姬的侍女。

程姬是鲁恭王刘余、江都易王刘非和胶西于王刘端的母亲,曾经深得汉景帝宠爱。

据《史记·五宗世家》记述,一次,汉景帝召幸程姬,程姬正逢月经,不便进侍,于是将身边侍女唐儿梳洗装扮,送到汉景帝宫中。

汉景帝醉而不知,以为程姬而幸之,于是唐儿怀孕。汉景帝酒醒之后方才发觉并非程姬。等到所怀皇子生产,命名为刘发。

刘发于汉景帝二年(公元前 155 年)因皇子出身而封为长沙王,据说是因其生母身份低微,所以封于卑湿贫国。

据说,汉景帝后元二年(公元前 142 年),诸王来到长安朝见天子,汉景帝诏令在廷前歌舞祝福。长沙定王刘发只是勉强展袖,略微举手,左右见他动作笨拙,不免发笑。汉景帝心中诧异,问其缘由。刘发回答说:"臣国土褊狭,地域窄小,容不得回旋。"汉景帝于是下令将朝廷直属的武陵郡、零陵郡、桂阳郡三郡地方划归长沙国。

当然,这只是一种传说。其实,有的学者已经指出,当时长沙国的全部国土,其实仅仅只有一郡之地。

《后汉书·孔融传》说,曹操通令禁酒,孔融屡屡反对,而且"多侮慢之辞"。李贤注引孔融与曹操书，说到"酒之为德久矣"的事实，如"天垂酒星之燿，地列酒泉之郡，人著旨酒之德"等等，也说到饮酒的种种好处。其中就说道："高祖非醉斩白蛇，无以畅其灵。景帝非醉幸唐姬，无以开中兴。"

孔融反对酒禁，列举酒在政治史中的作用，以为酒并不"负于政"，其中所谓"景帝非醉幸唐姬，无以开中兴"，说的正是唐姬误会。

汉光武帝刘秀是唐姬之子长沙定王刘发之后，所以有"景帝非醉幸唐姬，无以开中兴"的说法。这虽然也是"侮慢之辞"，但是又有游戏文字的性质，不过，却说明了汉景帝"醉幸唐姬"虽然是宫廷秘事，竟然得以流传广泛。

四六

汉武帝了不得

刘邦在打完项羽的时候，把三十九郡的秦朝天下接收下来，自己留下十五郡作为汉国，用集权的郡县制度直接统治，其余二十四郡分封韩信彭越等人，各成一国。不过汉国的君主称为皇帝，其余各国的君主称为"诸侯王"，位为诸侯而爵为王，受皇帝的羁縻。

等到这些异姓的诸侯王被一一削除以后，刘邦并未把他们的地盘收归中央直辖，而是改封给同姓的若干子孙，刘邦颇以为只要是姓刘的，便比外人可靠，事实证明他看错了。

到了他的孙子景帝在位之时，有七个姓刘的王爷同时造反。为首的一人是吴王刘濞，他是刘邦的侄儿，顶有钱，又顶有野心。他以江苏的地盘为根据，勾结楚王、赵王、济南王、菑川王、胶东王、胶西王，藉口朝廷中有御史大夫晁错弄权，发兵申讨。实际上他自己想做皇帝。若不是汉景帝下面有一位将军周亚夫懂得打仗，刘濞很可能代替刘景帝（刘启）而有天下，或是双方打一个平手，中国便分裂为二。

汉景帝领教了刘濞以后，就定下了一个规矩，所有王爷，都得交出他们的地盘，由中央政府即汉国皇帝的朝廷派人代管。本来，皇帝的面前有"丞相"，王爷的面前有"国相"。从此以后，国相概由中央任命，对中央负责，不对王爷负责，于是全中国恢复秦朝的集权统一制度，只是表面上多

汉武帝用四十三年打垮了匈奴,却也弄得民穷财尽。

出若干吃饭不做事的王爷与次于王爷的若干爵爷而已(周的贵族有公侯伯子男五等,汉朝的贵族只有王侯二等)。

　　景帝的儿子武帝,是个了不得的人物。他连王爷们名义上的地盘也看不顺眼,想出法子来把他缩小。他鼓励王爷们预立遗嘱,把地盘均分给若干儿子,使得每一个儿子都邀皇恩,裂土封王。这样,那些儿子们也个个满意,讨便宜的还是中央政府,一举而根绝了尾大不掉的毛病。各个王国的领域,越分越小。所以像刘濞所领导的七国造反的事便永不再有。

　　汉武帝既无内顾之忧,便能够专心对外。那时候在汉朝北方有一个强大的敌人——匈奴。匈奴虽则是游牧民族,文化比汉朝落后,但由于全国皆兵，能骑善射，所以常占上风。汉高祖（刘邦）曾经动员了三十万步兵去打他们，结果吃了败仗，被人家围住，说了许多好话，又赔了美人才被放了回来。汉武帝认为这是国耻，一心一意要报复。他也知道，非打垮匈奴，汉朝的生存不能免除威胁。因此，他就养马，练骑兵，和匈奴打了四十三个年头，或断或续，果然把匈奴的实力给摧毁了。

自然，汉朝本身，也被这四十三个年头的对匈战争，弄得民穷财尽。汉武帝却满不在乎，他除了打匈奴以外，同时还灭了两个越国（福建的东越，与广东的南越）。征服了西南夷（西康贵州一带）及昆明国（云南西部），又与帕米尔西边的大宛国打了两回。在他死的时候，中国的版图比刘邦的时候大得多了。

他筹款的方法侧重于有钱出钱的原则，凡是商人可以发大财的生意，他都抢了过来由自己做，例如开矿、冶金、煮盐、酿酒。其他的各种营业他虽不抢，也要抽一点营业税。最厉害的是财产税，不管是动产或不动产，概由物主报价照抽。如果报得不实，一经他人告密，就会充公，告密的人可获重赏。有一位姓杨名可的，竟然组织了一个告密公司，遍设私家侦探，发了不少的财，把许多有钱的人都害苦了。钱不太多的人也同样受累。至于穷人，虽然纳税较少，但由于通货膨胀的关系，活得也很不舒服。

若不是为了这一层，汉武帝的名誉在历史上要好得多，他能打垮匈奴，又扩充了很大版图，原应该享受民族英雄的名称，就因为他打得太过分，花钱太多，对老百姓太不客气，所以信奉孔夫子教训的所谓儒家即一般读书人，对他极不赞成，怪他穷兵黩武，不把他算成一个好皇帝。

其实这些读书人为了自己的利益，应该感谢他才对。是他，汉武帝刘彻，把孔子的学说定为一尊，特设若干讲座在国立的京师大学讲授。孔子以外的各家，他一概不提倡，虽则也并未禁止其流行。

他又规定，每年每郡至少要保荐两个既孝且廉的人才，送到他的面前，由他口试，合意便留下来，慢慢提拔为地方官，再由地方官提拔为中央官。他这样一来，于无意之中，给读书人，尤其是儒家一派的读书人，找到一个出路，又替中央集权制度打下良好的地方基础（由于各郡有保荐人才的均等机会，所以中央集权未曾沦落为首都或首都人的集权，中央事实上由各方面保上来的人才共同组成，享有各方面的向心力）。秦朝的中央集权之所以易于崩溃，而汉朝的中央集权之所以维持得很久，这也未尝不是一个原因呢。

不过他虽尊崇孔子，却不为孔子的学说，或汉代经生心目中的孔子学说所拘。他知道在政治的领域里，不可以一味仁慈。到了他的孙子汉元帝，便把事情弄坏了。

东方朔的政治幽默

东方朔，是汉武帝时代的人物。他作为汉武帝身边的臣子，却能够多次对身为天下之尊的帝王直接发表批评意见。

有人曾经建议扩大皇家园林上林苑的规模。汉武帝深表赞同。东方朔却说，关中土地肥沃，物产丰富，成为百姓维持生活的资本，现在取良田规划为苑囿，对国家没有益处，却使农桑之业大受侵夺。虎狼狐兔的生存空间扩大了，百姓的田园屋舍却受到破坏，让幼弱者思念故土，年长者泣涕而悲，这实在是违背了强国富民的国策啊。东方朔的意见虽然没有被采纳，却记录在史书之中，使后来的执政者可以时时接受警诫。

汉武帝时，天下习俗追逐侈靡，有虚华之风，而不注重开发实业。汉武帝问道，我要扭转风习，教化百姓，有什么好办法吗？东方朔在回答时以汉文帝为标范，赞美这位著名的崇尚节俭的帝王富有四海，而衣食器用都十分朴素，于是天下望风成俗，昭然化之。与此对比，东方朔尖锐地批评了汉武帝本人宫室服用的富丽豪华，说道："陛下消费浮侈如此，而想要让民众不奢侈失农，事之难者也！"

东方朔的政治批评，通常是以幽默的方式巧妙地表达的。

有一次，汉武帝问道："先生视朕是何等样的君主？"

东方朔回答："自先古圣王唐虞之盛世，以及周代成康之世，都不足以比喻现代的繁荣安定。现在政局，比三王时代要好，也优越于五帝时代。不仅如此，现在能够得天下贤士，高级官员都得其优选，好比任用周公、召公作丞相，以孔丘为御史大夫，姜太公为将军，皋陶为大理，后稷为司农，子夏为太常，伯夷作京兆尹长官，管仲作左冯翊长官，百里奚为典属国，柳下惠作大长秋，孙叔敖作诸侯相，子产作郡守……"

汉武帝于是大笑。

对于权贵者的霸权意识，东方朔曾经用富有生活辩证法的语言予以调侃。他说，干将、莫邪，是名闻天下的利剑，能够水上断鹄雁，陆上断马牛，但是用它们来补鞋子，却不如价值只有一钱的锥子。骐骥、绿耳、蜚鸿、骅骝，是名闻天下的良马，但是用它们来捕捉深宫之中的老鼠，却不如一只瘸腿的猫。

东方朔往往有怪诞的言论行为。他曾经当面顶撞汉武帝，又曾经在汉武帝赐宴之后将剩下的食品揣在怀中带走，甚至酒醉之后，在殿堂上撒尿。

一次，汉武帝赐从官肉，上司迟迟不来，东方朔独自拔剑割肉，对同事说："今天是伏日，应当及早回家，请受赐。"于是取肉扬长而去。上司报告汉武帝说东方朔如此这般不守规矩。第二天，东方朔上朝，汉武帝问道："昨日赐肉，是何原因竟不待诏，以剑割肉而去之？"东方朔脱帽致歉。汉武帝说："先生你也应该作点自我批评吧。"东方朔行拜礼，说道："东方朔啊，东方朔！你受赐不待诏，何其无礼也！拔剑割肉，又何其壮也！割之不多，又何其廉也！回家交给妻子，又何其仁也！"汉武帝于是大笑道："让你自我批评，竟反而自我吹嘘！"又赐酒一石、肉百斤，让他带回家交给妻子。

在本来应该自我批评的时候反而自我吹嘘，东方朔用生动的形式对这种政治生活中常见的现象进行了讽刺。

东方朔本性善谑，常以调侃之法化解矛盾，深得汉武帝的赏识。

　　东方朔以言行不凡，许多人称之为"狂人"。东方朔则说，像我这样的，所谓避世于朝廷间者也。古之人，则避世于深山之中。他曾经于酒酣之后，踞地而歌："陆沈于俗，避世金马门，宫殿中可以避世全身，何必深山之中，蒿庐之下。"

　　金马门，是宦署门。因为门旁有铜马，所以称作"金马门"。

　　东方朔承认自己的滑稽笑语，其实是一种巧妙的"避世"方式。他对当时政治的机智的批评，其中有时暗藏着原则性的反对意见。东方朔的滑稽，有时是不同政见的表现。

　　对于东方朔这样的人物能够宽容以待，也是测定汉武帝时代的政治气象的一个有趣的小小指标。

　　鲁迅在《汉文学史纲要》第九篇总结汉武帝时代文学之盛时写道："文学之士在武帝左右者亦甚众。"而东方朔等"尤见亲幸"。

　　陈直曾经著文论述西汉时期齐鲁文化人的学术艺术成就,题为《西汉齐鲁人在学术上的贡献》。其中凡举列九种,而第三种,就是"东方朔的文学"。

　　可见,东方朔是一位全面的人才。

▲四八

匈奴未灭，无以家为

唐代诗人刘驾《出塞》诗写道："九土耕不尽，武皇犹征伐。"杜甫《兵车行》也有"边庭流血成海水，武皇开边意未已"的名句，都在借古讽今，批评当朝对外穷兵黩武的政策。而字面上所说的"武皇"，都是借指汉武帝。

汉武帝是历史上著名的以"征伐""开边"成就大业的帝王。

汉武帝时代，以军事成功为条件实现了汉帝国的疆域扩张。其最重要的成就，是北边军事形势的改变。

匈奴游牧部族联盟的军事力量长期以来压迫着中国北边，使农耕生产的正常经营受到严重的威胁。在形势最严峻的时期，匈奴骑兵甚至曾经侵扰长安邻近地区。与匈奴的关系，成为汉武帝时代在对外关系方面所面临的最为严重、最为困难的问题。

汉武帝作为表现出非凡胆识的帝王，克服各种困难，发动了对于匈奴的反侵略战争。可以说，汉朝被匈奴欺负了几十年，到了汉武帝时，才开始真正还手。由于对于战争主动权的牢固把握，汉王朝对匈奴的战争后来又具有了以征服匈奴为目的的性质。

元光二年（公元前133年），汉武帝计划引诱匈奴人进占马邑（今山西朔县），以汉军三十万人伏击，企图一举歼灭匈奴军主力。不料被匈奴单于察觉，中途撤回全军。此后，匈奴屡屡犯边，汉军也多次发动反击和主动的进攻。

元朔二年(公元前 127 年),匈奴攻入上谷(郡治在今北京延庆西南)、渔阳(郡治在今北京密云西南),杀掠吏民。汉武帝命令卫青率数万大军从云中(郡治在今内蒙古托克托东北)沿黄河北岸迅速向西北挺进,一举攻占军事要塞高阙(今内蒙古乌拉特后旗东南),切断了占据河南地的匈奴白羊王、楼烦王所部与匈奴王廷间的联系。

随后,卫青又率军沿黄河西进,直下陇西(郡治在今甘肃临洮),完成了对白羊王、楼烦王所部的战略包围。

匈奴在河南地的防务全线崩溃之后,白羊王、楼烦王只得率残部逃出塞外。卫青以收复河南地的战功,被封为长平侯。

丧失河南地的匈奴贵族又连年率部袭扰汉边境。元朔五年(公元前 124 年),汉武帝又派遣卫青出击匈奴。卫青部经朔方(郡治在内蒙古乌拉特前旗南),出高阙,北出边塞六七百里,奔袭匈奴右贤王部成功。

卫青在军中被拜为大将军,取得了统率各路诸将的权力。这次战役的胜利,确保了朔方郡的安全,又切断了匈奴单于主力与占据河西地区的休屠王、浑邪王所部的联系。

元狩二年(公元前 121 年),骠骑将军霍去病率领汉军远征。霍去病自陇西出兵,过焉支山(今甘肃山丹东南),西北行千余里,数战数捷,缴获匈奴休屠王祭天金人。

同年夏季,又从北地(郡治在今甘肃庆阳西北)出击,逾居延海,南下祁连山,孤军辗转二千余里,在䕘得(今甘肃张掖西北)一带大败匈奴军,斩杀三万二千余人,俘虏匈奴贵族五十九人,官吏六十三人。这次战役,沉重地打击了匈奴右部。

同年秋,浑邪王杀休屠王,率四万余众降汉。霍去病奉命受降,又在

霍去病年仅二十岁就立下赫赫战功,"匈奴未灭,何以家为"
的报国情愫为千古传诵。

极复杂的情况下,坚定果敢地平定了匈奴部众的内部叛乱,使安置匈奴内
附的计划得以成功。

霍去病曾经先后六次出击匈奴,屡建奇功。《史记·卫将军骠骑列
传》记载,汉武帝要为他修治第宅,他谢绝道:"匈奴未灭,无以家为也!"元
狩六年(公元前117年),这位功勋卓著的青年将领病逝,终年不足三
十岁。

汉武帝在河西休屠王、浑邪王故地设置酒泉(郡治在今甘肃酒泉)、武
威(郡治在今甘肃武威)、张掖(郡治在今甘肃张掖西北)、敦煌(郡治在今
甘肃敦煌西)四郡,从关东地区徙置数十万移民充实这一地区。

河西地区的安定,不仅断绝了匈奴人与羌人的联系,同时使西北地区

的开发进入了新的纪元，打通了中原文化与西域文化交往的通路。这一举措，不仅对于中国历史的进程，具有重大意义，对于东方历史，甚至对于世界历史，也具有重大的意义。

汉王朝对匈奴作战的连续胜利，使得西北边境上的威胁基本解除。然而匈奴活动于汉王朝北边东部的左贤王的军队，始终没有遭受过沉重的打击，仍然在右北平（郡治在今内蒙古宁城西南）、定襄（郡治在今内蒙古和林格尔北）诸郡侵扰边地。而且匈奴主力退居大漠以北，以其具有飘忽若飞、出没无常的高度机动性方面的优势，依然威胁着汉王朝北部边地的正常的农耕生活。

元狩四年（公元前 119 年），汉武帝又发动了远征匈奴的规模空前的战略大决战。卫青率军从定襄出发，向北直进一千余里，战胜匈奴伊稚斜单于的主力，推进到位于窴颜山（在今蒙古杭爱山南端）的赵信城。

霍去病率军从代郡（郡治在今河北蔚县东北）出发，轻装疾进，长趋二千余里，在大漠击溃匈奴左贤王的主力，进军至狼居胥山（一说即今蒙古克鲁伦河之北的都图龙山），祭姑衍山（在今蒙古乌兰巴托东南）而还。

这次战役的胜利，使汉王朝在与匈奴的军力对比上占有了优势，一百多年来匈奴骑兵肆虐边地，对中原北边农耕经济造成严重破坏的局面得以扭转。

匈奴在军队主力以及人畜资产受到严重损失的情况下继续向北远遁，形成了漠南无王廷的形势。汉军占领了从朔方至于张掖、居延间的大片土地，保障了河西走廊的安全。

此后相当长的一段时间，匈奴已经无力向汉王朝发动大规模的军事进攻，汉与匈奴军事冲突的重心地域，也由东而西，转移到西域方向。

黄河流域的农耕民族，终于可以长舒一口气，从此能够安心生产了。

司马迁和《史记》

西汉时期，中国文化史上的一部伟大的奇书问世了。这就是司马迁的《史记》。司马迁的《史记》是西汉时期最伟大的文化创造之一。

《史记》全书一百三十卷，是一部上起传说时代的黄帝，下迄汉武帝时代的中国通史。作为史学著作，其内容之完整，结构之周密，在历史上是空前的。

《史记》以人物《纪》《传》为主，辅以《表》《书》，合编年、纪事诸史书文体之长，创造了史书的纪传体新体裁，成为此后二千年王朝正史编纂形式的规范。

《史记》原名《太史公书》，在东汉桓帝永寿元年（公元 155 年）之后，才开始出现《史记》这一名称。

司马迁，字子长，左冯翊夏阳（今陕西韩城西南）人。生年说法不一，一说汉景帝中元五年（公元前 145 年），一说汉武帝建元六年（公元前 135 年），卒年不可考。

司马迁十岁起就开始学习古文书传，二十岁开始游历天下山川，重视探访重要的历史遗迹。此后不久，任郎中，以汉武帝侍卫和扈从的身份多次随驾出巡，并曾经奉命出使巴蜀。

汉武帝元封三年（公元前 108 年），司马迁继承其父司马谈之职，任太

司马迁因为李陵投降匈奴辩解而被处以宫刑。后忍辱负重,发愤著书,历十八年之久,撰成《史记》。

史令,曾经参与主持制定新历。此后开始撰写《史记》。

天汉二年(公元前99年),李陵在对匈奴的战争中兵败投降,司马迁为李陵辩护,触怒汉武帝,下狱受腐刑(宫刑)。获释后为中书令,忍辱发愤,完成了《史记》一书的撰著和修改。

《史记》这部历史名著以文化内涵之宏大和历史眼光之阔远,久已受到学人的重视。

扬雄《法言·君子》说,《太史公》书,圣人在其中也将有所收获。桓谭《新论》也说,通才著书以百数,只有《太史公》书气势宏大,其余都是丛残小论。《论衡·案书》又写道,汉代著书者不少,司马迁是大河,其余都是小水。班固在《汉书·司马迁传》中,也说司马迁"博物洽闻",其书则"涉猎者广博"，笔力跨越古今。

《史记》之广大博杂，建构了社会史料的宏大宝库。

《史记》几乎描述了全景式的历史。成功的帝王，失败的英雄，叛乱的首领，失意的学者，流浪的侠士，忙碌的商人，都成为司马迁所注意的对象，其人其事，其言其行，一一得到具体而生动的记录。于是，一幅社会史的画卷，展示在人们面前。

《史记》在中国文化史上有特别高的地位。历代评价《史记》，有所谓"贯穿经传，驰骋古今"，"其文疏荡，颇有奇气"，"深于《诗》者也"，"千古之至文"，"《五经》之囊箱，群史之领袖"，"史家之绝唱，无韵之《离骚》"等种种说法。这些赞美，都说明在作为中国传统文化主体内容的"文""史"之中，《史记》很早就已经被看作一座文化的高峰。

《史记》的宝贵价值，首先体现于在当时的文化基点上，能够真实地、完整地描绘出社会历史的各个层面。

司马迁在记述政治史的同时，对于经济史、文化史和社会生活史等，也在《史记》中进行了生动的记录。与帝王将相等政治活动家同样，读书的人，做买卖的人，算命的人，尽管在当时社会上地位不高，他们的事迹也受到司马迁的重视。

在司马迁笔下，游侠的侠义精神得到赞美，酷吏的残暴行径有所揭露，悲剧英雄项羽和秦始皇、汉高祖一同列入本纪，农民领袖陈胜和诸侯一同列入世家。

司马迁在颂扬汉武帝的功绩的同时，也曾经揭露他迷信鬼神，妄想长生，多欲好战，耗费民力的行为，在《史记·汲黯列传》中，还责备他"内多欲而外施仁义"。

由于坚持了一种追求历史真实的态度，敢于背离传统，富有批判精神，甚至对于当代帝王也敢于指责，《史记》曾经被称为"谤书"。

戾太子刘据

戾太子刘据，是汉武帝的儿子。他是卫皇后所生，所以也称为卫太子。

为什么叫做戾太子呢？刘据是一个悲剧人物。"戾"，是刘据死后的谥号。对于这里"戾"的解释，有不同的意见。有人说是有罪，有人说是犯了过失。戾太子，或许还有不听话的太子，古怪的太子，倒霉的太子的意思。

汉武帝二十九岁时，刘据才出生。汉武帝非常喜爱他。刘据长大以后，性格和顺谨慎，汉武帝嫌他才能一般，不像自己。而所爱幸的王夫人生子刘闳，李姬生子刘旦、刘胥，李夫人生子刘髆。于是皇后和太子都感到宠爱递减，心不自安。汉武帝感觉到这一点，有一次，对大将军卫青说，汉家建国匆促，加上四夷侵扰中原，朕不变更制度，则后世无所遵循；不出军征发，则天下不能安定；如此不可能不使民众加重负担。如果后世有人仍然继续沿袭这样的政策，那么，就是在重蹈秦王朝灭亡的覆辙了。太子性格稳重好静，一定能够安定天下，是我放心的继承人。要寻找守文的君主，难道还有贤于太子的吗？

刘据的命运，是因为"巫蛊之祸"而发生重大转折的。

"巫蛊之祸"，是汉武帝统治晚期发生的一场特别激烈的政治风暴。

都城长安在这次政治动乱中致死者之多，竟然数以万计。"巫蛊之祸"的发生，导致了汉帝国统治上层严重的政治危机。

汉武帝晚年，行政苛烦，为法严厉，而且迷信方士神巫，年迈体弱，多疑健忘，喜怒无常。经常看什么都不顺眼，又因为年老多病，总是疑心有人用"巫蛊"诅咒的方式谋害自己。

"巫蛊"，本来是民间流行的一种巫术形式。"蛊"的原义，大约是以毒虫让人食用，使人陷于病害。汉武帝时代所通行的"巫蛊"形式，大致是用桐木削制成仇人的形象，有的插刺铁针，埋入地下，用恶语诅咒，以为能够使对方罹祸。

"巫蛊"曾经是妇女相互仇视时发泄私愤的通常方式之一。宫廷妇女和贵族妇女中因嫉妒而使用"巫蛊"之术，使得这种迷信意识严重侵入上层社会生活。

汉武帝晚年，曾经指使酷吏清查"巫蛊"，严刑逼供，形成空前的大狱，有数万人冤死，这就是西汉史上著名的"巫蛊之祸"。

征和二年（公元前91年），有人举报丞相公孙贺的儿子公孙敬声与阳石公主私通，指使巫者诅咒皇帝，在汉武帝往甘泉宫通行驰道上埋木偶以行"巫蛊"。于是公孙贺父子死于狱中，全家被处死。几个月之后，卫皇后的女儿诸邑公主和阳石公主都作为同案犯被处死。

和汉武帝严厉的执法风格相反，太子刘据性情宽厚温和。刘据成年之后，汉武帝为他设立"博望苑"，让他和宾客们交往，对他的言行不作限制，于是有持不同政见者来到刘据身边。当时，"博望苑"已经聚集了一批有政治眼光和政治能力的人。

刘据对于汉武帝用法残厉，信用酷吏的做法有意扭转，于是得到百姓的欢迎，而执法大臣们自然内心不高兴。

汉武帝晚年,临近政权交递时节,国家政治进入了微妙的时期。

政治权力的转移,对于最高执政者本人来说,是非常严重的事。即使是他自己选定的继承人,也难免面对苛刻挑剔的目光。在父子行政倾向有所不同的情况下,心理裂痕会越来越明显。

在这种极特殊的政治背景下,具有极敏感的政治嗅觉,又有投机之心,受到汉武帝特殊信任并赋予重要权力的直指绣衣使者江充,利用汉武帝父子政治倾向不同的矛盾,制造了太子宫中埋木人行"巫蛊"的冤案。

汉武帝病重时,江充奏言病因就在于"巫蛊"。于是汉武帝任命江充全权查处。江充接受在长安大规模调查"巫蛊"一案的指令后,"胡巫"受江充之命,在调查"巫蛊"时不仅实行严刑逼供的方式,甚至制造假现场,导致冤案。

江充似乎是事先得到了汉武帝的某种明示或暗示,然后肆无忌惮的。所以敢于在宫中大规模挖掘,寻找木偶,甚至直接冲犯皇后和太子,在皇后宫和太子宫中掘地三尺。后来,据说果然在太子宫中发现了六枚用作"巫蛊"的木偶。

当时汉武帝患病,在甘泉宫避暑。长安只有皇后和太子在。太子刘据不能见到父皇,无法辩白。

处于极其被动的形势下的刘据召问少傅石德,石德说:"前丞相父子、两位公主都因此致祸。现在巫与使者掘地得到罪证,不知是他们预先放置的,还是真的就有。现在无以自明,只有假冒皇帝的诏令,收捕江充等入狱,严加审问,追查其奸诈。而且陛下在甘泉宫养病,皇后及家吏请问都没有得到回音。陛下生死存亡未可知,而奸臣如此跋扈,太子难道忘记了扶苏的教训了吗?"

石德用秦太子扶苏的悲剧警告刘据,刘据于是终于下决心起兵自卫。

　　征和二年(公元前 91 年)七月壬午日,刘据派宾客以汉武帝使者名义逮捕江充等人。又调用宫中卫士,取武库兵器,向百官宣布江充谋反。于是斩江充示众,又用烈火烧烤的方式处死胡巫。同时动员数万市民与政府军战于长安城中,汉代最严重的政治动乱"巫蛊之祸"于是爆发。

　　当时在甘泉宫休养的汉武帝命令严厉镇压太子军,宣布:抓获和杀死反叛者的,自有赏赐。又具体指示:以牛车作为防卫工事,避免短兵相接,用弓箭多杀伤士众。并且坚闭城门,不要让反叛者逃离长安。

　　汉武帝迅速回到长安,停住于城西建章宫,下令长安附近郡县的正规军,并且亲自进行现场指挥。太子军与政府军在长安城中大战五天,死者多达数万人。长安大道两旁的沟水,都被鲜血染红。刘据兵败后出城东逃,在追捕中自杀。

　　事变之后,"巫蛊"冤案的内情逐渐显现于世。

　　汉武帝知道太子发兵只是由于惶恐,并没有其他意图,又接受了一些臣下的劝谏,内心有所悔悟。

　　他下令族灭江充全家,又将江充的同党苏文焚死在横桥上,又哀怜太子无辜,在刘据去世的地方筑作思子宫与归来望思之台,以示怀念之意。据说天下听说这一情形,都为刘据哀伤。思子宫和归来望思之台,后来也成为诗人吟咏的对象。

　　这里不妨抄录几首以"望思台"为题的古诗,借以了解戾太子刘据这位历史人物和巫蛊冤案这一历史事件所造成的文化影响。

望思台　(唐)郑还古

谗语能令骨肉离,奸情难测事堪悲。

因何掘得江充骨,捣作微尘祭望思。

望思台 （唐）江　遵

不忧家国任奸臣，骨肉翻为陌路人。

巫蛊事行冤莫雪，九层徒筑见无因。

望思台 （唐）胡　曾

太子衔冤去不回，临高徒筑望思台。

至今汉武销魂处，犹有悲风木上来。

望思台 （宋）强　至

一朝木偶发深宫，父子恩隳晻暧中。

不见戾园埋恨处，至今草木有悲风。

轮台诏

我们在这里还可以再引录一首关于"望思台"的诗作：

武　帝　（宋）陈　普

几多爱子出萧关，山积胡沙骨未还。

好把望思台上泪，随风北出洒阴山。

诗人是说，望思台的修筑，表达了汉武帝的"思子"之心。可是要知道，因为你的错误，并不只是你自己的一个儿子冤死，在频繁的战争中，"几多"百姓的"爱子""千里""出萧关"远征，最终埋骨于"胡沙"，牵系着多少父母的思念啊。"好把望思台上泪，随风北出洒阴山"，把对自己的儿子的思念，转化为对以往政策的深刻检讨，这才是一个真心悔过的帝王应当做的呢。

汉武帝筑"归来望思"之台，看来确实不仅仅是寄托着对刘据的思念，也表达了对刘据的政治倾向和政治风格的认可。

刘据曾经对汉武帝好大喜功，动不动就出军远征的政策提出过不同意见。汉武帝笑着说："我来承担这份劳累，把安逸留给你，这难道不可以吗！"

巫蛊之祸发生之后，汉武帝终于有所觉醒。他及时利用汉王朝西域远征军战事失利的时机，开始了基本政策的转变。

征和四年(公元前 89 年),汉武帝公开宣布:朕即位以来,所作所为狂悖,使天下人愁苦,不可追悔。从今以后,凡有伤害百姓,靡费天下的政策法令,统统予以罢除!

有大臣建议在轮台(今新疆轮台东)屯兵,扩大汉帝国在西域的影响,逐步将长城修筑到塔里木河流域。汉武帝否定了这一建议。

他颁布的诏书,因为是以“轮台”军事作为由头的,所以历史上称作“轮台诏”。

汉武帝回顾以往远征车师的战役,为当时因为路途遥远,死于途中的将士竟然多达数千人深表悔恨。而轮台更在车师以西千余里,他于是坚定地拒绝了主张将西域战争继续升级的建议,又表示当今最重要的,在于严禁苛暴之政,防止给予民众过重的负担,努力促进农耕经济的发展,决意把行政重心转移到和平生产方面来。

汉武帝又封丞相田千秋为“富民侯”,以表明与民休息,发展经济,养护百姓的决心。

轮台诏被誉为表达了“仁圣之所悔”的政治典范。

司马光在《资治通鉴》卷二二“汉武帝征和四年”一节,曾经这样评价汉武帝,他写道,汉武帝穷奢极欲,繁刑重敛,于内生活消费极端奢侈,对外频繁发动战争,又迷信神怪,巡游无度,导致百姓疲敝,不得不起来反抗。他的作为,和秦始皇几乎没有什么差别。但是,秦始皇导致了秦王朝的灭亡,汉武帝却使得汉王朝振兴,这是为什么呢? 因为汉武帝“能尊先王之道,知所统守”,就是说,能够遵行儒家坚持的政治原则,又能够“受忠直之言,恶人欺蔽,好贤不倦”,就是听从忠直的臣下的意见,不能容忍坏人的欺蔽,始终尊贤爱士,而且诛罚严明,特别是“晚而改过,顾托得人”,就是晚年能够认识自己的政治失误,改正自己的政治失误,对于继承人的选择和辅佐新帝的大臣的人事安排都比较正确，所以虽然犯有导致秦王朝灭亡的同类的错误，却避免了如同秦王朝灭亡那样的政治灾难。

所谓"受忠直之言，恶人欺蔽，好贤不倦"，"晚而改过，顾托得人"，不仅反映出汉武帝个人性格的有关特征，也反映出西汉政治体制的重要进步，就是说，与秦王朝僵冷而毫无弹性的行政制度不同，政府的重大政治缺误已经可以在一定程度上进行自我修补。

"巫蛊之祸"这种在王朝都城的市中心发生大规模流血事件，又以正规军武装平定政治动乱的情形，在历史上是绝无仅有的。而汉武帝在事后的处理方式，在历史上也是绝无仅有的。

中国古代帝王能够意识到自己的政治失误并且致力于扭转补救，已经是难能可贵的，其方式有许多种，一般情况下，往往尽管在实际上对失误有所纠正，然而在口头上对于失误却并不愿意公开承认。如汉武帝轮台诏这样正式沉痛地向全民公开承认自己的重大失误，在历史上是极其罕见的。

儒生的地位上升了

司马光评价汉武帝所说的"能尊先王之道，知所统守"，是对他肯定儒学的政治指导地位的政策的赞扬。

汉武帝时代的一个重要的历史变化，就是空前抬高了儒学的地位。

汉高祖刘邦曾经特别瞧不起儒生。刘邦打天下时，引兵过陈留，郦食其到军营前求见。

刘邦问通报者："是个什么样的人？"

答道："看打扮，像个儒生。"

刘邦说："对他说，我方以天下为事，没工夫见儒生。"

郦食其大怒，叱骂通报者："去，给我再去告诉沛公，我是高阳酒徒，不是什么儒生！"刘邦这才接见郦食其。

据说刘邦不喜欢儒生，有头戴儒冠来拜见的，刘邦竟然摘下他的帽子，往里边撒尿。和儒生交谈，常常粗言痛骂。

这种情形，到汉武帝时，已经发生了变化。

汉武帝时代影响最为久远的文化政策，是确定了儒学在百家之学中的主导地位。

齐地儒生公孙弘由博士又任太常、御史大夫、丞相，封平津侯，宣示儒学地位开始上升。

据《史记·儒林列传》说，公孙弘以精通《春秋》之学升迁为天子信用的重臣，又封为平津侯，于是促进了社会好学风气的形成。

公孙弘作为齐鲁儒生的代表，建议各地荐举热心学问，尊敬长上，政治形象完好，乡里关系和顺，又言行一致，表里如一的人，加以培养，充实政府机构，"以文学礼义为官"。这一建议为汉武帝认可，于是据说从此之后，朝廷的高级干部逐渐以文学之士为多了。

汉初政治结构相继呈现"功臣政治"和"功臣子政治"两种形态，在汉武帝主持下，又开始了向"贤臣政治"的历史转变。而齐鲁儒学之士纷纷西行，进入执政集团上层，正顺应了这一历史转变的趋势。

汉武帝时代，贬斥黄老刑名等百家之言，起用文学儒者至数百人，实现了所谓"罢黜百家，表章《六经》"的历史性转变，儒学之士于是在文化史的舞台上逐渐成为主角。

汉武帝大举贤良文学之士。儒学著名学者董仲舒以贤良身份在对策中说，秦王朝灭亡以后，其流毒至今未灭，只单凭"法"和"令"而求得国家治理的成功，是不可能的事。他写道：琴瑟的音色不正，声调不和谐，就应当重新装置调整琴弦，予以"更张"，才能够保证演奏的成功。政令推行不顺利，政治形势不理想，也应当重新制定调整法令政策，予以"更化"，才能够保证行政的成功。应当"更张"而不"更张"，虽然有"良工"也不能成功地演奏乐曲。应当"更化"而不"更化"，虽然有"大贤"也不能成功地管理国家。他这里所说的"更张"、"更化"，在一定意义上，其实深蕴改革的意义。

董仲舒指出，汉得天下以来，常常谋求"善治"而至今不可"善治"的原因，就是失之于当"更化"而不"更化"。他强调，要想实现"善治"，就必须在应当"更化"的时候坚定果决地"更化"。他提出"更化"的主张时，特别

董仲舒提出"罢黜百家,独尊儒术"的建议,确立了儒家思想在中国社会的正统地位。

强调"教化",也就是意识形态管理的作用。他以为要谋求"善治",一定应当注重文化体制的调整。他说,"教化大行",则可以实现"天下和洽"的境界,天下民众都遵守儒学的规范,言行都合乎儒家的"礼"和"道"。

董仲舒文化体制改革理论的核心,是要确定儒学独尊的地位。他提出:儒学经典中所提出的,是天地之间的确定的规律,古往今来的共同的原则。但是,现在各家的学说不同,人们的信仰不同,于是当政者无法坚持"一统"的政治理念,以致法制频繁变更,臣民不知所守。他提出,应当禁绝与孔子之术有所不同的学说,然后统纪可一而法度可明,使得老百姓明确所应当遵从的。

在他看来,文化的"一统"和政治的"一统"是一致的。而前者,又可以为后者奠定深入人心的统治的根基。

这样的观点,得到了最高统治集团的认可,于是,在汉武帝时代,确立了"独尊儒术"的文化政策的原则,完成了"罢黜百家,表章《六经》"的文化体制的转变。

现在看来,"独尊儒术"的政策似乎不能逃脱文化专制主义的指责。但是,在当时的历史条件下,这种文化体制变革的发生,却是有一定的合理基础的,也是有一定的积极意义的。

应当看到,儒学在当时已经综合了以往诸家政治文化的有效成分,提出了一整套比较合乎国情的治国方法。比如,儒学理论通过当时思想家的精心修补,有益于维护传统的宗法关系和传统的宗法制度。

此外,儒学崇尚"仁政"理想,并且可以运用这一理想对统治者的言行形成一定的约束。儒家有关"仁政"的政治主张,客观上有助于调整社会关系,缓和阶级矛盾,提高吏治水平。而且,儒学以"天道"为基本,使政治理论神学化。经过汉儒加工改造的"天人感应"理论,使政治管理具有神秘主义色彩。这一理论可以有助于强化政治迷信,粉饰弊政,也可以利用来批判当政者,修正政治失误。

还应当看到,儒学与其他主要学说相比,比较重视人的价值,比较注意肯定人的权利,满足人的需求。所谓"仁者爱人"的原则,是和文明进步的方向大体一致的。同时,儒学提倡"和"的精神,比较能够贴近"人情"。

而儒学"中庸"的学说,比较适宜于农业民族的心理习惯。黄老之学有些过于消极,法家学说则显得过于激切。就中国人传统心理的节奏定式来说,儒学的合理性更容易得到普遍的承认。

儒学在西汉时期得到发挥的"大一统"理论,也适应了加强君权和防止分裂的政治需要。"大一统"的原则对于我们民族共同心理素质的形成，也有重要的影响。

汉武帝时代实行"独尊儒术"的重大变革，结束了各派学术思想平等竞争的局面，对于学术思想的自由发展，有限制和遏止的消极作用。但是，这一变革肯定了"以教为本"，否定了"以法为本"，强调文化教育是"为政之首"，主张"教，政之本也；狱，政之末也"，从而为我们民族重视文化、重视教育的传统的形成，也表现出不宜忽视的积极意义。

汉武帝时代在文化方面的另一重要举措，是兴太学。

汉武帝元朔五年(公元前124年)创建太学。国家培养政治管理人才的正式官立大学于是出现。

《汉书·董仲舒传》说，汉武帝创办太学，是接受了著名儒学大师董仲舒的献策。董仲舒指出，太学可以作为"教化之本原"，也就是作为教化天下的文化基地。他建议兴太学，置明师，以养天下之士，这样则可以使有志于学者以尽其材，而朝廷也可以因此得天下之英俊。

太学的创建，采用了公孙弘制订的具体方案。

公孙弘拟议，第一，建立博士弟子员制度，将博士私人收徒定为正式的教职，将私学转变为官学；第二，规定为博士官置弟子五十人；第三，博士弟子得以免除徭役和赋税；第四，博士弟子的选送，一是由太常直接选补，二是由地方官选补；第五，太学管理，一年要进行一次考试；第六，考试成绩中上等的太学生可以任官，成绩劣次，无法深造以及不能勤奋学习者，令其退学。

汉武帝批准了公孙弘拟定的办学方案。

汉武帝时期的太学，虽然规模很有限，只有几位经学博士和五十名博士弟子，但是这一文化雏形，却代表着中国古代教育发展的方向。

　　太学生的数量，汉昭帝时增加到一百人，汉宣帝时增加到二百人，汉元帝时增加到一千人，汉成帝末年，增加到三千人，汉平帝时，太学生已经多达数千人，王莽时代进一步扩建太学，一次就曾经兴造校舍"万区"。

　　太学的兴立，进一步有效地助长了民间积极向学的风气，对于文化的传播起到了重大的推动作用，同时使大官僚和大富豪子嗣垄断官位的情形有所改变，一般中家子弟入仕的门径得以拓宽，一些出身社会下层的"英俊"之士，也得到入仕的机会。

　　汉武帝时代，除了建立太学之外，还命令天下郡国都立学校官，初步建立了国家管理的地方教育系统。

天马西来

汉武帝时代，是古代中国的英雄时代。

在汉武帝时代，数十年来多次挑起战争，策动割据的地方分裂势力终于被基本肃清。

也正是在这一时期，楚文化、秦文化和齐鲁文化大体完成了合流的历史过程。西汉初年陕西、山西、河南、湖北、内蒙古、四川等地多见的秦式墓葬，这时也已经不复存在。

也正是在汉武帝时代，秦隶终于为全国文化界所认可。古来"天下车同轨，书同文"的理想，到汉武帝时代大体实现了。

在帝制时代，作为最高执政者的帝王在位期间的长短，往往会对历史进程有重要的影响。汉武帝是大一统政体实现以来在位时间仅次于清代康熙帝（在位六十一年）和乾隆帝（在位六十年）的皇帝。当然，在位时间长，未必一定能够实现政权的稳固和社会的安定。但是汉武帝在位的五十四年间，确实是政治取得非凡成功的时代。而当时的文化建设，也取得了突出的进步。班固说，汉武帝时代在文化方面提供了伟大的历史贡献，重要原因之一，是汉武帝能够"畴咨海内，举其俊茂，与之立功"，就是以宽怀之心，广聚人才，给予他们文化表演的宽阔舞台，鼓励他们充分发挥自己的文化才干。

班固在《汉书·公孙弘儿宽传》后的赞语中列数当时许多身份低下者受到识拔,终于立功立言的实例,指出正是由于汉武帝的独异的文化眼光,使得这些人才不致埋没,于是"群士慕向,异人并出",形成了历史上引人注目的群星璀璨的文化景观。如班固所说,当时,"儒雅"之士,"笃行"之士,"质直"之士,"推贤"之士,"定令"之士,"文章"之士,"滑稽"之士,"应对"之士,"历数"之士,"协律"之士,"运筹"之士,"奉使"成功之士,"将率"果毅之士,"受遗"而安定社稷之士等,不可胜纪。班固所谓"汉之得人,于兹为盛"的总结,是符合历史事实的。也正是因为有这样一些开明干练的"群士""异人"能够焕发精神,多所创建,这一历史时期"是以兴造功业,制度遗文,后世莫及"。

不过,这一现象的出现,并不完全如班固所说,完全是汉武帝个人的作用。群星的闪耀,是因为当时社会文化的总体背景,曾经形成了中国古代历史中并不多见的澄静的晴空。

当时,除了卫青、霍去病、李广等杰出的军事人才而外,司马迁、董仲舒、桑弘羊、司马相如、李延年等人的文化贡献,也使得他们在千百年后,依然声名响亮。在汉武帝时代的英雄谱中,张骞的姓名也是位于前列的。

张骞作为以中原大一统王朝官方使者的身份开拓域外交通通路的第一人,他对于发展中西交通的功绩,确实在这一意义上有"凿空"的意义。

西汉时期,玉门关和阳关以西的地域即今新疆乃至中亚地区,曾经被称作"西域"。西汉初年,今新疆地区的所谓狭义的"西域"计有三十六国,大多分布在天山以南塔里木盆地南北边缘的绿洲上。汉武帝听说匈奴的宿敌大月氏有报复匈奴之志,于是招募使者出使大月氏,希望能够形成合力夹击匈奴的军事联盟。汉中人张骞应募,率众一百余人在建元二年(公元前139年)出发西行。途中遭遇匈奴人,被长期拘禁,历时十年左右方得逃脱。

张骞继续履行使命，又西越葱岭，行至大宛（今吉尔吉斯斯坦、乌兹别克斯坦费尔干纳盆地），经康居（今哈萨克斯坦锡尔河中游地区），抵达已经定居在今乌兹别克斯坦阿姆河北岸，又统领了大夏（今阿富汗北部）的大月氏。然而大月氏因为新居地富饶平安，已经无意东向再与匈奴进行复仇战争了。张骞只得东返，到大夏，然后改由南道回归。在归途中又被匈奴俘获，扣留一年多，乘匈奴内乱，才于元朔三年（公元前126年）回到长安。张骞出行时随从百余人，十三年后，只有两人得以生还。他亲身行历大宛、大月氏、大夏、康居诸国，又对附近五六个大国的国情细心调查了解，回长安后将有关信息向汉武帝作了汇报。张骞的西域之行，以前后十三年的艰难困苦为代价，使中原人得到了前所未闻的丰富的关于西域的知识，同时使汉王朝的声威和汉文化的影响传播到了当时中原人世界观中的西极之地。

张骞出使之艰险，是显而易见的。不说匈奴武装力量的威胁，只是自然条件的险恶，已经为一般中原人所惊畏。南朝陈人江总《陇头水》诗写道："陇头万里外，天崖四面绝。人将蓬共转，水与啼具咽。惊湍自涌沸，古树多摧折。传闻博望侯，苦辛持汉节。"诗句中所见行旅的危难，并不是没有根据的空言。

汉武帝元朔六年（公元前123年），张骞跟随大将军卫青出击匈奴。司马迁在《史记·卫将军骠骑列传》中写道，张骞从大将军出征，因为曾经出使大夏，在匈奴活动地域长期居留，了解地理情势，熟悉水草资源，于是担任向导，远征军于是没有饥渴之忧。张骞又因为此前有远使绝国之功，封为博望侯。事实上，张骞的所谓军功，也基于出使时的经验。张骞为将军时，因指挥战事不利而致罪，失侯后，又以对西域地区地理人文的熟悉，建议汉武帝联合乌孙（主要活动地域在今伊犁河流域），汉武帝于是拜张骞为中郎将，率三百人出使乌孙，使团携运的用以交结友好的物资相当丰富，牛羊金帛数以万计。张骞抵达乌孙后，又派副使前往大宛、康居、月氏、大夏等国。乌孙遣使送张骞归汉，又献马报谢。后来终于与汉通婚，一起进军击破匈奴。张骞圆满地完成了他的政治军事使命，然而他的历史功绩，主要还是作为文化使者而创造的。

汉军击破匈奴，打通河西通道之后，汉武帝元狩四年（公元前119年），张骞再次奉使西行，试图招引乌孙东归。这一目的虽然没有实现，但是通过此行，加强了汉王朝和西域各国之间的联系。此后，汉与西域的通使往来十分频繁，民间商贸也得到发展。西域地区五十国接受汉帝国的封赠，佩带汉家印绶的侯王和官员多至三百七十六人。而康居、大月氏、安息（今伊朗）、罽宾（今克什米尔斯利那加地区）、乌弋（今阿富汗坎大哈地区）等绝远之国也有使者频繁往来。

张骞在中亚的大夏时，曾经见到邛竹杖和蜀布，得知巴蜀有西南通往身毒（今印度）的道路。"身毒"，也作"天竺"、"贤豆"、"损笃"，都是"印度"的音译。从四川、云南进入印度地区，当时确实有再转而西向大秦的交通路线。汉武帝根据这一发现，在元狩元年（公元前122年）派使者从巴蜀启行，试图由此实现和西域的交通。于是，汉王朝和当时称作"西南夷"的西南地区滇、夜郎等部族的文化联系逐渐密切起来。这条道路，有人称之为"西南丝绸之路"。云南晋宁出土的西汉青铜双人盘舞透雕饰件，舞人足踏长蛇，双手各执一盘，舞姿带有明显的印度风格。类似的文物资料，都可以证明这一通路在当时联系着中国西南地区与印缅地方的历史事实。"西南丝绸之路"后来曾经十分畅通，东汉所谓"海西幻人"即西亚杂技艺术家们，就曾多次经由这一通道来到洛阳表演。

由于张骞的努力，西域与汉帝国建立了正式的联系。张骞因此在西域地区享有很高的威望。后来的汉使,多称"博望侯"以取信于诸国。传说许多西域物产,如葡萄、苜蓿、石榴、胡桃、胡麻等,都是由张骞传入中土,这样的说法未必完全符合史实,但是张骞对正式开通丝绸之路的首功,却是永远不能磨灭的。唐人诗作中,"博望侯"已经成为英雄主义的一种文化象征,而与代表当时时代精神的侠风相联系。如虞羽客《结客少年场行》诗写道:"寻源博望侯","长驱背陇头。""天山冬夏雪,交河南北流。""轻生殉知己,非是为身谋。"也有将张骞事迹作为忠于国家的榜样的,如张说《将赴朔方军应制》诗:"胆由忠作伴,心固道为邻。""剑舞轻离别,歌酣忘苦辛。从来思博望,许国不谋身。"

据说,汉武帝起初以《易》书卜问,得到兆示,说:"神马当从西北来。"他接受张骞出使乌孙之后乌孙王所献良马,命名为"天马"。后来又得到更为骠壮的大宛的"汗血马",于是把乌孙马改称为"西极",将大宛马称为"天马"。据说汉武帝为了追求西方的良马,使者往来西域,络绎不绝。汉武帝得到西域宝马之后,曾经兴致勃勃地作《西极天马歌》,欢呼这一盛事:

　　天马徕,从西极。经万里兮归有德。承灵威兮降外国,涉流沙兮四夷服。

太初四年(公元前101年),汉武帝在得到大宛汗血马之后,又作《天马歌》:

　　太一贡兮天马下,沾赤汗兮沫流赭。骋容与兮蹈万里,今安匹兮龙为友。

可以看到,汉武帝渴求"天马",并不是仅仅出于对珍奇宝物的一己私爱,而是借以寄托着一种骋步万里,降服四夷的雄心。而我们也不能忘记,"天马"西来,所循行的正是张骞使团车队的辙迹。

"天马"远来的汉武帝时代,正是当政者积极开拓中原与西域交通,取得空前成功的历史时期。新疆罗布泊地区出土的汉代锦绣图案中"登高明望四海"的文字,正体现了当时汉文化面对世界的雄阔的胸襟。

"天马",实际上已经成为象征这一时代中原与西域交通取得历史性进步的一种文化符号。三国魏人阮籍《咏怀》诗:"天马出西北,由来从东道。"唐人王维《送刘司直赴安西》诗:"苜蓿随天马,蒲桃逐汉臣。"清人黄遵宪《香港感怀》诗:"指北黄龙饮,从西天马来。"都反映"天马"悠远的蹄声,为西汉时期中原与西域交通的成就,保留了长久的历史记忆。

鲁迅曾经热情盛赞汉代社会的文化风格:"遥想汉人多少闳放","毫不拘忌","魄力究竟雄大"。我们通过对中西交通的考察,可以对鲁迅所赞扬的当时民族精神之所谓"豁达闳大之风",有更深刻的认识。

在著名的苏武出使故事中,苏武和他的副使常惠一同被匈奴拘禁十九年,直到汉昭帝始元六年(公元前81年)方才回到汉地。常惠后来拜为光禄大夫,因为"明习外国事",转任典属国、右将军。他在本始三年(公元前71年)护乌孙兵与汉兵五道击匈奴,因功封长罗侯。常惠曾经六至乌孙,一伐龟兹,又曾出车师北千余里,援救被匈奴围困的侍郎郑吉。在西汉王朝与乌孙之间的往来活动中,常惠发挥了重要的作用。

近年甘肃敦煌汉代悬泉置遗址的考古发掘取得了重要的收获,出土木简可以看到当时驿传系统接待长罗侯及其随从往来费用的资料。

这些资料,可以帮助我们认识这一时期中原与西域交往的具体情形。

昭宣时代的中兴

　　汉武帝之后，在汉昭帝和汉宣帝统治时期，社会经济得以恢复并且表现出一种繁荣气象，西汉王朝处于稳定发展的阶段。这一时期，政治形势没有大的变乱，经济和文化实现了突出的进步。传统史家多肯定和赞誉昭宣时代的安定和富足，称之为"昭宣中兴"。

　　帝位继承问题，是汉武帝在他帝王生涯的最后时刻苦心思虑的政治难题。

　　卫太子刘据死后，一直没有再立太子。而燕王刘旦上书，表示愿意放弃其封国到长安来，在汉武帝身边担任宿卫。汉武帝明白他的政治企图，大怒，当时就在未央宫北阙将其使者处斩。

　　汉武帝居住在甘泉宫，召画工图画周公背负成王的画面。于是左右群臣知道了汉武帝有意立少子为继承人的心迹。此后不过数日，汉武帝所宠爱的钩弋夫人即死于云阳宫。

　　钩弋夫人姓赵，河间人，汉武帝晚年得幸，生子一人，就是后来的汉昭帝刘弗陵。钩弋夫人之死，体现出汉武帝作为一位强有力的帝王，其谋虑之深远和手段之毒辣。

　　据《史记·外戚世家》褚少孙补述，汉武帝在召画工图画周公负成王之后数日，严厉斥责钩弋夫人。夫人脱簪珥叩头请罪，汉武帝仍然命令押送掖庭狱惩处。夫人回过头来顾望,汉武帝则厉声喝道:"快走,女不得活!"

夫人死于云阳宫,据说当时暴风扬尘,百姓感伤。钩弋夫人在夜色中被草草安葬,墓上只做了简单的标识。

事情过后,汉武帝闲居,问左右说,对这件事,人们有什么议论吗?

左右答道:人们说,将立其子,为什么要除去其母呢?

汉武帝说:是啊,这确实是一般人不能明白的。往古国家所以变乱,往往是由于主少母壮。女主独居骄蹇,淫乱自恣,没有什么力量可以制约。你们没有听说过吕后事件吗?

褚少孙于是感叹道:汉武帝的这种做法,可以称为"贤圣","昭然远见,为后世计虑,固非浅闻愚儒之所及也"。后人定其谥号为"武",岂能是没有根据的!

汉昭帝刘弗陵在位十三年,即位时只是一个七岁的少年。大将军霍光和车骑将军金日磾等受汉武帝遗命辅佐少帝。金日磾原来是匈奴休屠王太子,不愿因此"使匈奴轻汉",甘愿作为霍光的副手,又较早去世,于是霍光以大司马大将军领尚书事之职决断朝政。霍光作为地位最高的权臣,对于汉昭帝时代政局的稳定和经济的恢复发挥了重要的作用。

霍光据说性格宁静谨慎,为人正直稳重。他在执政期间,继续实行汉武帝临终前推行的重视发展经济、安定社会的政策,以轻徭薄赋,与民休息作为行政原则,数年之内,使得各地流民回归,田野益辟,百姓充实,国库也颇有蓄积。西汉王朝又与匈奴恢复了和亲的关系,社会相对稳定。

霍光秉政期间,多次支持汉昭帝下诏削减国家的财政支出,减免百姓的田租和赋税,对于贫民开放禁苑以救济,并赈贷种子和口粮。始元六年(公元前81年),又召集贤良文学到长安会议,讨论盐铁专卖等政策的得失优劣。此后,下诏调整了有关政策,进一步减轻了民众的负担。

霍光辅佐，注意轻徭薄赋，与民休息。(图选自清末《历代名臣像解》)

　　霍光原来与上官桀结亲，把女儿嫁给了上官桀的儿子，生女立为昭帝后。霍光敏锐地察觉到燕王刘旦和上官桀、桑弘羊企图废黜昭帝，另立刘旦为天子的政治阴谋，及时予以处置。于是国家得以安定，而霍氏此后权倾朝中。

　　汉昭帝去世后，对于继任者的择定曾经有所反复。在霍光主持下，汉武帝太子刘据的孙子，因"巫蛊之祸"的余波曾经流落民间的刘询（原名刘病己）被立为天子，这就是汉宣帝。

　　霍光在地节二年（公元前 68 年）病逝。他把握朝政二十年，改变了汉武帝以前以丞相为中心的三公执政的形式，开始了西汉后期外戚专权的政治史的特殊阶段。

　　汉宣帝刘询出生不过几个月，就遭遇"巫蛊"大案，在襁褓中就被牵连入狱。后来受到有关官员的怜护，被安置由女犯乳养。后来幸逢大赦，被释放出狱，并且恢复了皇族身份。

　　刘询幼年受到应有的教育，才具较高，又好学，但是也向往游侠生活。于研习《诗》《书》之余，又欣赏豪迈奔放的任侠之风。他经常往来于长安诸陵及杜、鄠之间，在民间与平民少年一同斗鸡走马，于是能够熟悉贵族阶层难以知晓的下层政治生活和社会生活的种种隐秘细微之处，多少了解了一些民间疾苦。正因为经历过平民生活，使汉宣帝具有了与一般"生于深宫之中，长于妇人之手，未尝知忧，未尝知惧"的皇族子弟们不可能具有的政治素质。

　　由于他对于底层社会情状和基层行政特点以及若干政治关系的深层奥秘，都有一定的感性认识，所以在他主持政务期间，能够有功必赏，有罪必罚，政治风格表现出注重实效的倾向，于是一时官吏能够大体称职，百姓能够安居乐业。这样的比较清明安定的政治局面的形成，绝不是偶然的。

　　汉宣帝十八岁即位，起初委政于霍光。霍光死后，开始亲理政事。他努力整顿吏治，强化皇帝的威权。为了打破霍氏集团左右朝政的局面，命令群臣奏封事，以疏通下情。

　　由于霍光专权多年，霍氏一门尊盛日久，横霸朝野，奢侈无度。汉宣帝借处理霍光子大司马霍禹谋反一案的时机，废皇后霍氏，又在朝廷一步步彻底清除了霍氏集团的势力。

　　汉宣帝因统治的成功，被传统史家称为"中兴之主"。刘向曾经赞扬汉宣帝执政时政教明，法令行，边境安，四夷清，单于款塞，天下殷富，百姓康乐，认为汉宣帝所创造的治世，甚至超过了汉文帝时代。

汉宣帝太子，也就是后来的汉元帝，幼年时也生活在民间。这一经历，也使得他对社会关系和政治过程，有不同于只经历富贵生涯的帝王们的认识。而具备这样的政治资质，是十分有利于把握高层政治管理的权力的。

汉昭帝时代注重经济的恢复，终于使汉武帝奢侈无度、连年征战所导致的"海内虚耗，户口减半"的形势得以显著扭转。汉宣帝继续坚持"农者兴德之本"的执政原则，推行积极招抚流亡人口，鼓励发展农耕生产的政策，流民能够还归乡里的，政府给予公田种植，并且借贷种子和口粮，由政府提供基本生产资料，并且免除算赋及徭役负担。政府还重视积极组织灾区的生产恢复，适时减免田赋，降低盐价，以调动农民的生产积极性。

神爵元年（公元前61年），著名将领赵充国率军平定羌人暴动。甘露二年（公元前52年），因匈奴内乱，呼韩邪单于款塞称臣。边塞无兵革之事，农人的赋役负担得以减轻，这一形势也促进了农业的发展。元康年间（公元前65年—公元前62年），由于连年丰收，谷价降低到每石不过五钱，西北僻远如金城（郡治在今甘肃永靖西北）、湟中地区（今青海西宁附近），每石也仅仅八钱。这是西汉以来最低的谷价记录。

汉昭帝还听从大司农中丞耿寿昌的建议，籴三辅、弘农（郡治在今河南灵宝北）、河东（郡治在今山西夏县西北）、上党（郡治在今山西长子西）、太原（郡治在今山西太原西南）等郡谷物，供应京师消费，减少了原先每年调运四百万斛关东谷，用卒六万人的运输费用。这一漕运方向的变更，显然是以当时上述诸郡粮产的逐渐丰足为条件的。

耿寿昌还建议在边郡筑仓，在谷价低贱时增高其价而籴，在谷价高昂时减抑其价而粜，命名为"常平仓"。这一建议的实施，取得了利农便民的效果，政府用于国防的军粮储备也得到了保障。

汉宣帝大力尊崇儒学。他曾经于甘露三年（公元前51年）诏令诸儒集会，讲论《五经》异同，并且亲自称制临决。同时增列《易》《尚书》及《春秋》博士。太学的规模，在昭宣时期，有了成倍的增长。

西汉前期的丞相，多是功臣或功臣子，而西汉后期诸朝丞相，已经以掾史文吏和经学之士为主。

正是从昭宣时代起，政府高级官员的成分发生了重要的变化。掾史文吏和经学之士在上层决策机构人员构成中占有较大的比重，反映了当时政治文化形势的重要演变。

自昭宣时期到西汉末年，丞相计二十一人二十二任，考察他们的出身地域，可以发现，其中齐鲁人合计七人，八人次，人数占总人数的百分之三十三点三三。以人次计，则占总人次的百分之三十六点三六。

齐鲁是儒学发生和发展的基地，是当时的文化重心地区。齐鲁人出任丞相者为多，说明儒学的政治影响力显著增强。这一文化现象，显然是和昭宣以来推崇儒学的努力分不开的。

东方儒者在高级文官集团中终于成为多数，说明儒学对政治生活影响的愈益深刻。

汉宣帝虽然以尊崇的态度对待儒学，但是在行政实际运作方面，却仍然比较注重任用有实际管理能力，熟悉法令政策的所谓"文法吏"，并且以刑名为基准考核臣下。曾经有一些地位很高的官僚因罪处死。太子刘奭（就是后来的汉元帝）以为当时持刑过于严酷，建议重用儒生主持政法。汉宣帝则严厉训斥道：我汉家自有制度，本来就是以霸道和王道杂和相用，怎么可以单用德教，回复儒学倡导的周政呢！况且俗儒不了解时宜，喜好是古非今，使人陷入无谓的空论，以致不知所守，这样的人怎么靠得住呢！

元帝以后就不行了

汉武帝在晚年和秦始皇一样，想长生不老，爬到泰山顶上，希望和神仙会面。但是他的几千宫女，很多盼望他早一点死，好有机会放出宫来。因此，一边他在天天祷告，一边宫女们也在天天祷告，不过目的是相反的。他动了气，叫江充去调查，江充在宫女所住的地方，掘出很多的木头人，原来都是用来咒他早死的。这些宫女自然都治了罪。

江充并且在太子刘据那里也掘出木人。这究竟是江充诬陷太子，还是太子真想早一点继承大位，我们生在二千余年以后的今天颇难断定。总之，太子十分惶恐，就杀了江充，又矫诏发兵，与宰相刘屈氂所统率的军队巷战。他不幸战败，逃到一个小村镇里，为追捕官吏所逼，畏罪自杀。

这是汉武帝一生之中最惨痛的悲剧。太子死了，太子的儿子史皇孙也不知下落。史皇孙当然是姓刘而不姓史，因为母亲姓史，所以被人家称为史皇孙。史皇孙的儿子刘病己于是便流落民间，与贩夫走卒为伍。

所以汉武帝死的时候，便只好把皇位传给一个年纪很轻的儿子刘弗陵。这就是汉昭帝。一切大权落到霍光身上。霍光是汉武帝的好朋友，也有点亲戚关系。他为人很忠心，不过权柄实在真大，驾过丞相之上。他的名义是，大司马大将军录尚书事。"大司马大将军"六个字尚不过是头衔，"录尚书事"便综揽皇帝宫内秘书处的事务，替皇帝代批公事。

　　昭帝在位十二年,霍光也当权十二年。继承昭帝的是一位昌邑王刘贺,因为不合霍光的意,被霍光废了。那位厮混在平民中间的刘病己(即刘询),因为是汉武帝的嫡系曾孙,便被霍光找了来,立为皇帝。

　　刘病己颇有一点刘邦遗风,也深知民间情形。他办起事来刚柔并用,所以内政外交都很有建树。是在他作皇帝的时候,汉朝的物价最低,米只卖五文钱一石。也是在他作皇帝的时候,匈奴向中国投降,呼韩邪单于自己跑到长安来上朝。这位刘病己在历史上被称为汉宣帝。

　　他儿子汉元帝刘奭,是一个忠厚人,从小熟读孔子之书。即位之后,便专用一班儒家,几乎年年大赦,作恶的人反而有恃无恐,幸亏当时社会经济表面上还可以敷衍得过,否则真要弄得盗贼遍地了。

　　有眼光的人士,包括儒家之一的贡禹,已经看出社会经济上的隐忧,也就是土地集中的倾向。讲起这一层来,话长得很。总之,在孔子以前的几百年,中国正当封建时代,土地属于贵族所有,地主便是贵族,贵族便是地主,动手耕田的人不是庶民,便是奴隶。庶民的地位,也许比西欧中世纪的农奴好些,但说不上是自由农或自耕农,因为他对于世据本邑的贵族多少还要负担若干租税与劳役。其后因贵族好战好赌好色,又加上生齿日繁,而逐渐没落,庶民虽未尝不也是生齿日繁,却能勤俭起家,甚至多生一个儿子,多得一分力,不像贵族之多生一个儿子多了一张嘴。庶民这才慢慢地抬起头来。说来奇怪,到了孟子以后,中国已经是一个平民社会了。贵族微弱得不成一个统治阶级。战国七雄每一个国家内部,国王高高在上,下面是广大的庶民之群,不再有一级一级的贵族夹在中间。自然,商鞅吴起之流,居心和贵族作对,树立王权;国与国间的交通发达,商人崛起,也是造成中国社会平等化的原因。

　　秦始皇之中央集权,全靠有了如此社会条件才能实现。否则,有了贵族夹在中间,他如何能直接统治全中国的老百姓呢? 老百姓之中,除了商人与来源为工奴的工人以外,绝大多数为农人。由于当时地广人稀,既无贵族兼地主的阶级横亘其间,所以自耕农应该是比较多,耕别人家的佃农应该是比较少。不幸,商业资本刚好在这个时候发达起来,良田也成了投资对象,商人赚钱容易,赚了钱纷纷买田,做起资本家兼地主来了。有些靠勤俭起家而生齿不繁的自耕农,由于省下钱来无处可用或不肯花费,也投资在农田上,越买越多,由贫农升格为富农,由富农升格为地主。至于天性刻薄,仗着高利贷发财的人,不论其身份为商为农,自然也容易打买田的主意。

刘邦得了天下,为了酬庸一批功臣,所以裂土分封,封了若干王与侯,名义上是局部的恢复封建,实则不是。因为这些王侯是若干国的国君,并非若干国国内全部土地的地主。后来,在景帝平定七国之乱以后,把王侯的统治权收归中央,仅给他们若干户的赋税,每户赋税之计算方法固定为每年二百文。就政治的观点来说,是一种改革。就经济的观点来说,流弊很大。因为这些王侯拿到了千户万户的二百文,很难用完,便学起大商人大地主的榜样,到乡下买田。

过上一两百年,乡下人的田几乎被这些王侯、大商人与大地主买个干净。当农夫的能继续做一个佃农还算是幸运的。然而佃农要把粮食拿出来和田主分,不比自耕农之自有全部粮食,所以便不容易维持一家的生活与应付嫁娶生死的大事,只得慢慢地离开农场,当一个短期仆役或长期仆役了。由长期仆役而变为终身奴隶,快得很。

在西汉盛极而衰的元帝之时,土地之集中与奴隶制度之复活是当时的两大问题。到了王莽,就拿这两个问题来标榜。王莽是谁呢? 他是汉元帝的太太王皇后的娘家侄子。王皇后于元帝死后,活得很久,以老太太的资格大当其家,所以才提拔出一个王莽来。

五六

老太太当家

汉元帝除了喜欢儒家以外，又喜欢几个太监。他就是不喜欢皇后。所以王皇后很有一点牢骚。在他死后，王皇后升格为皇太后，大大地发挥了支配欲，儿子汉成帝刘骜变成傀儡。刘骜也乐得省事，把力气全花在宫女身上，最红的一位善舞的宫女叫做赵飞燕，收进宫来，立为皇后。

王皇太后把娘家的几个兄弟逐一提拔，拜王凤为大司马大将军领尚书事。王凤死了，拜王音为大司马车骑将军领尚书事。王音死了，拜王商为大司马卫将军领城门兵。王商死了，又拜王根为大司马骠骑将军。王根病得快死，就把王莽拜为大司马。总计汉成帝在位二十六年，不曾有一年自己能作得主。一个接一个，姓王的轮流为大司马掌握实权，替他看公事批公事。老太太虽则深居宫中，事实上是透过几个弟弟与一个侄儿，成为全国的主宰。

老太太当家二十六年，成绩好不好？一点也不好。黄河有了好几百年不曾决过口，在她老人家治下忽然大发脾气，一冲便是四郡三十二县。如果管理黄河堤工的人不贪污揩油，黄河就不会发这么大的脾气。

中国老百姓自刘邦死后，一直没有造过反。在景帝之时，有过一次吴王濞所发起的七国之乱，但那是七个王爷发神经病，不是老百姓想造反。然而到了王皇太后当国，便有人纷纷揭竿而起。申屠圣、郑躬、樊并、苏令,是其中最著名的几个。其中申苏二人是国营铁矿的苦工;苏令最厉害,他率领二百二十七个同伴,东奔西窜,经历十九个郡国,可谓中国历史上流寇的鼻祖。

流寇之所以能够横行,反映地方官无能。地方官之无能,反映王氏兄弟在中央尸位素餐,老太太不配当家。

老太太与赵飞燕二人之间,免不了庸俗的婆媳之争。赵飞燕也是一个女人。赵飞燕自己虽未能生儿子,却暗中扶植起一个远房侄子刘欣,怂恿汉成帝立为太子。于是汉成帝一死,刘欣即位,便罢免王莽,驱逐王根出京,老太太的威权一落千丈。

但是过了六年,刘欣忽然暴卒(谥为哀帝)。老太太有没有杀人嫌疑,很成问题。不过她老人家偏要叫王莽来典礼丧事,真是滑稽得很。赵飞燕不久便自杀了。刘欣的生母傅太后也自杀了。

老太太再度当家,王莽也再度任大司马。她与他姑侄二人,找来一位小孩子刘衍作为皇帝,这就是汉平帝。五年以后,汉平帝死于王莽之手。

继承汉平帝的,是一位孺子婴。这一个小孩仅有作三年皇帝的命,王莽用他的名义,把皇帝的位子让给自己。

等到王莽走进宫里,向老太太索取汉朝的传国玺,老太太忽然醒悟过来,觉得自己的地位是靠了嫁给姓刘的,而不是因为娘家姓王。她大哭大闹,骂王莽是奸臣,拒绝王莽的要求。她说:“这传国玺既然汉朝保它不住,可见得也是一个不祥之物,你要它没有用处。”然而她究竟内心畏惧王莽威势,于大哭大闹以后,依然不得不把传国玺摔了出来,玺摔坏一角。

玺上刻的是“受命于天,既寿永昌”八个字。这八个字是谁写的呢?是李斯,秦始皇的丞相。原来它还是秦国的传国玺呢!

在汉朝末年,当董卓慌慌张张离开洛阳的时候,这颗玺曾经落到孙坚之手，又由孙坚的夫人而落到袁术之手。

　　其后这颗玺一再转手，到了北宋，被徽钦二帝护送到北京，落到金朝皇帝之手。而金而元，到了元顺帝被朱元璋赶走，这颗玺就被带到沙漠里去。到元顺帝的苗裔林丹汗死后，它被人献给努尔哈赤的儿子皇太极，皇太极的儿子福临（清世祖顺治皇帝）带它进关，慢慢地传给溥仪。当冯玉祥入宫之时，这颗玺便由故宫博物院的前身，一个委员会，接受下来了。总算是到了今天这颗玺尚在中国。

　　当王皇太后（后来已经又升格为太皇太后）愤愤地摔下这颗玺于王莽之前的时候，她哪里会料到这个"不祥之物"会有如此悠久的一段生命啊！王莽呢？相反，满以为有了这一颗传国玺，便可以享国两三百年，也不曾料到只能作十五年皇帝就要被老百姓砍死。

五七

王莽是个什么样子的人

"周公恐惧留言日，王莽谦恭下士时，假使当年身便死，一生真伪有谁知?"这一首诗做得很好，给了王莽一个按语，王莽一生没有别的，仅是一个"伪"字。

在他谦躬下士的时候，他标榜土地改革，所以有许多孔孟之徒来拥护他，孔子说过："不患寡而患不均"；孟子也说过："百亩之田，树之以桑，八口之家可以无饥矣"。孔孟之徒，一向保存着土地改革的理想，在王莽的朋友之中有一位师丹，便是一个主张土地改革最急切的人。

谁知道王莽做了皇帝以后，把土地改革的政纲马虎了事，他下了一道圣旨，说从今以后所有的田地属于国家，民间不得买卖，田多过九百亩的，要分出来送给穷本家，穷亲戚。至于根本没有田，而又缺乏阔本家与阔亲戚的，并不另外设法赏田给他们。

那些有九百亩以上田地的人，分田给别人云云，无非是应应公事而已，只有不懂得做假，偷偷地买卖而被人告发的蠢材，才受到王莽的打击。王莽把这些人整得很惨，没收他们的田地，剥夺他们的身体自由，令他们作官家奴婢，或由官家卖给私人为奴婢。

已有的奴婢，王莽也并不想解放。他的另一道圣旨说，奴婢从此不许称为奴婢，而改称为"私属"（私人的附属品），与田地同样不许买卖。实际上,奴隶既不能恢复自由,与其永久被捆在一个主人家里当附属品,倒不如准许主人买卖他们,还有一个换到较有良心的主人之希望。

王莽不仅没有解放了奴隶,而且由于他的种种苛法严刑,反而增加了不少奴隶的数目。

人民最受不了的便是他的金融政策。他发行了许多大钱,定值甚高,而实际含铜量不够,以为融化了三五个小钱铸为一个大钱,刻上当十当百的字眼,人民就肯当它是一十一百来用。人民不肯受骗,他便严厉处罚。人民有学他的榜样私铸大钱的,就被他罚作奴婢。

匈奴有五十几年未曾造反寇边,始终称臣听命,而王莽偏要激怒他们,压低他们的王爷的称呼,又把王爷的金印改小,目的在于逼他们造反,好让自己耀武扬威,打几个胜仗,以媲美秦皇汉武。这真是没有事情找事情做。

匈奴果然气不过,造起反来,王莽动员了全国的兵,大闹特闹,花了不少的钱,结果一次胜仗也没有。徒然劳民伤财。与匈奴争战了十年光景,反而引起内部的盗匪问题。

盗匪在西汉盛时,简直是少得很。到了汉成帝的时候,才有此起彼伏的流寇。在王莽对匈奴的长期战争以后,人民苦于征调,纷纷逃役入山,盗匪的数量越来越多,就成为最严重的问题。

在王莽地皇三年(公元 22 年),有几十万涂红了眉毛的流民,冲进潼关,威胁长安,他们的外号是赤眉。另有一批人是躲在绿色树林中的,称为绿林。赤眉,绿林,与后来三国时期的黄巾,都是差不多的人物:铤而走险的农民。

最厉害的要算河南南阳一带刘秀和他的哥哥刘縯所领导的新市兵与平林兵了,新市与平林是两个镇市,王莽派了三十万兵去打他们,反被他们打败。

对外受制于匈奴，对内见逼于"群盗"，王莽的环境真是一天不如一天。但是他决不认错，总是怪别人不好，老天不好。他以为老天遗弃他了，便率领大小群臣与老百姓向天大哭，希望集体的哭声可以感动上苍。他并且重赏了几个会哭的人。无奈上苍毫无反应。

他自私得很，到了如此的存亡关头，依然不肯拿出金子来用，据说在他死的时候，宫中的存金还有若干柜子。

他究竟死在谁的手上，我们弄不清楚。有人说他是被一个卖菜的老太婆砍死的，也有人说他是被长安的恶少年杀了的。那时候，刘秀及其所拥戴的更始皇帝刘玄，已经有兵进抵长安。

王莽既死，更始皇帝一派与赤眉有过争斗，赤眉失败。更始皇帝本人与刘秀也有一次争斗，刘秀胜利。刘秀又打平各地方的割据群雄，终于成为全中国的共主，恢复汉朝（王莽的国号叫做"新"，不叫做"汉"）。

刘秀因为是刘邦的旁系苗裔，所以自居为汉朝的恢复者。实际上他一手打出天下来，等于另外创立了一个朝代。

▲五八

农民暴动

在汉武帝时代，豪强之徒兼并土地，武断乡曲的情形已经十分严重。

官僚地主疯狂追逐财富，聚敛金钱，霸占田宅、畜产、奴婢，往往采用非常残暴的手段，使农民陷于极端困苦之中，贫苦民众卖妻鬻子的现象屡见不鲜。

西汉王朝外事四夷，内兴功利，耗尽了文景时代府库的积蓄，更加重了农民的负担，使社会矛盾益为激化。针对这种情形，董仲舒曾经建议限制土地兼并，废止奴婢制度，政府则薄赋敛，省徭役，以调整阶级关系，维护社会的安定。不过，这样的建议在当时并不能够真正实行。

汉武帝时代，已经多有民众起兵反抗暴政。脱离政府控制的流民的数量，也往往使最高统治者震惊。元封四年（公元前107年），关东流民多至二百万口，无名数者四十万。每逢灾年，经常发生饥民人吃人的悲惨情形。

"巫蛊之祸"发生之后，汉武帝沉痛追悔往事，决心与民休息，否定禁止以往苛暴之政，以发展农耕经济作为执政的基本原则。昭宣时代，社会相对稳定。然而统治集团的腐败黑暗，积弊已深，豪强的暴发和农民的流亡，已经难以遏止。

胶东（首府在今山东平度东）、勃海（郡治在今河北沧州东南）等郡国农民发起的暴动，规模已经相当惊人，甚至发展到攻占官府、解救囚徒、搜夺市朝、劫掠列侯的程度。

元成哀平时代，贵族、官僚、豪强竞相侵霸土地，导致农耕生产秩序的严重破坏。豪富权贵霸占良田，役使贫民，成为极其普遍的情形。

汉成帝时，外戚王氏当政，红阳侯王立在南阳占垦草田达几百顷之多，连贫民所假少府陂泽而开辟的熟田也在占夺之列。他又把霸占的土地卖给国家，所得报偿超过时价一万万钱。

又如丞相张禹占有泾渭之间可以灌溉的最肥沃的良田多达四百顷。这样的肥美田地，在汉武帝时代已经被称为"土膏"，号称其价格至于每亩一金。汉哀帝时，宠臣董贤得赐田千余顷。董贤死后家财被斥卖，所得竟然多至四十三万万钱。

残酷的土地兼并，使得无数小农破产。而他们肩上的沉重压力，还包括赋役的繁杂、刑罚的严苛等等。汉哀帝时，鲍宣曾经论说，当时民众有"七亡"而无"一得"，有"七死"而无"一生"，就反映了当时的情形。

频繁而严重的自然灾害，以及政府因本身腐败和社会结构严重失序在应对变乱时所表现的无能，也是社会危机日益深刻的原因之一。

汉元帝刚即位时，关东地区因为连年遭受灾害，流民进入关中。所谓"谷贵民流"，成为当时政治危局的主要表象。汉元帝永光年间（公元前43年至公元前39年），最高统治集团仍然为"民众久困，连年流离"的现象而深深忧虑。

汉成帝阳朔二年（公元前23年），关东大水，流民流移入关。鸿嘉四年（公元前17年），又出现水旱为灾，关东流冗者众多，青州、幽州、冀州等部形势尤为严重。在汉成帝在位后期，仍然灾害频繁。元延元年（公元前12年），几种天灾相互交并，蚕桑和农田作物都受到破坏，又有影响地域相当广阔的严重洪灾,史称"百川沸腾,江河溢决,大水泛滥郡国十五有余"。因为农耕生产连年遭受惨重破坏,以致百姓失业流散。

汉哀帝时,因自然灾荒所导致的流民问题依然是政局稳定的严重威胁,建平二年(公元前5年),因为连年歉收,天下空虚,百姓饥馑,父子分散,流离道路,流民人口竟数以十万计。

汉平帝元始二年(公元2年),又曾经发生大旱和蝗灾,青州地方尤其严重,民众大批流亡。

如果不能得到及时的救助与妥善的安置,流民出于对社会的彻底绝望,很自然地会成为与现行政治体制直接对抗的社会力量,其破坏力之强,往往可以超过其他一切社会阶层。

尽管西汉末年政府正式文书在说到政局的混乱的时候,多强调天灾的严重影响,而当时恶劣的自然条件确实使得恶劣的社会条件的危害显得更为显著,然而,流民等社会问题发生的主要原因,并不是自然灾害。

汉元帝永光二年(公元前42年),因为社会危机异常严重,曾经颁布诏书沉痛自责,其中说到"元元大困,流散道路,盗贼并兴"。

而汉成帝鸿嘉四年(公元前17年)春正月诏,也说到当时社会危机最主要的征象之一,依然是"农民失业","流冗者众"。

西汉末年社会动荡时期,流民多数集聚为对原有政治秩序在观念上予以怀疑和否定,在行为上同时予以冲击和破坏的社会群体,直接原因往往是吏治的腐败所导致的正常社会关系的崩坏。

西汉末年,许多有识之士都看到,当时民众流亡,逃离城郭,而各地发生暴动,"盗贼并起"的原因,是吏治腐败。

汉元帝永光二年(公元前42年)春二月颁布的诏书也承认,百姓极端困苦,"流散道路,盗贼并兴",原因在于行政执法部门作风残暴,不知道管理国家的正确的方法。

汉成帝建始三年(公元前 30 年)九月颁布的诏书也说,流民众多,正是因为吏治的黑暗难以改变。

西汉末年,吏治的腐败已经相当严重。对下层民众残酷压榨,贪财而慕势,已经成为共同的风气。贪官污吏横行不法,政风之颓败已经不可收拾。汉元帝时,丙显任太仆十余年,贪赃数额多至千余万。中下级官吏同样贪赃枉法,安定郡五官掾张辅据说贪污不轨,一郡之钱尽入其家,治罪之后,没收的赃款竟然超过百万。

后来有人用"衰乱"、"重敝"这样的词语来总结西汉末年的政情,又说,汉平帝时,苛酷的官吏滥发徭役违误其农时,贪婪的官吏滥收租税侵害其财产,于是使得百姓困乏,无可为生。一个"苛"字,一个"贪"字,确实体现了当时极端腐朽黑暗的官僚体制对于社会经济造成严重危害的特色。

元成哀平时代,所谓"盗贼并起"、"盗贼并兴",成为当时皇帝诏书、政府文告以及官员言辞中频繁出现的语汇。

以汉成帝时代为例,汉成帝河平三年(公元前 26 年),东郡茌平(今山东茌平南)侯母辟自称"将军",起兵攻烧官府,执捕县官,夺取印绶。阳朔三年(公元前 22 年),颍川(郡治在今河南禹县)铁官徒申屠嘉率众起事,杀长吏,劫库兵,自称"将军",经历九郡。鸿嘉三年(公元前 18 年)广汉郑躬等攻占官府,释放囚徒,劫取库兵,自称"山君",横历四县,部众多达万人。永始三年(公元前 14 年)尉氏(今河南尉氏)樊并等暴动,杀死陈留太守,自称"将军"。同年,山阳铁官徒苏令等攻杀长吏,抢夺库兵,自称"将军",经历十九郡国,处死东郡太守、汝阳都尉等。

当时还有依恃秦岭地形,"阻山横行","阻山为害"的"盗贼"的活动,说明民众群体的反抗已经威胁到都城长安的安全。

汉成帝时代，所谓"江湖中多盗贼"，也是值得我们注意的现象。当时所谓"江贼"，应当就是以舟船行水作为主要行动方式和主要隐蔽手段的机动性相当强的反政府武装力量。

哀平年间，民众暴动日益频繁，每年多至以万次计，甚至兵锋直犯京畿，纵横三辅，火烧汉武帝茂陵，长安城内皇帝所居未央宫中也可以看见烟炬。

起义民众甚至越州度郡，万里交结，使得朝廷虽然诏书讨捕，依然连年不获。

农民暴动的烈火，在王莽统治时期终于在各地全面燃起，呈现出燎原之势。

反对王莽的新朝的农民起义，首先发生在北边地区。

王莽为了出击匈奴而进行的赋役征发，使边地和内郡民众不堪其苦，于是聚众而反。始建国三年（公元 11 年），大批边民弃城郭流亡，在各地发起暴动。并州（今山西北部）、平州（今河北北部）的反抗斗争更为激烈。

天凤二年（公元 15 年），因为大军集结于边郡，边民负担沉重，五原（郡治在今内蒙古包头西）、代郡（郡治在今河北蔚县东北）的民众举行起义，并且以数千人为集团，已经开始超越郡界的流动作战。

天凤四年（公元 17 年），临淮人瓜田仪在会稽长洲（今江苏苏州西南）发动的起义以及随后不久的琅邪女子吕母在海曲（今山东日照）发动的起义，也都有较大的影响。

天凤年间，荆州（今河南南部及湖北、湖南大部分地区）因连年久旱，饥苦不堪的百姓多流落于山泽间，以采集野生植物求生，逐渐汇聚成小有规模的武装集团。新市（今湖北京山）人王匡、王凤被推为首领。他们经常出击附近的乡聚,位于今湖北京山北的绿林山,成为他们休整和隐蔽的根据地,这支人数增长到七八千人的武装力量于是被称为"绿林军"。

地皇二年(公元21年),王莽政权的荆州牧发兵二万进攻绿林军。绿林军迎击政府军获胜,绿林军又曾经攻拔竟陵(今湖北潜江西北),转击云杜(今湖北京山)、安陆(今湖北云梦),部众增加到数万人。

第二年,当地疾疫流行,死者众多。绿林军分作两支队伍出山。一支由王常、成丹率领,西入南郡(郡治在今湖北江陵),称"下江兵"。一支由王匡、王凤、马武率领,北上南阳(郡治在今河南南阳),称"新市兵"。两支部队的首领都自称"将军"。

新市兵在攻略随县(今湖北随州)时,平林(今湖北随州北)人陈牧、廖湛率众响应,于是起义军中又有"平林兵"加入。

汉宗室刘玄当时也投入到平林兵中。同样作为汉宗室成员的南阳豪强地主刘縯和刘秀,以恢复汉家天下为号召,也起兵反抗新朝的统治,所组织的军队人数达七八千人,称"舂陵兵"。舂陵兵与下江兵联合作战,合兵而进。

地皇四年(公元23年)二月,绿林军为了顺应民间倾向汉室的正统观念,在淯水之滨设置坛场,拥立时称更始将军的刘玄为天子,建元为更始元年。刘縯被任命为大司徒。刘秀时任太常偏将军。同年五月,刘縯攻占宛(今河南南阳),更始帝刘玄随即在这里建立了统治中心。

稍晚于绿林起义,琅邪人樊崇在莒县(今山东莒县)举兵。不久,青、徐等地的起义民众多所归附。这支起义军沿袭汉朝乡官小吏的称谓,各级首领称为"三老"、"从事"、"卒史"等,彼此之间以"巨人"相呼。部队没有文书、旌旗,不设部曲、号令,纪律只有口头相约:"杀人者死,伤人者偿创。"起义军用朱红色涂染其眉以为标识,时称"赤眉军"。

地皇三年（公元 22 年），王莽派太师王匡和更始将军廉丹率军十余万进攻赤眉军。新莽军队强横残暴，残害民众，百姓作歌道："宁逢赤眉，不逢太师，太师尚可，更始杀我。"

赤眉军在成昌（今山东东平）一战大破新莽军，杀廉丹，歼敌万余人。王匡逃走。赤眉军又转战于淮海、中原，势力大为扩展。

当时奋起反抗新莽政权的民众起义，还有地皇元年（公元 20 年）钜鹿（郡治在今河北巨鹿南）马适求起义，地皇二年（公元 21 年）南郡（郡治在今湖北江陵）秦丰起义，平原（郡治在今山东平原南）迟昭平起义等。《汉书·王莽传下》说，同年，"三辅盗贼麻起"。指出新莽王朝的政治腹心地区也爆发了多起武装反抗斗争。

地皇三年（公元 22 年），四方"盗贼"往往集结数万人进攻城邑，处死新莽官吏。王莽看到天下溃叛，形势危急，派专员分行天下，废除改制以来颁布的诸种法令，宣布即位以来所有诏令有不便于民者统统收回。

不过，这时新莽政权的基础和支柱已经完全朽坏，有如大厦将倾，最后的末日已经临近了。

地皇四年（公元 23 年），王莽派司徒王寻、大司空王邑调发州郡兵四十二万进攻绿林起义军，号称"旌旗辎重，千里不绝"，据说还曾经驱役猛兽虎豹犀象等，以助威武之势。按照《汉书·王莽传下》的说法，"车甲士马之盛，自古出师未尝有也"。

六月，新莽军前锋十余万人围王凤、王常所部绿林军八九千人于昆阳（今河南叶县）。新莽军围城数十重，列营百数，旗帜蔽野，埃尘连天，战鼓之声传闻数百里，又以高数十丈的云车俯瞰城内，积弩乱发，矢飞如雨，兵士挖掘地道，并用撞车攻城。城中守军面临异常危急的形势。

危难之中，刘秀等十三骑夜突重围，发郾（今河南郾城南）、定陵（今河南舞阳北)营兵数千人救援昆阳。

刘秀亲自率领步骑兵千余,在大军前四五里处列阵。新莽军也遣兵数千合战。刘秀奋勇冲击敌阵,斩首数十级。起义军中诸将议论说:刘将军平生见小敌似有怯意,今见大敌却分外奋勇,真是令人惊异!

刘秀率部挺进,新莽军后退,起义军乘势进攻,斩首数百千级。刘秀又故意伪造宛地起义军增援部队已经抵达的情报,使新莽军士气沮败。而起义军将士连获胜捷,胆气益壮,无不以一当百。刘秀又亲率敢死士三千人冲击敌军中坚。新莽军阵营溃乱,刘秀乘势奋勇冲杀,分割敌军,并杀死王寻。城中守军也鼓噪冲出,内外合势,呼声震动天地。

新莽军溃败,士卒四散,奔逃求生,相互践踏,百余里的道路上,到处都是仓皇流窜的新莽军人。当时又遭遇巨雷暴风,大雨如注,洪水暴涨,士卒溺死者数以万计。新莽军各部士卒大多奔逃四散,只有王邑与所率领的长安勇敢士数千人回到洛阳。

昆阳之战后,王莽已经无力调集军队主动攻击起义军。新莽政权大势已去。

有人说,秦末起义是中国历史上第一次农民大起义。其实,秦末起义的性质还是可以讨论的。而两汉之际的农民暴动,无论从发起的规模和对社会的震动来说,都是值得我们特别重视的。

▲五九

烂羊头，关内侯

昆阳之战后，绿林兵乘胜分两路进军。一路由王匡指挥北上攻洛阳，一路由申屠建指挥，西入武关进攻长安。

当绿林兵奉更始帝刘玄之命攻击长安时，赤眉军也在中原奋战。更始帝刘玄占据洛阳之后遣使者招降赤眉军，樊崇等二十余人还接受了刘玄的列侯封号。

在起义军的强大的军事威势下，三辅震动，一时海内豪杰纷纷起兵响应，杀其牧守，自称将军，使用汉朝年号，旬月之间，烽火遍于天下。

王莽众叛亲离，仍然借用符命迷信自欺欺人。新莽政权上层统治集团也发生了分裂。卫将军王涉、国师刘歆和大司马董忠等密谋劫持王莽投降更始政权，只是因为准备"待太白星出"起事，以致计划终于败露，董忠被处死，王涉、刘歆也被迫自杀。

王莽外有出师之败，内有大臣之叛，朝中一片混乱。这时，天水成纪（今甘肃庄浪西）人隗嚣及其家族起兵反新莽，隗嚣称大将军。析（今河南西峡）人邓晔、于匡率众拔析、丹水（今河南西峡西），攻武关（今陕西商南南）。长安受到东西两个方向重兵进攻的威胁。

王莽面临军事危局，仓皇无定，不知所措。有人建议说，《周礼》和《左传》都说过，国有大灾，则哭以厌之，《周易》也有有关的文字，不妨仿效古制，呼嗟告天以求救。王莽自知即将败亡，于是率群臣到南郊九庙，自述受符命而登基之前后经过，仰天呼叫，乞求皇天殄灭众贼；又捶胸大哭，直到差点儿断气儿；又作千余言告天之策，自陈功劳。王莽甚至还组织诸生小民早晚大哭，专门准备了粥饭，恸哭最为悲哀的，以及能够诵念策文的，都任用为郎。这样新任的郎官据说多达五千余人。

在反新莽大军逼近长安的时候，王莽组织城中囚徒出城抵抗。但是这支临时组成的部队刚刚行过渭桥，就一起哗变，并且掘毁王氏祖坟，烧其棺椁，又焚烧九庙、明堂、辟雍等礼制建筑。

十月戊申日这一天，绿林军从宣平门入长安。庚辰日，绿林军进入未央宫。王莽逃到渐台，被杀死。新莽政权灭亡。

王莽在六十八年的生涯中，暴起暴落，进行了种种政治表演。对于王莽的政治行为，批评之说不绝于史，近年则又有人给予"改革家"的评价。如果我们调整视角，尝试以文化考察的眼光透视其人格特征，也可以获得有意义的发现。

王莽因篡汉而长期受到传统的文化舆论的否定。流传极广的蒙学课本《三字经》说："高祖兴，汉业建。至孝平，王莽篡。"清人编撰的《历代国号总括歌》也写道："汉能顺取治杂霸，新莽篡者旋灭亡。"

事实上，当西汉王朝的衰落已经难以挽救时，期望新的政治形象、新的文化风格取而代之，以扭转危局，成为一种共同的心愿。王莽正是在这样的社会文化背景下结束了西汉王朝的统治的。

王莽虽然出身于外戚家族，却早年孤贫，于是"折节为恭俭"，在其他贵族子弟竞相侈靡时，能够谦虚谨慎，苦身自厉。一时"宗族称孝，师友称仁"，最终以道德积分的优势，取得了最高政治权力。这可以说是刘姓集团无奈的政治退却,也可以看作社会上下共同的文化选择。《汉书·王莽传上》说他节操谦谨,生活俭约。他有子四人,除一人病逝外,其余三个儿子都在年届三十岁,政治上即将自立时,因罪被王莽逼迫自杀。按照班固的说法,王莽这样做的目的,在于"以示公义"。这在中国古代帝王中,形成相当少见的特例。

王莽曾经跟随名儒学习《礼经》,勤身博识,在历代新王朝的开创者之中,是非常少见的有较好文化素养的帝王。然而他却没有能够真正领会儒学文化的精髓,只是经常无聊地炫耀对于儒经的皮毛之见,于是起初因此而得势,不久又因此而败亡。

班固在《汉书·王莽传下》中写道,过去秦王朝烧毁《诗》《书》,以立私议,王莽则宣传儒学词句以文饰其奸言,两者同归殊途,俱用灭亡。两相比较,文化立场虽然表面看起来相反,却走向同样的结局。

白居易《有木诗序》说王莽"色仁行远,先德后贼"。"德"与"贼",是政治道德评价。如果以民间文化倾向作为评定的尺度,也可以看到王莽的失败是理所当然的。

王莽的首级后来被传送到起义军指挥中心,悬挂在宛城市中示众,百姓纷纷掷击,"或切食其舌"。有人竟然切割他的舌头食用,也反映民众对于王莽反复无常、虚伪轻浮的政治表演的厌恶。

农民暴动破坏了专制的政治秩序,也破坏了正常的经济生活。更始军占领关中之后,各部终日以抢劫掳掠为事,一时"横暴三辅"。

刘玄住在长安长乐宫,沉浸在宫廷享乐生活中,无心理政,一天到晚和妇人饮宴后庭,群臣请求上奏言事,往往大醉而不能见。有时实在不得已,竟然令宦者坐在帷帐中应付臣下。

　　刘玄又大封诸王，滥授官爵，长安于是有"灶下养，中郎将；烂羊胃，骑都尉；烂羊头，关内侯"的传言。

　　有人建议应当变革制度，招纳英俊，因才授爵，以辅佐朝政，竟然激怒刘玄，被投入狱中。于是民众都对这个新政权表示失望。

▲六○

红眉毛的大军

更始二年（公元 24 年）十二月，赤眉军数十万人西进入关，连续摧毁更始军的阻拒，进军到华阴（今陕西华阴东）。

军中巫者以天神代言者的身份宣传说：本来应当做帝王的，为什么要做"贼"呢？

有人借此劝说赤眉军领袖樊崇：现今将军拥百万之众，西向帝城，而无称号，被人看作"群贼"，这样是不可以持久的。不如立刘姓宗室，挟义而诛伐。以此号令，谁敢不服？樊崇于是立刘氏宗室刘盆子为帝，自号建世元年。

更始集团中有人建议勒兵掠长安以自富，东归南阳，如果再败，不妨再入湖池中为盗。刘玄否定了这一建议。于是有劫更始帝以东归的密谋。更始集团上层的政争，导致了流血事件。长安发生内乱。

赤眉军占领长安，刘玄单骑出城。后来在赤眉军威逼之下，更始帝刘玄请降。

赤眉军在长安劫夺财物，掳暴吏民。城中粮食消耗尽净，又收载珍宝，纵火焚烧长安宫室市里，民众饥饿，人吃人，死者多达数十万。长安成为废墟，城中无人行。

赤眉军又引兵而西。起初西走陇坂，寻找出路，在受到地方割据势力

冯异好读书,精通《孙子兵法》,为人谦恭,每次论功,他独避树下,故被称为"大树将军"。

隗嚣的抵抗和特大风雪的袭击之后,又折返长安。赤眉军与更始军在关中反复交战,使关中社会遭到严重破坏。"时三辅大饥,人相食,城郭皆空,白骨蔽野,遗人往往聚为营保,各坚守不下。"赤眉军在掳掠无所得的情况下引而东归。当时尚有二十万众,然而行军途中,仍不断流散。

赤眉军在退出长安之后,面临窘迫情境时,曾经大规模发掘西汉帝陵。

乱军发掘诸陵,取其宝货,甚至有污辱吕后尸身的丑闻。军事集团公开以武力发掘帝陵,开历史上同类事件之先河。

当赤眉军入关进攻更始集团时,刘秀派邓禹率军引兵而西,又派冯异拒守孟津。赤眉军迫近长安时,刘秀以当时民间流传的《赤伏符》所谓"刘秀发兵捕不道,四夷云集龙斗野,四七之际火为主"为宣传,在鄗(今河北高邑东)南千秋亭五成陌设坛场,于六月己未日这一天,正式即皇帝位,建元建武。

同年十月,刘秀入洛阳,在这里定都,仍用汉朝国号,史称东汉。

刘秀的军队在继续镇压河北农民军余部的同时,又扫平了分立于中原各地的割据武装。

建武二年(公元26年)春正月,邓禹军入长安。九月,大破赤眉军于杜陵(今陕西西安东南)。建武三年(公元27年)闰正月,冯异军在崤底(今河南渑池西)大破东进的赤眉军主力。刘秀又亲自率军进攻南向宜阳(今河南宜阳西)的赤眉军余众。赤眉军战败投降。

建武五年(公元29年),刘秀又先后削平了渔阳郡的彭宠、南郡的秦丰和齐地的张步等割据地方的武装集团。于是黄河流域各地的主要的割据势力被逐一消灭,北方的主要地区得以平定。

六一

光武帝不该打小算盘

因为他一手打平天下，光复了刘邦的汉朝，所以刘秀在历史上被称为光武帝。如果没有刘秀，汉朝不会有四百年的统一，只有二百年的统一。

他在种种方面都比刘邦好。他对朋友始终如一，不像刘邦得了天下便杀朋友，关朋友。功臣如吴汉、冯异、邓禹、马援之流，都善始善终，和他同享富贵。连那割据过一方，势力大得惊人的隗嚣、窦融，一经与他合作，便被他推心置腹，毫不见外。是隗嚣自己不好，晚年与公孙述勾结，才被光武帝讨伐。至于窦融，却成为光武帝的知己朋友，后来刘窦二家互为婚姻。

让我在此附带说明，吴汉并没有作过王莽的女婿。《斩经堂》这一出戏缺乏根据。而且佛经大量传入中国，要在光武帝儿子汉明帝的时候。

我还想声明一点，被光武帝在河北打垮了的"卜者王郎"，未必不如王郎自己所说，是汉成帝的亲生儿子，这王郎如果是打胜了，谁还敢否认他的太子资格呢？我们既无充分证据，说他是成帝的亲生儿子，也没有充分证据，说他一定不是成帝的亲生儿子。时间隔得太远了（其实，我们对于今日今时的若干消息，也常常无法证明其真假呢。历史家的任务是要为了大家去求"真"，与"假"奋斗，历史家花了心血从无量数的"假"之中，多少找出一"真"来，也无非是为了给那些没有时间与技术去求"真"的人来

汉光武帝刘秀有学问、会用兵，是东汉王朝的建立者。

代劳，同时给那些懒得求真，自甘受骗的人浇浇冷水，而最后目的则在于给人类增加一点希望）。

当刘秀以大司马资格在河北与"僭号"皇帝的卜者王郎，拼得你死我活的时候，在长安大过其皇帝瘾的更始皇帝刘玄，虽则是刘秀的老板，却暗中祈祝刘秀与卜者王郎同归于尽。更始皇帝不会打仗，很猜忌刘秀，而且他曾杀过刘秀的哥哥刘縯（也是为了猜忌），很怕刘秀有一天报仇。

卜者王郎由于号称为汉成帝的亲生儿子，名正言顺，得到很多的人拥护，可惜他下面人虽多，人才却少。这是他不懂得怎样拉拢人才，结合人才；根本原因还是由于王郎自己不是一个人才，所以他终于被刘秀打败。

刘秀平了王郎，进一步与更始皇帝算账，不久以后更始又被赤眉杀了,赤眉另外捧出一个刘盆子做皇帝。再过一些时候,刘盆子与赤眉均被刘秀降服。皇帝就由刘秀来当。

刘秀一共做了三十三年皇帝。割据各方的群雄,如延岑、卢芳、公孙述之流,以及规模较小的刘永、李宪、董宪等等,都在他即位后十三个年头以内灭完。

他是一个如此会打仗的人,却酷爱和平。他刚把中国统一,就偃武修文,一举而废掉郡国每年度的会操。但是,中国历史上的征兵制度,不幸由此而坏。

他对于匈奴,也不肯用兵。刚好匈奴这时候内部纷争,分为南北。于是南匈奴来投降,北匈奴也来投降。南匈奴敌不过北匈奴,要求迁居大同附近(那时候叫做"云中"),光武帝准了他们。后来他们又要求继续南迁,入居"西河,美稷",今日山西离石县一带,光武帝又准了他们。这就埋伏下其后五胡乱华的祸根。

西域各君长,也纷纷遣使进贡,而且情愿派他们的儿子来当侍卫,作为效忠的保证,请求东汉政府向西域派遣都护,光武帝却闭起玉门关,婉辞拒绝。他之所以如此做,也是为了省事,怕劳民伤财,光武帝不肯花这些"冤枉钱"。

在光武帝所打的小算盘之中,最要不得的是为了节省刺史们的旅费,叫他们不必多旅行察看或进京报告。于是刺史们坐在各州办公,变成了太守国相之上的地方官,丧失了中央官的身份,不再做中央朝廷的耳与目,却渐渐尾大不掉起来,慢慢地破坏了集权与统一的汉朝制度。

这个,实在是光武帝的另一失着。

六二

班超十分英雄

光武帝放弃了武帝与宣帝花上百把年光阴所辛苦经营的中央亚细亚,闭起玉门关,谢绝西域的贡使,但求省事省钱,避免卷入若干小国之间的纠纷,却也未可厚非。但是他不曾料到,莎车国颇想乘机崛起,欺侮邻邦,自建帝国;又不曾料到那雄踞外蒙及天山北路的北匈奴,正好拾取他所放弃的霸权,奴役天山以南诸国,以进一步再度威胁中原本身的安全。

等到明帝,光武帝的儿子,看到了这一点,时间似乎已经太晚。由于光武帝在统一中原以后厉行偃武修文的政策,所以朝廷可以调遣的精兵极少,实已没有力量对北匈奴及西域大规模用兵。精兵既然极少,良将自然也更少了。

明帝派了祭彤与窦固二人去讨伐北匈奴,祭彤率领大兵,浩浩荡荡冲近新疆北部的沙漠,找不到一个匈奴人,全都躲起来了,祭彤只好空着手回来,明帝把他免职,关在牢里。那窦固呢,倘若他下面没有一位小军官,姓班名超的,恐怕也会遭逢与祭彤一样的命运。是班超带了一小队人马,勇冠三军,一口气把哈密城抢了回来,才算是替窦固的生命保了险,也替汉王朝争了面子。哈密城在当时叫做伊吾卢。

哈密在军事上极有价值,它是总挽天山南北两路的一个要冲。由哈密向南,第一个是鄯善国。班超奉派为副大使,带领了秘书、随员、马弁等

班超为西域都护,使五十余国都归属于汉,被封为"定远侯"。

三十六人,来到鄯善,他的任务不是用兵力来征服天山以南的几十个本来很忠于汉朝,而暂时被北匈奴勾了过去的国家,包括鄯善在内,而是以外交的方式劝他们重新忠于汉朝。

鄯善的国王颇感左右为难。如果是班超已经带了很多兵来,原可借以谢绝北匈奴,然而班超没有兵,况且北匈奴又是近在眼前的大国,所以鄯善的国王就颇费踌躇了。他在礼貌上,对北匈奴的大使甚为客气恭顺,对班超却有点冷淡。

谁知道班超出其不意,在一天夜里偷袭北匈奴大使的营幕,放了火又杀了人,把北匈奴的大使也杀了。班超的意思,是要告诉鄯善国的国王:"别看我带的人员很少,我却不怕向匈奴挑战,汉朝皇帝正要找北匈奴打。"

　　果然鄯善的国王被吓住了。对班超前倨后恭起来。北匈奴也没有立即派兵来鄯善国问罪，或是派代表到中原来抗议。

　　消息传到了西域其他各国，引起一阵骚动。若干不甘心侍候北匈奴的，便准备与汉朝结好。至于甘心侍候北匈奴，或被北匈奴控制得紧的，也就准备应付即将到来的另一次汉匈之争。

　　不到一年工夫，班超已经由鄯善西进，一路顺风，遇国受降，抵达了帕米尔边的疏勒国。这时候，疏勒国的国王是最忠于北匈奴的兜题。班超花了一点力气，借调别国的军队，把疏勒国王兜题活捉，夺去他的王位，另外立了一个忠于汉朝的国王，这么一来，差不多所有的西域各国都弃了北匈奴，向汉朝进贡，派遣他们的王子到汉朝来作皇帝的侍卫。汉朝也派了一位陈睦作为西域都护，又派了一位耿恭率领正规军一团人左右，驻扎今日吐鲁番的附近。

　　东汉朝廷不派班超为都护，而另外派人，真是奇怪，也许是因为班超功劳虽大，而资格很浅。做大官是要考较资格的。

　　可惜北匈奴一还打，这陈睦便应付不了，被忠于北匈奴的焉耆国国王杀了。耿恭也被北匈奴围困住了，败得很惨。

　　朝廷着了慌，索性取消了西域都护之官，又撤回了吐鲁番的屯卒，北匈奴既然大占上风，就再夺哈密以去。班超远在疏勒，回朝的路子从此割断。但是班超毕竟能干，他由疏勒沿大山之麓东进，打降中途各国，与焉耆大战一场，把焉耆国王杀了，替陈睦报仇，还祭了陈睦一次。

　　这时候朝廷中出了一位窦宪，他是章帝的大舅子（明帝死了，儿子章帝继立）。窦宪生性好大喜功，颇想借妹妹的力量，统领大兵与北匈奴干一下，出出风头。恰好南匈奴联络新兴的鲜卑，夹打北匈奴于他的老巢，窦宪于是就大举北伐，出了长城三千余里，北匈奴的单于望风而逃，不知道逃到什么地方去了,窦宪就命令他的秘书班固(班超的哥哥)写一篇夸奖他自己功劳的文章,刻在燕然山的一块石头上。

班超确是够英雄的,他除了与北匈奴及其附庸各国连战连胜以外,又曾经抵抗了大月氏帝国的七万大兵。大月氏在东汉之时,已与西汉张骞即汉武帝之时迥不相同。在西汉,大月氏还是很分散的若干小部落,小王国,团结力量很薄弱,到了东汉班超之时,已经统一而成为一大帝国,跨有流入咸海的阿母河及席尔河之流域,与古代的巴克特里亚(今日属阿富汗)与印度之西北部。后来而且扩张及于恒河整个流域,占有印度一大半的地方。大月氏的皇帝卡得菲塞斯第二自认为强过汉王朝,要汉王朝送女人给他(这叫做"和亲"),班超严辞拒绝,不允转达,他就派了一位"副王"带领七万大兵,爬过帕米尔来。班超的嫡系部队仅有三十六人,还包括秘书与厨子在内,哪里可以抵挡。虽则朝廷也派出生力军来帮助他,其实各次总数还不到两千人。然而班超会借兵。他借了小数目的疏勒之兵,就把大月氏的远征军割断给养,压迫他们全部投降。卡得菲塞斯第二只好派代表到汉王朝来谢罪。

然而班超尽管英勇,能在外立功,不能同时阻止朝廷的腐化。于是他赤手空拳所重新树立的中央亚细亚权威,到了他一死,便烟消云散。

▲六三

甘英遗憾

汉和帝永元九年（公元 97 年），班超派遣甘英出使大秦（即罗马帝国的东部地区）。

甘英的使团来到在今伊拉克境内的条支海滨，安息西界人说到海上航行的艰难："前方海域广阔，往来者如果逢顺风，要三个月方能通过。若风向不理想，也有延迟至于两年之久的，因此入海者都不得不携带三年口粮。海中情境，令人思乡怀土。船行艰险，多有因海难而死亡者。"

甘英于是知难而止，没有继续西行。后来有人推测，安息人阻挠汉人西入大秦，是为了垄断丝绸贸易。

梁启超后来在《祖国大航海家郑和传》中曾经就此发表感慨，言辞十分深切沉痛："班定远既定西域，使甘英航海求大秦，而安息人（波斯）遮之不得达，谬言海上之奇新殊险，英遂气沮，于是东西文明相接触之一机会坐失。读史者有无穷之憾焉。"历史的偶然事件，或许确实是由必然的规律所决定的。如梁启超所说，"我国大陆国也，又其地广漠，足以资移植，人民无取骋于域外"，"谓大陆人民，不习海事，性使然也"，这应当是"海运业自昔不甚发达"，"航业不振"的主要原因。

甘英虽然未到大秦即中止西行，但是也创造了中国古代王朝官方使节外交活动之西行极界的历史纪录。这一极点，在元明时代之前的一千多年间，一直没有被超越。

唐代诗人杜牧在《郡斋独酌》诗所谓"甘英穷西海，四万到洛阳"句中说到甘英的功业。"四万"，是指从汉王朝西境到洛阳的行程计四万里。

虽然甘英作为东汉帝国的正式外交代表对于越海远行的保守态度留下了永久的历史遗憾，但是这一时期民间商队的往来却并没有中止。罗马著名学者普林尼（Pliny，公元23年至公元79年）在他的名著《博物志》中记载了中国丝绸运销罗马的情形：

> （赛里斯）其林中产丝，驰名宇内。丝生于树叶上，取出，湿之以水，理之成丝。后织成锦绣文绮，贩运至罗马。富豪贵族之妇女，裁成衣服，光辉夺目。由地球东端运至西端，故极其辛苦。赛里斯人举止温厚，然少与人接触，贸易皆待他人之来，而绝不求售也。

当时中原与西亚、非洲乃至欧洲的联系，有许多历史现象可以说明。

从徐州贾旺东汉画像石中的麒麟画面看，当时人已经有了对于出产于埃塞俄比亚和索马里的长颈鹿的认识。山东曲阜和嘉祥出土的汉画像石以及江苏连云港孔望山摩崖石刻所见裸体人像，据有的学者研究后推断，应当间接和希腊罗马的人体石雕艺术存在某种关系。

在班超经营西域以及甘英试探西海之后，汉桓帝延熹九年（公元166年），大秦王安敦，即罗马皇帝马可·奥勒留（Marcus Aurelius Antoninus，公元161年至公元180年在位）派使者来到洛阳，实现了中国和罗马帝国的第一次正式接触。罗马帝国和东汉王朝两个大国，东方和西方两个文化系统，于是有了正式的外交往来。

六四

短命的皇帝一串

班超之死，在他奉诏回洛阳不久，他回洛阳，在公元 102 年，即汉和帝永元十四年。

和帝是章帝的大儿子，在位共十七年，死时仅二十七岁。

继承他的，是他的儿子殇帝，是个生下仅有三个多月的婴孩，活到第二年的八月就死了。

和帝的太太邓皇后，便把侄儿安帝迎来即位，这安帝，是章帝第三个儿子所生，年纪也不过才十三岁，安帝做了十九年皇帝，在死的时候，也仅有三十二岁而已。

他死的时候，只留下一个儿子济阴王刘保；因为这刘保不是皇后阎氏所生，所以阎氏和他的哥哥阎显，反而接来一个二房的侄儿北乡侯刘懿，立为皇帝，在历史上称为少帝，这少帝年龄有多大，不去管他，在位只有十个月不足。

少帝不知是怎么死的，在他死后济阴王刘保（合法的太子）就由太监孙程等人捧起来，立为皇帝，是为顺帝，顺帝在位二十年，死的时候刚刚三十岁。

顺帝的儿子冲帝在位一年，死的时候年纪三岁。

冲帝的继承人，四房的堂兄弟质帝，在位一年，死的时候九岁。

冲帝以后的桓帝,属于五房,总算活得很久,死的时候三十六岁(在位二十一年)。

桓帝的继承人灵帝,也是章帝第五个儿子的后裔,算来是桓帝的同祖之侄,他在位二十二年,死的时候也只有三十二岁。汉献帝是他的儿子。

总括起来,东汉从和帝开始,一直到灵帝,没有一个皇帝活过三十六岁,九个皇帝平均,每人的寿元不及二十岁。

这是汉朝国运不好呢?还是刘家的家运不好?总之,是老百姓倒霉,因为皇帝常常短命,反映政治的不安定,不管皇帝之死是由于妻妾太多,或由于外戚谋害,太监放毒,遭殃的当然还是老百姓。

这些短命的皇帝,差不多个个是低能的,除了那两岁便死的殇帝,三岁便死的冲帝,与九岁便死的质帝以外(这三位是否低能,自然看不出来)。他们生长于帝王之家,所接触的无非太监宫娥,哪里会懂得民间疾苦。朝廷的公事,自有娘舅,妈妈,或大舅子去操心,他们有时候想自己操心,也无此机会;即使倚仗了几个忠心太监,把娘舅或大舅子打倒,政权拿回自己手上,也是由于缺乏知识而一筹莫展。所以东汉在和帝以后,才弄得那么糟。

最可笑的是灵帝。他在宫内无聊,叫宫女们开铺子,和他做生意。他自己以皇帝之尊,何愁钱用,也居然设法牟利,存私房钱。他又谄媚弄权的太监张让赵忠二人。他说"张让是我爸爸,赵忠是我妈妈"。这成什么体统?东汉安得不亡?

在他以前的桓帝,为了酬庸五个宦官扑灭外戚梁氏的功劳,把五人统统封侯,宦官封侯,实在是一件怪事。

桓帝以前的顺帝,也是为了宦官孙程保驾有功,打倒了外戚阎氏,而感激孙程,把孙程捧得很高。

顺帝以前的安帝，先为邓太后及后兄邓骘的傀儡，后为阎皇后及后兄阎显的傀儡，俯仰依人，更无足责。

和帝虽则较好，不过也是先受制于娘舅窦宪，其后又对于助诛窦宪的宦官郑众言听计从，终于封郑众为鄛乡侯，所以创宦官封侯之例的，并非桓帝，而是和帝，我们不能因为班超是和帝时候的人，便猜想和帝或许是个英主。其实和帝对于班超，前后只补充了二千名兵士不足，也可见其糊涂了。

从和帝起，东汉后半叶一百多年的景况如此而已，九个短命皇帝（和，安，顺，桓，灵，及不值一提的殇，少，冲，质）也是如此而已。真正在台上的，不是他们九位，而是窦家，邓家，阎家，梁家，几个可怕的娘舅，以及站在娘舅对面的若干好太监与坏太监。

外戚与宦官之争

和帝以后，东汉一百多年的光阴消磨在外戚与宦官之间的斗争上。

斗争的经过，先是外戚窦、邓、阎、梁四家太专横了，有若干宦官看不过去，帮助小皇帝去打倒他们。后来是宦官太得势了，贿赂公行，有若干正人君子看不过去，便批评朝政，恰巧有另一支窦家做了外戚，挺身为正人君子的护身符，但是不幸失败，继这窦家而起的何家，也想扫灭宦官，其失败也相同。

第一个窦家与第二个窦家都是窦融的苗裔。那窦融可以说是汉光武的好朋友，原先也是王莽末年割据各方的群雄之一，而佩服光武英雄，自动把地盘让出来的。

窦融有一个曾孙，叫做窦宪，窦宪的妹子做了章帝的皇后。章帝死了，窦皇后便成为皇太后，以皇太后的资格垂帘听政，抱来的儿子和帝等于傀儡。窦宪掌握兵权，讨伐了北匈奴两次，耀武扬威，他得胜回朝，手底下的人无恶不作，抢老百姓的财产，霸占老百姓的妻子。后来他又与女婿郭举同谋，想暗杀和帝，被和帝发觉，叫心腹太监郑众先下了手，把他贬了，并且逼他自杀。

邓家外戚是邓禹的后裔。邓禹不仅是光武的好朋友，而且是同学，他的孙女嫁给了和帝，等到和帝死了，也就以皇太后的资格临朝，依照窦太

邓绥为东汉和帝刘肇的皇后,史称邓太后。先后策立两帝,以太后身份临朝,执政达十七年,成为实际上的"女皇帝"。(图选自清焦秉贞《历朝贤后故事册》)

后的榜样。她的哥哥邓骘也与窦宪一样,掌握兵权。邓骘为人,在表面上似乎比窦宪好些,然而他与乃弟邓遵,也未尝不是权势炙手可热,司空袁敞得罪了他们,吓得只好自杀,将军任尚与邓遵争功,被解到京城来斩首弃市。

所以邓太后一死,安帝便听从太监李闰的话,也逼令邓骘邓遵二人自杀。阎家外戚没有什么多大来头。不过阎皇后的心地实在狠毒。她是安帝的太太,却不许安帝有儿子。有一位姓李的宫人,生了儿子,她便把这个宫人鸩死了。这个儿子刘保,偏偏被立为太子,她又设法诬陷,叫安帝把他废了。安帝既死,她做起皇太后来,也是垂帘听政那么一套,叫哥哥阎显执掌兵权。抱了一个刘懿,立为皇帝。刘懿做了二百多天病死,那被废的太子刘保得到太监孙程的帮助,乘机举行政变,把阎显一家完全杀了。阎太后也被关了起来。

梁家在外戚之中,是顶凶的了,顺帝的皇后姓梁,于是国丈梁商与国舅梁冀便很有势力。梁商为人总算还过得去,那梁冀简直是典型的恶霸兼贪官。顺帝死了,梁皇后以皇太后的资格临朝,重演窦太后、邓太后与阎太后的故事。梁冀也做起大将军来,冲帝质帝,都是傀儡。质帝由于聪慧一点,梁冀不放心,便把他毒死,另立桓帝。

梁冀为了掌握桓帝,把自己另外的一位妹妹嫁给桓帝,这便是第二个梁皇后。谁知道这个妹子不能获得桓帝欢心,郁郁而终,她一死,梁冀就遭了灭门之祸。梁冀的财产,被公家拍卖,值得三十几万万,抵得上国家全部岁收的一半。

帮助桓帝诛灭梁家的,有五个太监,单超、具瑗、唐衡、左悺、徐璜,这五人都封了侯。

他们这五个人,不比郑众、孙程,出于忠心保驾,他们与李闰是一类人,奸得狠。天下大权,从此就落到宦官手上(单超不仅封侯,而且被拜为车骑将军)。后汉书的著者范晔说他们五个人的本家和朋友,"虐遍天下"。

继承他们五个人的威权的,有灵帝时代的曹节、王甫。原来桓帝一死,桓帝的皇后窦氏照例以皇太后的资格临朝,叫父亲窦武为大将军。这位窦武,与其他外戚不同,他出身是教授(博士),很同情那一批被宦官关了起来的"党人",如李膺、陈蕃等等,所以一做大将军,便想扫数杀尽若干宦官,无奈事机不密,反被曹节、王甫等十七个太监杀了。

在曹节的朋友之中，有一位赵忠，其后继承了曹节，作为太监的领袖。地位仅次于赵忠的，叫做张让。在赵忠、张让二人以外，还有十个重要太监，与他们两人同为灵帝的"常侍"。所以实际上共有十二常侍。外面的人不清楚，以为他们共只十人，就称他们十常侍。

十常侍的"父兄子弟，布列州郡，所在贪残，为人蠹害"。"百姓之冤，无所告诉，故谋议不轨，聚为盗贼"。如果没有十常侍及其党羽到处作恶，黄巾之乱便不会闹得那么凶。

有一位郎中（地位相当于今日各部的司长），姓张名钧，向灵帝上了一本奏章，说只要斩了赵忠、张让等十常侍，黄巾可以不打自退。但是灵帝却听了赵、张二人的话，以为张钧也是黄巾一分子，把他关了起来，让他死在牢里。

等到灵帝一死，宦官与外戚的冲突就更加尖锐，再加上黄巾之乱，汉朝的天下便根本动摇了。

班固和《汉书》

《汉书》是东汉史学家班固记述西汉和王莽时代历史的史书。

汉代是我们民族的历史意识非常浓厚的时期。汉代画像石中大量表现前代历史故事的画面,说明当时史学在民间有相当生动的传播方式,在民间有相当广泛的文化影响。当时史学的学术性成就的顶峰,是司马迁的《史记》和班固的《汉书》。

《汉书》是《史记》之后的又一部史学名著。班固的父亲班彪作《后传》数十篇,准备将《史记》续写到西汉末年为止。班固用了二十余年时间,继承父业,完成了这部记述西汉历史的史学专著的绝大部分。

《汉书》是中国第一部完整的断代史。《汉书》的《百官公卿表》《刑法志》《地理志》《艺文志》等,是《史记》中所没有的。但是班固生活在儒学确立了文化统治地位的东汉时期,历史观受到儒家正统思想的影响,以致《汉书》的历史批判精神较《史记》逊色。尽管如此,由于这部史书选材精当,记述详实,描写生动,更由于所记录的历史对象本身的丰富多彩,使得《汉书》在文化史中始终占有很高的地位。

在"二十四史"中,司马迁的《史记》和班固的《汉书》位列最先,历来被看作史学最重要的经典。在以后的二十二部正史里,多可看到最高统治集团中帝王和他们身边的将相们阅读《汉书》、讨论《汉书》的故事。

《三国志·吴书·孙登传》记载,孙权希望孙登读《汉书》,以"习知近代之事",曾经令张休从张昭受读,然后再转授孙登。《三国志·吴书·吕蒙传》裴松之注引《江表传》说,孙权以自己研习"三史",大有所益的经验,在建议吕蒙读书时,所列应当"急读",也就是应当首先尽早阅读的书目中,也包括"三史"。这里所说的"三史",即《史记》《汉书》和《东观汉记》。

《旧唐书》和《新唐书》都记载隋末农民起义的领袖人物李密少年时出行,骑在牛背上阅读《汉书》的故事:李密骑一黄牛,将《汉书》一帙挂于角上,一手捉牛鞘,一手翻卷书读之,路遇越国公杨素,大为惊异,乘马追行,感叹道:何处书生,如此好学? 又问所读书,李密回答说:《项羽传》。于是杨素大为爱重。

这一情节流传久远,于是明末清初的著名学者顾炎武有"常把《汉书》挂牛角,独出郊原更谁与?"的名句。

宋人龚明之《中吴纪闻》卷二有"苏子美饮酒"一节,说到苏舜钦《汉书》下酒的故事:苏舜钦每晚读书,都要饮一斗酒,岳丈杜衍心存疑惑,派人私下察看。发现苏舜钦读《汉书·张良传》,每有感慨,就饮一大杯。杜衍听说,笑道:有这样的下酒物,饮一斗实在并不算多啊。这一故事,也可以说明《汉书》相当普遍的文化影响和不同寻常的历史魅力。此后,"《汉书》下酒"竟然成了一个典故,清代著名剧作家孔尚任在《桃花扇》第四出《侦戏》中就曾经写道:"且把抄本赐教,权当《汉书》下酒罢。"

《宋史·刘奉世传》说,刘奉世不仅"优于吏治",而且"文词雅赡,最精《汉书》学"。可见,《汉书》的研究,很早就已经吸引、集中了诸多文学之士的意趣与才智,形成了一门学界瞩目的学问。

《汉书》包括十二帝纪、八表、十志、七十列传,凡一百篇,后人析为一百二十卷。《汉书》的体例与《史记》大体相同,都是纪传体史书,即以历史

班固继承父业，完成了《汉书》的绝大部分。

人物的活动作为叙事的主线。不过，《史记》是记述从黄帝到汉武帝时代历史的通史，《汉书》则记述西汉历史的断代史。《汉书》断代为史的编纂方法，开创了后来正史编纂的通常模式。《汉书》将《史记》的"本纪"改称"纪"，"书"改称"志"，"列传"改称"传"，又不列"世家"，这种体例，对于后来一些纪传体史书有重要的影响。

　　司马迁《史记》叙述史事，截止于汉武帝中期。就西汉史来说，《汉书》虽然基本上移用了《史记》的记载，但是往往增补有新的内容，使历史资料更为充实。《史记》以后的西汉史，班固则依据曾经任兰台令史，掌管皇家图籍，典校秘书，有条件看到大量图书资料的便利，博采诸家记录，精心编撰成篇。可以说，对于西汉历史的记述，现存的史籍中，以《汉书》最为完备。

《汉书》继承了《史记》"表"的形式，又首创《古今人表》和《百官公卿表》。前者将传说时代的太昊到秦代的吴广等历史人物分为九等，一一评价。后者叙述了秦汉时代官制的基本概括，又有西汉公卿大臣的任免升降的历史记录。

由《史记》的"书"演变而来的《汉书》的"志"，历史价值更受到重视。《食货志》分为上下两篇，分别论述了西汉经济"食"即农耕经济、土地制度及"货"即商业经济、货币制度的大略形势。《沟洫志》前承《史记·河渠书》，记载了水利建设的历史。其中贾让的《治河三策》，是重要的古代治河文献。

《刑法志》《五行志》《地理志》《艺文志》，都是《汉书》新创。

《刑法志》系统记载了法律制度的沿革以及若干具体的律令内容。《五行志》以五行灾异作为记述内容，体现了当时社会流行的神秘主义观念，剔除其中的迷信色彩，可以看到有关自然史、天象史、生态史的珍贵资料。《地理志》综述了西汉郡县侯国行政区划的设置和沿革，以及各地的户口数字和经济状况、民情风俗等，对于当时海外交通的发展，也有所记述。《艺文志》以刘向、刘歆的《七略》为基础又有所损益，考论了多种学术派别的源流，载录了存世的主要文化典籍，作为中国最早的图书目录，对于思想史、文化史、学术史的研究，意义极大。

《汉书》继承《史记》的传统，重视民族关系的历史记录，有《西南夷两粤朝鲜传》《西域传》等。《匈奴传》在《史记》的基础上增益了许多记载，成为我们今天研究考察匈奴历史时不能忽视的比较完整系统的宝贵文献。

班固，字孟坚，扶风安陵（今陕西泾阳南）人，生于东汉光武帝建武八年（公元 32 年），卒于汉和帝永元四年（公元 92 年）。

班昭文史兼通，才华出众，续撰《汉书》。
（图选自清金古良《无双谱》）

班固撰《汉书》，有其父班彪续写《史记》的《后传》为基础。

东汉光武帝建武三十年（公元 54 年），班彪去世，班固开始整理《后传》，他认为《后传》不够完备，于是以此为基点撰写《汉书》。汉明帝时，班固曾经以私改国史的嫌疑被捕入狱。他的弟弟班超赶到洛阳上书辩白，得到汉明帝亲自准许后，《汉书》的编写才得以继续进行。

班固曾在大将军窦宪幕中参谋军事。窦宪在上层政争中失势，被迫自杀，班固也受到牵连，后来死于狱中。

当时，《汉书》的八"表"和《天文志》还没有完成。汉和帝安排班固的妹妹班昭参考利用东观藏书为他补作，又让马续帮助班昭补写了《天文志》。

《后汉书·班昭传》说，当时《汉书》方才问世，多未能通者。著名学者马融曾经在班昭门下，受读《汉书》。

《汉书》因为文字多古奥，在汉代已经出现注家。东汉末年的著名学者服虔和应劭都曾经作《汉书音义》。魏晋南北朝以后，为《汉书》作音注的学者更多。然而学术成就最为显著的，是唐代学者颜师古和清代学者王先谦。颜师古汇集了前人二十三家的注释。王先谦完成的《汉书补注》，所征引的《汉书》学专著及参订者多达六十七家。

▲六七

新兴的田庄经济

东汉政权实现统治的主要基础,是在经济上恃富足之势,又有积极参政要求的豪族地主。

刘秀年轻时在南阳家乡有经营"稼穑""田业"的经历,自然在情感上接近当时在社会生活中影响越来越显著的豪族地主。

建武二年至十四年(公元 26 年至公元 38 年)间,刘秀曾经连续六次颁布释放奴婢的诏令。诏令规定,凡属王莽代汉以来吏民被略卖为奴婢而不符合汉法的,青、徐、凉、益等割据区域吏民被略卖为奴的,吏民的妻子遭饥乱被卖为奴而要求离去的,一律免为庶人。奴婢主人如果拘执不放,按汉"卖人法"和"略人法"治罪。

建武十一年(公元 35 年),刘秀又连续颁布诏令,宣布:杀害奴婢的人不得减罪;炙灼奴婢的人依法惩治,免被炙灼者为庶民;废除奴婢射伤人弃市罪。

刘秀反复重申破除奴婢制度的决心,是因为东汉王朝所依恃的统治基础,已经不再是先前以奴婢为主要劳动力的生产经营者了。

汉光武帝刘秀因为和豪强地主集团的特殊关系,使得他可能解决奴婢问题,但是却不可能解决越来越严重的土地兼并问题和人口荫附问题。

东汉时期的土地兼并和人口荫附现象,一开国就成为显著的社会隐患。刘秀及其政权的统治阶层本来就属于豪强地主集团,这时凭借他们的政治权势,更为变本加厉地搜括土地,占夺人口。

土地兼并和人口荫附问题的严重性,在豪族比较集中的地区当然更为突出。当时,都城洛阳附近以及汉光武帝刘秀的家乡南阳地区,成为这一社会现象最为典型的地区。

刘秀是南阳人,又是春陵侯刘买之后,父亲刘钦为南顿(今河南项城西)县令,起初曾经作过济阳(今河南兰考东北)县令,刘秀本人就出生在济阳县舍。由于存在这样几重关系,于是这几个地方都屡屡得到"复",也就是免除赋役的特殊优待。与帝王有某种特殊关系的地区,往往还因这种特殊关系,享有一些并不著于明文的特权。

最为著名的史例,就是所谓"河南帝城"、"南阳帝乡"的特殊地位的形成。

东汉初年,曾经因检核垦田数而发生了中央政府和河南、南阳地方豪强地主集团的矛盾。

当时,天下垦田数字多不如实统计,又户口年纪也互有增减,豪强地主以所控制耕地和人口的数量的虚假统计,对抗中央政府的经济管理。

建武十五年(公元39年),汉光武帝刘秀颁布诏书,下令州郡检核其事,而刺史太守多不能公正执法,豪右之家依然得到优遇,更变本加厉地侵夺贫苦民户,以致百姓怨恨。当时官场流传所谓"颍川、弘农可问,河南、南阳不可问"的说法,这正是因为"河南帝城,多近臣,南阳帝乡,多近亲,田宅逾制,不可为准"。因为"多近臣"与"多近亲"的关系,使得"田宅逾制"的情形根本没有法子控制。

所谓"河南、南阳不可问",所谓"河南帝城,多近臣,南阳帝乡,多近亲,田宅逾制,不可为准",如果我们离开地方主义的特定条件来理解,其实可以说明东汉时代豪强地主集团的特殊地位。

对于豪强地主集团在土地兼并和人口荫附问题上与中央政府的对抗,刘秀采取了姑息的态度。他在处死度田不实的河南尹张伋等十几名郡守之后,即下令停止度田,正式向豪强地主集团让步。

刘秀自称:"吾理天下,亦欲以柔道行之。"这里所说的"柔道",实际上就是以宽怀纵容的态度,扶植和保护豪强地主集团的势力。

汉光武帝刘秀之后的几代帝王,继承了刘秀努力缓和阶级矛盾的执政纲领。

汉明帝永平九年(公元 66 年),诏令郡国以公田赐贫人。永平十二年(公元 69 年),又颁布诏书,宣布将滨渠卑下之田,赋予贫人,不让豪右之家维护其利益。已经暗示这一举措的目的,是要有意减轻豪右兼并田地,奴役贫人所造成的严重危害。

汉章帝元和元年(公元 84 年),因为牛疫流行,作物歉收,诏令郡国招募无田而愿意前往其他田土宽饶地方的民众,组织迁徙。到新居地后,政府赐给公田,赁给种子,贳与农具,同时减免五年田租,并且减免三年算钱。以后愿意迁回本土也不加禁止。元和三年(公元 86 年),又诏令常山(首府在今河北元氏西北)、魏郡(郡治在今河北磁县南)、清河(首府在今山东临清东)、钜鹿(郡治在今河北柏乡东)、平原(郡治在今山东平原南)、东平(首府在今山东东平东)等地尚未垦辟的可耕地都赋与贫民,政府给予粮种,要求务尽地力,避免使农人成为不事农耕的所谓"游手"。

汉和帝永元五年(公元 93 年)二月,曾经诏令政府有关机构省减皇家及朝廷管理的马厩以及凉州诸马苑,京师离宫上林、广成囿等,都假以贫民,允许随意采捕,不收其税。同年秋九月,又宣布郡县所有的陂池,允许民众采取,两年内勿收假税。永元九年(公元 97 年)六月蝗灾,又诏令国有山林陂池的饶利渔产，用以救济灾民。永元十一年（公元99年）也在诏书中宣布，民间因为遭受灾害而不能自存者，允许在山林池泽从事渔业采集，政府不收假税。永元十五年（公元103年）又诏令鳏寡百姓，可以在皇家陂池渔采，两年之内免收假税。

汉章帝元和三年（公元86年），曾经诏令出巡所经过的地方只收全年田租的一半，以奖劝农人勤劳耕作。汉和帝时，又曾经多次减免租赋。永元四年（公元92年）令遭受蝗灾的地区减产百分之四十以上者勿收田租、刍稿，永元九年（公元97年）又令蝗灾灾区"皆勿收租、更、刍稿"，其他情形也酌情有所减免。永元十三年（公元101年）诏令天下当年的田租、刍稿征收一律减半。永元十六年（公元104年）再次宣布了同样内容的诏令，同时宣布在遭受自然灾害的地区，减免幅度可以更大一些。

东汉政府对农耕生产者取如此优容的态度，是因为农人在严酷的土地兼并的情况下，已经九死一生，频繁而严重的天灾又经常使他们陷于完全绝望的境地。当然，实际上，田赋的减免，在土地兼并现象十分严重的情况下，可能使豪强地主获利更多。

东汉时期，富人占有的田地超过限定，其富有程度超过公侯，已经成为普遍的现象。

南阳豪族樊宏开广田土三百余顷。刘康占有私田八百顷。南阳新野阴氏家族田有七百余顷。马援有牛马羊数千头，谷数万斛，所拥有的土地也应当不在少数。名士郑太也家富于财，有田四百顷。

曾经把持朝政的外戚贵族梁冀，据说其势力范围将近千里。宦官侯览侵夺他人的资产中，就包括田一百一十八顷。当权的宦官霸占田业也成为风气。天下良田美业，山林湖泽，都成为他们竞夺强占的目标。东汉末年，宦官张让专政时，其家族党羽竟然占有了京畿附近诸郡膏腴美田多至数百万顷。

荀悦曾经说，现今豪民占田有的多至数百千顷，其富足已经超过王侯，国家赋税虽然有限，然而豪强富人占田逾侈，所输赋税超过大半。实际上政府征收的赋税不过百分之一，民众实际缴纳的却仍然要超过百分之五十。官家的恩惠，或许优于夏商周三代；而豪强之残暴，却酷于亡秦。他叹息道：朝廷的惠政，不能落实于下层民众，利益都被豪强于中劫夺，如果不扭转豪强兼并的基本形势，而只是减免租税，只能使豪强得到更多实利。

荀悦的分析，说明了减免田赋的政策的实质，确实主要是使豪强得益。

土地兼并的形式是多种多样的。可能有用心"营理产业"，以致"财利岁倍"的情形。然而更普遍的是依恃经济实力和政治实力的残暴侵夺。富商兼有大片田地，也是常见的情形。正如《论衡·偶会》所说："富家之商，必夺贫者之财。"握有政治权力，则通常是实现土地兼并的更有利的条件。这就是王充所谓"一旦在位，鲜冠利剑，一岁典职，田宅并兼"。

东汉晚期著名政论家仲长统在描述豪强地主的经济生活时，除了说到其室宅之豪奢，田园之广阔，商运之辽远，积储之丰盈而外，又曾经以所谓"奴婢千群，徒附万计"形容其富足。这里所说的"徒附"户，是豪强地主荫庇自己的宗族、宾客而形成的新的社会阶层。他们直接服务于豪强地主，逃避了朝廷的赋税和徭役负担。以这一阶层为基础形成的田庄，其实是在一定程度上隔闭于专制王朝的相对独立的社会结构。

豪强地主经济实力的根基，正是他们经营的大田庄。豪强地主的田庄经济在东汉时期发育已经相当成熟。

汉光武帝刘秀外祖南阳樊重的田庄，广起庐舍，高楼连阁，波陂灌注，竹木成林，又有六畜放牧，以及各种渔产和果木桑麻，可以"闭门成市"，

"其兴工造作,为无穷之功,巧不可言"。这样的田庄的主人,于是有"富拟封君"的地位。关于樊重田庄,《后汉书·樊宏传》又有"上下戮力,财利数倍","池鱼牧畜,有求必给"的记述。

田庄内部能够"闭门成市",甚至可以"有求必给",也就是说农林牧副渔诸业并兴,又有做工"巧不可言"的手工业,其基本生活消费,可以基本不必依赖田庄以外的市场。

崔寔的《四民月令》,也反映了田庄的生产形式和生活形式。田庄的经营活动,包括大田作物栽培,兼及蔬菜、果木及染料作物,种植的竹木除竹、桐、梓、松、柏外,还有漆,蚕桑作业,也受到重视,药材的采集,以及酒、醋、酱、饴糖等物的酿造加工,禽畜的牧养,纺织手工业,农具和兵器的修造,贱买贵卖的周期性商业活动,培养子弟的文化教育活动等,都被列入详密的安排之中。可见,田庄就是一个相当完备的小社会。山东滕县宏道院出土的汉画像石,甚至有地主田庄中冶铸锻造铁器的画面。

东汉中期实现的经济水准的提高,主要表现在中小型水利工程的建设,先进农耕工具的推广以及精耕细作的园艺技术的进步。这些历史贡献,许多都可以通过田庄经济得以总结。

田庄经济的发展,使许多地区实现了显著的经济进步,同时,又使得豪族地主可以"富过公侯","富过王侯","荣乐过于封君,势力侔于守令"。

这种情形的出现,毕竟对于原先传统贵族社会以贵而富的常规,形成了某种冲击。从这一角度来考察东汉时期的豪强地主集团的生成和发展,或许可以有新的认识。

东汉"土围子"

王褒的《僮约》以主与僮的劳务合同的形式，说明了当时田庄中处于底层的劳动者的繁重负担。他必须承担农耕、渔采、伐木、制作等劳作，同时还有卫戍田庄安全的责任。

汉光武帝刘秀外祖南阳樊重的田庄中，据说配备"兵弩器械"，其价值竟然至于百万。

据《四民月令》记载，在豪强地主的田庄中，有"警设守备"，"缮五兵，习战射"的武装活动。

东汉墓葬普遍出土的陶制庄宅模型，许多都有碉楼高墙等防卫设施，有的还可以看到表现田庄主的私兵以弩机居高四望，严密戍守田庄的细节。

东汉墓葬出土画像多有放置兵器的架子，即所谓"兰锜"，也可以说明当时豪族地主私家武装的普遍存在。

地主的田庄，往往成为内聚力相当强的社会群体，因为拥有自己的武装，在适当的条件下很容易演变成一种军事集团。

地方豪强往往筑起坞壁，缮治甲兵，成为地方武装集团。这种武装集团多有危害社会的恶行。史书中经常可以看到关于豪强大行奸暴不能禁止的记载。豪强的恶霸行为，经常表现为放纵和指使下属的"客"频繁犯法横行。

　　豪强武装势力也常常成为与政府相对抗的力量。他们或者各拥部曲，害于贫民，或者自为营堑，不肯应发调。甚至往往有逃避国家司法检察，"财赂自营，犯法不坐"，甚至收养刺客死士，为之效命的情形。

　　北海大姓公孙丹新造居宅，卜人以为因此当有死者，公孙丹竟然指使其子杀害道上无辜行人，置尸体于房舍之中。北海相董宣处死公孙丹父子，其宗族亲党三十余人竟然携兵器前往北海相府武装骚扰。

　　武威大姓田绀子弟宾客为人蛮横残暴，伏法后，其少子田尚竟然纠集轻薄少年数百人，自号"将军"，夜攻郡城，最终方被政府军击破。

　　东汉末年，有的豪族武装甚至"阻兵守界"，拒绝郡级行政机关委派的地方官员入境。

　　东汉末年纷起于各地的军阀势力，许多就是由拥有较强悍的宾客部曲的地方豪强势力发展起来的。

太学的"学潮"

如果追溯中国学生运动的历史，是可以早到汉代的。

前面已经说过，自从公孙弘建议创建太学之后，这种国家官学作为高级干部培养的基地，规模越来越大。东汉中晚期，太学生多至三万人。在民生多艰，朝政昏乱的形势下，太学生议政成为风气。

太学生中虽然相当一部分人出身于官僚富户阶层，和官僚士大夫有比较密切的关系，但是他们少年英锐，思想较为新进，言行较为勇敢，又以尚未跻身于官场的身份，和民间有比较密切的接触，对于黑暗政治的危害，也有比较直接的感受。

汉安帝以来风起云涌的农民暴动，使他们受到深刻的思想震动，认识到东汉王朝已经面临崩溃的严重危机。他们所接受的儒学教育，其中民本思想的积极因素也对他们的观念倾向发生了一定的影响。

东汉后期，官僚士大夫中形成了以品评人物为基本形式的政治批评的风气，当时称为"清议"。太学成为清议的中心。

太学生们试图通过清议影响现实政治，反对导致黑暗政治的宦官外戚特别是当权的宦官，挽救陷于严重政治危机的东汉王朝。

在宦官外戚的统治下，州郡牧守在察举征辟时往往逢迎当朝权贵的私意，望风行事，而不附权贵的刚正士人则受到排斥。在通常情况下，真正的"名士"入选的可能性微乎其微。读书人入仕道路的狭窄，和他们关心天下事的热情形成了尖锐的矛盾。

汉桓帝以后，察举体制更为腐败，察举多不当其才德，于是当时民间流传这样的说法："举秀才，不知书；察孝廉，父别居；寒素清白浊如泥，高第良将怯如鸡。"士大夫阶层中，也多有趋炎附势、逐利忘义者。这些人丑恶的政治表现，助长了黑暗政治的威势。于是太学清议在攻击腐败朝政的同时，注重赞美敢于对抗权贵罪恶的士人。

名臣朱穆起先为梁冀所辟用。梁冀骄暴不悛，朝野多有怨愤之声，朱穆曾经以故吏的身份切谏，期望他避免衅积招祸。汉桓帝永兴元年（公元153年），朱穆任冀州刺史，举劾权贵，惩处贪污的郡县长官，打击横行州郡的宦官势力。宦官赵忠丧父，归葬安平（郡治在今河北冀县），曾经僭用天子葬具，朱穆决心严肃调查，于是发墓剖棺，陈尸出之，下令将其家属法办。后来朱穆因此被治罪，罚往左校服劳役。太学生刘陶等数千人到皇宫门前请愿，申明朱穆出以忧国之心，志在肃清奸恶的立场，指责宦官不仅在中朝以非法手段把持国家权力，而且父兄子弟分布地方，如虎狼一般残害小民，赞扬朱穆亢然不顾个人危难，"张理天网"的勇气，表示愿意代替朱穆服刑劳作。

这是历史上从来没有发生过的事。汉桓帝于是不得不赦免朱穆。

汉桓帝延熹五年（公元162年），一向痛恨宦官，不与之交往的议郎皇甫规，因为在论功当封时拒绝贿赂当权宦官，受到诬陷，也以严刑治罪，太学生张凤等三百余人随同若干高级官僚一起来到皇宫门前陈诉，又使皇甫规得到赦免。

太学清议，是中国古代社会舆论影响政治生活的较早的史例。当时太学生的议政运动，使黑暗的政治势力被迫有所收敛。《后汉书》所谓"豪俊之夫,屈于鄙生之议","自公卿以下,莫不畏其贬议"的情形,表现出一定的历史进步意义。

当时郡国学的诸生,也与太学清议相呼应,形成了更广泛的舆论力量。

太学生以其活动的正义性受到黑暗势力的敌视。汉灵帝熹平元年(公元172年),因皇宫朱雀阙出现匿名书,指斥宦官专权,主持清查的段颍四出逐捕,入狱的太学生竟然超过一千人。

党人的光荣

在东汉中晚期，士大夫中一些正直激进的分子，采取半公开以至完全公开的形式和当权的宦官集团抗争，曾经结成了在政治生活中形成重要影响的群体。这些同道同志者，当时被称为"党人"。政府迫害"党人"而发起的政治运动，当时被称作"党事"。

当权的黑暗政治势力对"党人"的迫害，有禁止他们出任官职，并且限制他们的社会活动的形式，当时称作"党锢"。"党锢"，又写作"党固"，有时也称作"党禁"。

东汉中晚期，时政的昏暗，使得一些有胆识、有骨气的士人不堪忍受，于是奋起批判当朝权贵，揭露社会矛盾，发表不同政见。

如《后汉书·党锢列传》所记述，在汉桓帝、汉灵帝在位前后，皇帝昏聩，政治荒乱，国家权力委于宦官，士人羞于与其为伍，于是出现了"匹夫抗愤，处士横议"的情形。他们又激扬名声，互相题拂，品核公卿大臣，裁量执政贵族，刚直不阿的品格，由此得以风行于世。

士大夫清议之风兴起，李膺、陈蕃、王畅特别受到崇重。三万余太学生的领袖郭泰、贾彪等与他们关系紧密，太学中曾经流传这样的赞美之辞："天下楷模李元礼（膺），不畏强御陈仲举（蕃），天下俊秀王叔茂（畅）。"其中，李膺的声名最高，士人能够和他交游的，称为"登龙门"。

郭泰清高嫉世,不受官府征召,故免于党祸。
(图选自清末《历代名臣像解》)

　　李膺曾经任主持京师附近中枢地区行政的最高长官司隶校尉。当权宦官张让的弟弟张朔为野王(今河南沁阳)令,贪婪残暴,甚至杀害孕妇,听说李膺执法威严,畏罪逃还京师。李膺追捕张朔,依法处死。一时宦官集团不得不小心谨慎,甚至休假日也不敢迈出宫门。

　　延熹九年(公元166年),术士张成预言不久就会有赦令颁布,于是指使其子杀人害命。李膺依法处死张成。张成生前以方伎之术与宦官集团关系密切,其弟子牢脩于是上书诬告李膺等指使太学游士,交结诸郡生徒,相互结为朋党,攻击朝廷,扰乱风俗。

　　在宦官势力的作用下,汉桓帝震怒,下令郡国大捕"党人"。

　　李膺等人被逮捕,并且又牵连陈寔等二百余人。有逃遁未被捕获的,都悬赏购募。一时传令追捕逃亡者的使者频繁四出各地，道路上车马可以相望。

第二年，李膺等人被释放，允许归还田里，然而宣布禁锢终身。"党人"的姓名，也都一一记录在官府。

党锢之祸发生后，激进的士大夫集团并没有被强权压服。海内知识阶层益发群情激昂，他们将鄙视宦官专政，并敢于反抗的正直的天下名士，加上"三君"、"八俊"、"八顾"、"八及"、"八厨"等光荣称号，广为传扬，形成了更为强劲的反抗当权宦官集团的舆论力量。

度辽将军皇甫规没有被列入"党人"名单，甚至自以为耻，上书请求以附党之罪连坐。可见"党人"在当时社会的特殊的舆论形象。

《后汉书·党锢列传·李膺》写道，李膺免归乡里，居于阳城山中，天下士大夫都高尚其道，而斥责当政者的肮脏黑暗。

一时，"党人"的崇高风格为士人舆论所敬仰，朝廷的丑恶作为则为士人舆论所鄙弃。

汉灵帝建宁元年（公元168年），名士陈蕃为太傅，和大将军窦武共同执政。他们起用李膺和其他被禁锢的名士，密谋诛杀作恶的宦官。

宦官集团却抢先动作，双方对阵，宦官利用以往对禁军的控制，迅速瓦解了窦武率领的军队。

这次政治变乱的结果，陈蕃、窦武都被杀害，他们的宗亲宾客姻属也都被收捕诛杀，其门生故吏也都免官禁锢。

侍御史景毅的儿子景顾是李膺的门徒，因为"党人"名单遗漏，所以没有直接受到迫害。景毅慨然说道：正是因为李膺贤良，才令儿子以他为师的，怎么能够因为名籍偶然漏脱而求苟安呢！于是主动上表自请免归。时人都称颂他是道德高尚的义士。

被列为"八顾"之一的议郎巴肃,起初曾经与陈蕃、窦武一同合谋诛杀宦官,事败后,宦官集团并不知道他曾参与始谋,只是坐党禁锢,察觉后方下令收捕。巴肃从容不迫,自己乘车前往县府投案。县令面见巴肃,解下印绶准备和他一起逃亡。巴肃镇定地说,作为人臣的,有政见不敢隐瞒,有罪过不会逃避。既然不隐瞒政治见解,又怎么能逃避刑罚呢!于是从容被害。

被列为"八及"之首的张俭,曾经打击过宦官势力,久为宦官集团所疾恨。建宁二年(公元 169 年),宦官上书,说张俭与同乡二十四人别相署号,共为部党,图谋危害社稷,而张俭是其首脑。于是诏令收捕张俭。

张俭流亡于各地,沿途所投靠的民家,无不看重他的名行,不惜冒着破家的危险予以收留,不惜牺牲自己予以掩护。张俭行迹所至,有十多家因此遭受惨重的迫害。

朝廷大规模逮捕党人时,李膺正在故乡隐居,乡人得知消息,劝他暂时逃避。李膺回答道:如果有祸事则不逃避灾难,如果有罪过则不逃避惩罚,这是臣子应当持守的节操。我已经六十岁了,死生有命,去将安之?他拒绝出逃,自赴诏狱,终于死于狱中。他的妻子儿女被强制迁徙到边地,门生故吏及其父兄都被禁锢。

范滂在大诛党人之际,姓名列于诏书。督邮吴导来到县传舍,怀抱诏书,伏床而泣。范滂知道后说,一定是为我的缘故。于是自己来到狱中。县令郭揖大惊,自解印绶,说道:天下如此之大,子何为在此?愿意和他一同逃亡。

范滂说,我以一死则可以了结此次祸难,怎么能够牵累你,又让老母颠沛流亡呢?范滂的母亲在告别时说:你现在得以与李膺、杜密齐名,死又何所恨!路边人看到这一情景,没有不流泪的。范滂被处死时,年三十三岁。

这次残酷的政治迫害过后，"党人"横死狱中的多达百余人，被牵连而死、徙、废、禁的又有六七百人。汉灵帝又诏令州郡全面清查"党人"，天下豪杰名士又有许多人名列"党籍"，因此遭到迫害。

熹平五年（公元176年），州郡又受命禁锢"党人"的门生故吏和父子兄弟。直到黄巾起义爆发后，"党人"才被赦免。

以记录和总结东汉历史而著名的史学家范晔曾经为"党锢之祸"发表过这样的感叹：李膺在个人面临危难的政治形势中，宣传正义的主张，影响民间的风习，赞颂"素行"以鄙弃"威权"，崇美"廉尚"以撼动"贵势"，从而使天下之士奋迅感慨，形成向黑暗政治抗争的潮流，深牢监禁，家族破败，都不能动摇其志向，甚至于"子伏其死而母欢其义"，这是何等的壮勇啊！

"党锢之祸"，严格说来，是统治阶层内部的斗争。但是，东汉"党人"的正义感，无私情操，斗争意志和坚定气节，却代表着一种进步的时代精神。

鲁迅在《中国人失掉自信心了吗》一文中曾经写道："我们从古以来，就有埋头苦干的人，有拼命硬干的人，有为民请命的人，有舍身求法的人……虽是等于为帝王将相作家谱的所谓'正史'，也往往掩不住他们的光辉，这就是中国的脊梁。"

东汉"党人"的气质与品格，体现着曾经被鲁迅称为"中国的脊梁"的人们所代表的民族精神的主流，后来成为一种文化传统，得到历代有血性有骨气的士人的继承。

在东汉末年农民大起义的历史浪潮中，被赦免的"党人"一旦恢复政治生命，就立即和当权的宦官相互联合，一同来镇压起义的农民了。

这当然是由阶级关系的历史大势所决定的。

政坛"铜臭"

汉灵帝执政的时候,宦官把持朝政,横行天下。

汉灵帝曾经公开宣称:张常侍(张让)是我的父亲,赵常侍(赵忠)是我的母亲。

一时宦官得志,无所顾忌。有的当权宦官,管理家事的私奴可以交通权贵,收受贿赂,在朝廷兴风作浪;其布列于地方的亲戚也往往贪婪残酷,为害一方;其担任州郡地方行政长官的宾客同样暴敛钱财,侵掠百姓。

汉灵帝本人生活也极端奢侈荒淫,后宫彩女多至数千余人,衣食之费,每天竟高达数千金。

光和元年(公元178年),汉灵帝甚至设西邸,公开出卖官职。官职以级别不同,各有价格,又私下授意,就连公卿这样的高位也可以出卖,公一千万钱,卿五百万钱。其他的官位,二千石的官职二千万钱,四百石的官职四百万钱。而通过正常方式荐举者,要取得实职,也需要缴纳一半或三分之一的数额。

汉灵帝公开卖官,成为中国政治史上的一大丑闻。

大官僚崔烈在中平二年(公元185年)由廷尉升任司徒,竟然也是入钱五百万而得到这一职位的。

朝会那一天,汉灵帝竟然对身边亲幸者说,后悔当时没有抬高一点价格，否则本来是可以卖到一千万的。

崔烈出身于"世有美才"的"儒家文林"，当时"有重名于北州"，从此以后则声誉衰减。他内心不能自安，曾经问其子崔钧：我现在位居三公，人们有什么议论吗？崔钧答道：大人少有英称，历位卿守，论者没有说不应当为三公的；但是，现今果然登三公位，而天下失望。崔烈追问究竟是为了什么，崔钧只得回答道："论者嫌其铜臭。"

地方政权的黑暗也达到十分严重的程度。

把握地方大权的官员，多怠于行政，而精于逐利，往往违背法律，专纵私情，残害民众，小民百姓虽然内心怨愤却无所诉说。地方官员贪赃枉法，已经成为惯习。崔寔在《政论》中所揭露的"政令垢玩，上下怠懈"，正反映了当时国家政治机器已经被腐败风气全面锈蚀的真实情形。

地方官吏为了应付考绩，常常隐瞒灾情，虚报户口和垦田数字，使更为沉重的赋税负担被强加于民众的肩上，于是迫使大批农民流亡他乡。

汉末民间秘密宗教

民间信仰对于社会生活的影响，往往可以比正统文化更为广泛深刻。

在社会酝酿和发生动乱的时期，这种文化形式常常可以有力地引发民众心理的冲动，激荡起狂热的社会风潮。

西汉末年，曾经以民间西王母崇拜为背景，衍生出一次声势浩大的流民运动。

汉哀帝建平四年（公元前3年），天下大旱。关东民众哄言转送"西王母筹"，民众惊走，手持一支草茎禾秆，相互传递。行途中相遇，人群聚集，有的群体人数甚至上千。他们有的披发赤脚，有的夜间闯关，有的越墙进入，有的乘车骑奔驰，有的利用驿传系统急行，经历二十六郡国，闯关向京师行进。到京师之后，又在里巷阡陌歌舞狂欢，集会举行礼祠西王母的仪式，有人夜间持火上屋，击鼓号呼，相互惊吓。

汉哀帝时代以西王母迷信为意识基础，以礼祠西王母为鼓动口号，以"传行'西王母'筹"为组织形式而发生的表现为千万民众会聚、惊动、奔走的大规模骚乱，从关东直至京师，从正月直至秋季，政府实际上已经失控。其狂热程度之惊人，说明了当时民间西王母崇拜的深刻影响，已经足以策动变乱，掀起社会政治波澜。

汉安帝永初元年（公元107年）十一月，又曾经发生性质很可能与汉哀帝时流民行西王母诏筹而惊走的事件相类似所谓"民讹言相惊",以致司隶、并州、冀州民人流移的事件。

东汉末年的类似情形,则可以表明民间秘密宗教和农民战争的密切关系。

东汉末年的流民暴动往往被称为"妖贼"。

如《后汉书·顺帝纪》记载,阳嘉元年(公元132年)三月,扬州六郡"妖贼"掌河等侵扰四十九县,杀伤地方官吏。

《后汉书·桓帝纪》记载,和平元年(公元150年)二月,扶风"妖贼"裴优自称"皇帝"。

延熹八年(公元165年)十月,勃海"妖贼"盖登等,称"太上皇帝"。

《后汉书·臧洪传》记载,汉灵帝熹平元年(公元172年),会稽"妖贼"许昭起兵句章,自称"大将军",立其父许生为"越王"。

对于后来爆发的黄巾起义,也有"伪托大道,妖惑小民"的说法。当时的统治者,或称之为"妖民"、"妖贼",又称之为"妖寇"。

这里所谓"妖",是对非正统的民间秘密宗教信仰的诬蔑性称谓。黄巾起义领袖张角曾经利用过的《太平清领书》,也被指斥为"妖妄不经"。

以黄巾起义为代表的东汉末年的农民战争,表现出组织严密、发动迅速、影响阔远、斗志坚强等特点,民间秘密宗教信仰的作用是不可忽视的。

所谓张角"伪托大道,妖惑小民",这里所说的"大道",取义于《老子》十八章、二十四章、五十三章中所使用的语汇,然而所尊奉的,已经是神化的老子。

后来的原始道教及其所发动的起义,仍然使用"大道"一称。所谓"大道",不但是黄巾起义所奉事的原始道教宗教实体的名称,而且从东汉末年到魏晋南北朝曾经普遍使用。"大道"之外,黄巾起义所奉事的宗教实体还有其他流行的名称，比如"天师道"和"太平道"。

黄巾起义的主要领袖张角宣传鼓动和组织联络部众的形式，据说包括使用符水咒说治疗疾病，病者多得痊愈，因而得到百姓的信从。张角于是分遣弟子使于四方，以秘密宗教为形式，地下联络，扩大宣传，十余年间，徒众多达数十万。

关于张角等人团结和组织民众的策略，也有"执左道"，"托有神灵"等说法。显然，借用巫术的神秘主义功用，确实是黄巾起义发动民众的方式之一。

七三

苍天已死，黄天当立

黄巾之乱，是山东河北河南的农民戴了黄帽子造反。汉朝人称帽子，叫"巾"。

为什么要戴黄帽子呢？因为他们的领袖张氏兄弟告诉他们，说天要变颜色了，苍天要消失了，而黄色的天要出来，只有加入黄巾道，头戴黄巾，才能免于灾难。这一种借宗教以纠结民众，引上政治革命之途的办法，与洪秀全之组织拜上帝会，如出一辙。

老百姓何以能相信苍天将死，或苍天已死呢？因为一百年以来，老百姓不曾有过好日子，叫天天不应，俗传石达开有两句诗："只缘苍天徒瞆瞆，莫凭赤手拯元元"。这两句诗虽未必是石达开所作，然而认苍天为瞆瞆，正如张氏兄弟及汉末老百姓的看法一样。

到处是贪官污吏，又加上水旱连年。尤其是黄河下游的山东河北河南的农民，受害最深，真是有苦无处诉，早就想铤而走险了。直鲁豫三省交界的所在，不仅在汉朝末年为黄巾的大本营，在唐朝也出过黄巢，在宋朝出过宋江。

可惜张氏兄弟过于浅薄，不足以担负领导的责任。张角自称天公将军，"公"的意思是"爸爸"，竟然自称为天的爸爸。张梁也自称地的爸爸，张宝也自称人的爸爸。于滑稽之中，显出他们的幼稚。

他们的徒众不可谓不多，几乎有三十六万。但是这三十六万革命农民缺少优良的干部，因此就不足以成事。他们遇到了卢植与皇甫嵩两位宿将，便无法抵敌而终致消灭。卢植把他们挤在一处：广宗，而加以围困；皇甫嵩略施攻击，就把他们荡平。

汉朝如果内政清明，这黄巾之乱原不算什么大不了的事体。但是宦官在那里弄权如故，洛阳一团漆黑，卢植与皇甫嵩这两位功臣都因先后打平黄巾反而获罪，那暗中本与黄巾通连的宦官张让，居然列为首功，灵帝把打平黄巾的功劳记在张让身上。其滑稽尤甚于张氏兄弟。

灵帝简直是一个神经病患者，或低能儿。他最爱以驴代马，用四匹驴子驾车。有马不用，而用驴子；正如他在公事上有头等人不用而用三等人。他也喜欢叫宫女们在宫城开旅馆，自己扮作商人到旅馆去住宿。这大概是当皇帝当腻了罢。

实行卖官鬻爵的，也是灵帝。三公官卖一千万，侯爵卖五百万。曹操的父亲曹嵩，便是花了钱，才做太尉。后来曹嵩逃难到琅邪，带了不少车子的细软，被陶谦所派的卫兵看见眼红，以致送了性命。可见这曹嵩也是一个大大的贪官。他花了本钱，也难怪他得狠狠地捞上一笔。

像曹嵩这样的人，在灵帝朝中，比比皆是。老百姓焉得不反？

除了黄巾以外，闹得最凶的要算马超的父亲马腾及其朋友韩遂、王国等人割据甘肃，东进于宝鸡。虽皇甫嵩也几乎敌他们不过。这是西北方面的乱子。

在东北方面，有一个张纯。他杀了右北平太守，又杀了辽东太守及"护乌桓校尉"，可见他的力量及于冀东、辽宁、热河。难怪他自称起天子来。

在南边，湖南有一位观鹄，自称"平天将军"，幸亏有能干的孙坚坐镇长沙，所以乱子闹得不大。

在北边，山西有位郭大，起事于西河县白波谷，进攻太原与河东二郡。那时候，有一种胡人叫做休屠各，也在骚扰山西，连并州刺史也被他们杀了。白波贼要闹到袁绍雄据黄河以北之时，才被消灭。

所以，各方面都不太平。灵帝似乎也觉得局面严重，决心在洛阳练兵。他练了八团人左右，却找不出一个合意的元帅。他选来选去，在太监队伍中挑出一位顶肥顶高的人，就叫他做元帅。这是蹇硕。

试问蹇硕哪里可以做元帅呢？完全儿戏。倒是在蹇硕下面，颇摆了几位人才。其中一个是中军校尉袁绍，另一个是典军校尉曹操。和元帅蹇硕在地位上不相上下的，是大将军何进，亦即是何皇后的哥哥。灵帝不该令大将军何进隶属于蹇硕，弄得何蹇二人水火。

灵帝死后，何进的外甥皇子辩即位为皇帝。蹇硕想杀何进，恰有太监郭胜是何进的同乡，卖了蹇硕，以致何进先发制人，把蹇硕先杀掉。蹇硕的西园八校尉之兵，统统改归何进掌握。

那时候，在何进的旁边，还有一位势力不相上下的人，便是骠骑将军董重。这董重原来也是外戚，他的姑姑便是汉灵帝的母亲，所谓董太后。这董太后当然就是何太后的婆婆，婆媳之间从来不对。董太后喜欢在背后说："你神气什么？仗你哥哥的势吗？我叫骠骑将军杀你哥哥的头，易于反掌。"这些话传到何太后的耳里，就叫何进会同三公，检举董太后勾结宦官，收受地方官吏的贿赂；又董太后出身原为解渎亭侯的夫人，没有做过真正的皇后，无非因为儿子灵帝得立为皇帝，才被尊称为"孝仁皇后"，所以应该迁出皇宫，到解渎亭侯原来的封邑去住。差不多同时候，何进又发兵围了董重的骠骑将军府，活捉董重，免去他的将军之官。董重自杀。

何进解决了董重，在洛阳便成了唯一有力量的人，颇想依袁绍的话，一举把太监杀光。他叫袁绍做司隶校尉（等于直隶总督，不过当时首都不是北京，所以司隶校尉所管便是洛阳周围几郡的地方，包括河东、河内、河南、弘农、冯翊、扶风及所谓京兆，就是西汉旧京长安一带）。何进又用了王允，做河南尹。

无奈他自己的妹妹何太后，与自己的弟弟车骑将军何苗都不赞成。何进便制造恐怖，暗中令董卓以河东太守的资格造反，要他带兵进京，直接对宦官有所行动。

何太后果然吓坏了，下诏把宦官都免了职，勒令出京，各回老家。其中有一个宦官，就是张让，娶了何太后的妹子做儿媳妇，颇得何太后的母亲舞阳君的欢心。这位老太太舞阳君替太监们说情，何太后居然收回成命，又叫太监们进宫当差。

何进急了，自己走到宫里去力争，要何太后立刻下圣旨杀所有的宦官，他不曾出得宫门，便被太监们杀了。

消息传了开来，他的部下吴匡，他的弟弟何苗，与他的好朋友袁绍，袁绍的弟弟虎贲中郎将袁术，就动起手来，把两千多个太监一齐杀光。何苗因为以前与太监表示过好感，也被吴匡杀了出气。

太监杀完以后，恰巧董卓带兵在夜间赶到。董卓来的时候，洛阳乱糟糟的不成一个样子，少帝已被张让、段珪弄到黄河渡口，准备渡河到山西去。有一位小官，中部县的科长，姓吴名贡，逼迫张让、段珪投水自尽，才算是把少帝留了下来。

汉朝的命运不绝如缕，真令人不禁有"苍天已死，黄天当立"之感了。

▲七四

大灾荒和流民运动

中国古来有所谓"安土重迁,黎民之性","安土重居,谓之众庶"的说法。就是说,黎民百姓,通常是留恋本土,不轻易迁徙的。这是以农业为主体经济形式的古代中国的一个重要的文化特征。

不过,由于种种原因,历史上经常发生民众离开土地大规模流徙的流民运动。严重的流民问题往往导致对于政治结构的强烈冲击。由于与其他历史因素的交互作用,流民运动又往往成为社会大动荡的先声。回顾历史,常常可以看到,大规模的流民运动如果发生,距离王朝的崩溃,往往就不远了。

因战乱而发生的流民问题,曾经造成较严重的社会影响。然而对社会产生更为剧烈的震撼的,其实往往是非战乱因素引起的流民运动。东汉晚期,严重的自然灾害,导致大批流民离开家园往异乡漂泊。

汉顺帝永建六年(公元131年)因连年水灾,百姓多有弃业,流亡不绝,以及永和四年(公元139年)太原郡(郡治在今山西太原西南)发生严重旱灾,民众庶流亡,都是类似的史实。

汉桓帝永兴元年(公元153年),又一次发生由严重自然灾害引起的流民运动,当时三十二郡国都先后遭受蝗灾,黄河决口,民众饥穷,流落四方,规模多至数十万户。

汉灵帝时,幽、冀地区因流民众多,郡县空虚,万里萧条。刘陶上疏说到河东、冯翊、京兆等地区流民问题的严重：今三郡之民，大量流亡，留居原地的只有十分之三四，而且也都有外流求生之心。

流民的冲击，又使得受纳流民地区的经济形势也受到严重的破坏性的影响。

例如，东汉末年，中原战乱，而徐州地区百姓殷盛，谷米丰赡，流民多归之。然而，不久则又出现所谓"徐方士民多避难扬土"，也就是徐州地区民众又流亡扬州地区的现象。

徐州地区由流民的受纳地转变为流民的发生地，固然有战乱终于波及这一地区的因素，但是短时间内大量流民的迅速涌入，无疑也是导致当地经济形势恶化的原因之一。

东汉末年张角等领导的黄巾起义军，据说就是以流民为主体成分。因而司徒杨赐曾经建议严厉敕令州郡地方政府，沿途护送流民，以此分化流民，使各护归本郡，以削弱起义军的力量，以为如此则可以不用兵而平息动乱。

流民成为"盗贼"，转化为激烈反抗政府的军事力量，由于本身习惯于流动生活的特点，因而长于运动游击，战斗力相当强。政府调动军队大举追捕，也仅仅只能"破散"其众，而不能真正根绝。

在专制主义政治占主导地位的时代，政府总是把控制尽可能多的户籍作为最基本的行政要务之一。东汉时期，政府也有针对流民的严厉法令。然而，流民的反抗因已经挣脱乡土田宅等因素的束缚，往往表现出异常的勇敢坚定。

正如当时一首民谣所说："发如韭，剪复生；头如鸡，割复鸣；吏不必可畏，小民从来不可轻！"事实上，当流民运动已经形成较大声势时，指望以严酷手段平息其影响的企图，只是一种妄想。

江南得到了开发

东汉时期有一个重大的历史变化。这个历史变化对于中国此后的历史进程有显著的意义,它就是江南经济的开发。

"江南"地区曾经是经济文化水平相对落后的地区。司马迁在《史记·货殖列传》中进行各地区的经济比较,曾经有"江南卑湿,丈夫早夭"的话。西汉时期,江南农业还停留于粗耕阶段,生产手段相对比较落后,虽然矿产、林产资源丰饶,然而尚有待于开发。

司马迁说,当时江南地区采取"火耕水耨",也就是烧去杂草,灌水种稻的简单的耕作方式。江南地区的自然资源条件有优越之处,野生植物和水产,可以方便地采获,因而没有饥馑的忧患。但是另一方面,也没有相对富足的"千金之家"。

直到王莽时代,荆州、扬州民众仍然大多依山林水泽定居,渔猎采集在经济生活中仍然占有相当大的比重。其经济形式与中原先进农耕区相比,存在相当大的差距。

东汉时期,江南经济文化有所进步。卫飒和茨充主持桂阳地方行政时采取促进经济发展的政策,使得经济作物得以引进,民众因此得到利益。

江南水利事业也得到发展。汉顺帝永和五年(公元 140 年),会稽太守马臻创治"镜湖",在会稽、山阴两县界筑塘蓄水,根据水旱状况随时调节水量,所以不再有凶年。堤塘周围三百一十里,溉田九千余顷。这是规模相当大的水利工程,而规模较小的水利设施在江南分布之普遍,可以由汉墓普遍出土的水田陂池模型得到反映。

东汉末年,群雄并起,中州扰乱,鲁肃对他的从属说:中原政治秩序被破坏,寇贼横暴,淮水、泗水之间已经难以生存,我听说江东"沃野万里,民富兵强",可以避战乱之害,你们愿意与我相随,"俱至乐土,以观时变"吗?其从属皆从命。看来,秦及西汉时期的所谓"卑湿贫国",到东汉末年前后,由于地理条件和人文条件的变化,已经演进成为"沃野万里,民富兵强"的"乐土"了。

显然,自两汉之际以来,江南经济确实得到速度明显优胜于北方的发展。

江南地区经济文化实现显著进步的原因,是由复杂的多方面的条件共同形成的。其中气候环境的变迁,也是研究者不应忽视的重要因素之一。由不同途径以不同方式获取的不同资料,大体可以共同印证江南地区的气候环境于两汉之际由湿暖转而干冷的结论。

秦代及西汉时期,北方人往往以为江南地区最不利于生存和发展的因素是气候的"暑湿"。

《史记·袁盎晁错列传》《南越列传》《淮南衡山列传》等都说到"南方卑湿"。《货殖列传》则写作"江南卑湿"。《屈原贾生列传》记载,汉文帝以贾谊为长沙王太傅,贾谊听说长沙卑湿,自以为寿命不得长久,于是为赋以吊屈原。

又《五宗世家》写道:长沙王因为其生母地位低下,无宠,所以"王卑湿贫国"。《汉书·严助传》记载,汉武帝出军征伐闽越,淮南王刘安曾经上书谏止,以为当地"暑湿"的恶劣气候,将会导致部队大量减员,即使尚未直接交战,死伤者也一定不在少数。刘安又回顾前时击南海王的情形以为教训,说当时天暑多雨,水军远征,尚未与敌军遭遇,病死者已经过半。

汉元帝时封地原在江南"下湿"之地的刘仁,上书请求"内徙"。

东汉前期马防徙封丹阳,后来也以"江南下湿",上书请求归还本郡,得到汉和帝准许。

东汉中期以后,则已经很少看到类似的记载,大约气候条件的演变,使得北人对南土的体验已经与先前有所不同了。

两汉之际及东汉末年,两次出现由中原往江南的大规模的移民浪潮。

汉顺帝永和元年(公元136年)全国户口数与汉平帝元始二年(公元2年)相比,呈负增长形势。与此对照,江南地区户口却呈增长的趋势,而豫章、长沙、桂阳及零陵等郡国的增长率尤为突出。

两汉之际,中原兵争激烈,据说流民数量之多,甚至可能达到原有户口数不能存留百分之一的程度。民人流移的主要方向之一,就是"避乱江南"。东汉时期,连年水旱灾异,也导致流民移徙,其中也往往有渡江而南者。

东汉末年剧烈的社会动乱再一次激起以江南为方向的流民运动。

大致在东汉晚期,江南已经扭转以较原始的耕作技术从事农业生产的落后局面。《抱朴子·吴失》说到吴地大庄园经济惊人的富足:势利倾于邦国之君,储积富于朝廷公室,僮仆成军,闭门为市,牛羊遮蔽原野,田池遍布千里。庄园主有充备的物质实力,享受着奢靡华贵的生活:金玉满堂,伎姜溢房,商贩千艘,腐谷万庾,园囿仿拟上林之苑,馆第僭逼太极之宫,梁肉余弃于犬马,积珍陷失于帑藏。这样的情形,与司马迁所谓西汉江南"无千金之家"的记述形成了鲜明的对照,而几乎完全成为王符《潜夫论·浮侈》、仲长统《昌言》中所描绘的东汉中期前后黄河流域豪富之家极端奢侈的经济生活的翻版。

随着经济的进步,江南地区的文化面貌也为之一新。

经过这样的历史过程,江南地区与中原地区的文化差距逐渐缩小,江南地区的文明程度明显上升,从而为后来全国经济文化重心向东南地区的转移准备了条件。

把董卓引进来了

何进在未死以前，不该把豺狼一般的董卓引了进来。堂堂一个大将军，身为国舅，想杀若干手无寸铁的太监，有何困难？为什么他却偏要出此下策？

原来何进的妹妹，何皇太后，虽则与何进为兄妹，在见解上却不相同。她以为太监有坏的，也有好的。坏的可以杀，好的不可以杀。何进呢，他认为太监没有好的，应该一齐杀光。妹妹说："即使依你的话，把太监都杀完了，叫我在宫里拿什么男人使唤呢？有胡子的男人，我如何能用？"

何进一时心窄，看见妹妹迟疑，想造出乱子来恐吓她。东北西北有人造反，妹妹不怕。他叫守卫洛阳近郊的丁原假装造反，放火烧官吏的宿舍。谁知他妹妹依然不怕。

何进又看中了董卓，董卓是甘肃人，部下羌人胡人均有，以纪律不良驰名。现今他是河东的太守，就在洛阳的对面一河之隔。何进暗中派人告诉董卓，叫他造反，不得到中央命令而自动带兵进京，以申讨太监为名。

等到董卓来到了京城，何进早已被太监杀死，太监也一齐被何进的朋友袁绍等人杀光了。

董卓应该带他的兵回去河东，但是他要留在洛阳，和袁绍争政权。袁绍当时有兵一团，另外有七团的兵，可以听他的指挥。并且丁原的骑兵，与袁绍以虎贲中郎将资格所统率的禁卫军，袁绍也均能调动。至于董卓，他的兵却仅有三千人。

以三千人与袁绍几万的兵为敌，董卓实在太不聪明了。这位野心家自己也明白，所以他便想出一条妙计。他常常在夜里，把三千人化装为老百姓，叫他们出城，第二天早上，再穿好军服，排好了队伍走进城来。袁绍看见董卓每天都有三千个新兵陆续开到，无法估计董卓的兵究有多少。因此，便被董卓慑服住了。

董卓和袁绍商议，要把何皇太后的儿子少帝废了，另立王美人的儿子陈留王，袁绍是何进的朋友，属于何皇太后一党，如何能赞成？而且王美人颇为太监们所拥护，根本是一个仇敌。

董卓坚持他的主张，并且声色俱厉。袁绍说："天下的能干人，也不止你董卓一个。"说罢了这句话，他就离开董卓的公馆，出了洛阳城，渡过黄河，逃奔河北去了。

这一边，董卓示意朝廷，借口天旱久不下雨。说司空刘弘应该负责，把他罢免，以自己来代替。同时，他吸收了何进所遗留的军队，又设法把丁原的部下吕布贿赂了，杀了丁原，并吞了丁原的骑兵。

所以他一做司空，便召集满朝文武讨论废少帝，立陈留王的事。他真是够"民主"的。他说，"谁要是不赞成，我就军法从事"。偏偏有卢植，就是那位讨黄巾有功，并且做过刘备的老师的卢植，大胆发言，表示反对。董卓也奈何他不得，只好暂时宣布散会。

到了第二天早上，董卓又召集会议，可不再举行讨论了。他干脆强迫何皇太后废去自己的儿子（少帝），另立情敌王美人的儿子（献帝），跟着把何皇太后打下冷宫，说她以前曾经不孝顺婆婆（董太后，即灵帝之母）。而这位婆婆又原来是董卓的远房本家。

董卓换好了皇帝以后，免不了再要升官一次。司空他不做了，做起太尉来，并且兼理"前将军"的职务。汉朝的将军有大将军，骠骑将军，车骑将军，再以下才是左将军，右将军，前将军，后将军。董卓不一举而为大将军，仅仅兼一个前将军，实在太客气了。

不过，他也等不了许久，过了几时，便自拜为"相国"。这是萧何的位子。汉朝的历代皇帝，因为崇德报功，感谢萧何，所以从来不曾请任何别人做过"相国"。董卓是个什么人，竟然自比萧何，无耻得很。

他小人得志，为所欲为。国库里面的珍宝，完全搬到自己家中。灵帝的几个女儿，他随意奸乱；宫中的妃子，他选做自己老婆。他自己既然如此荒淫，自然也禁止不得部下照样仿效。老百姓的妻女常常遭他的兵强奸，老百姓的财产金帛，也被他的兵任意抢夺。

有一次，他到洛阳城乡下去玩，恰好乡下人赶场，他忽然高起兴来，把赶场的男人一齐杀光，头挂在马车上，又把赶场的女人完全掳走，他和他的兵就这样唱着回洛阳。这真是连土匪都不如。

董卓又把五铢钱的制度破坏了，发行分量很轻的新钱，弄得物价飞涨，谷子一石卖到几万，民不聊生。

这样子荒唐的人，居然还想沽名钓誉。他替陈蕃、李膺等人上表，说他们被太监害得冤枉。他又竭力引用名流，如陈纪、韩融等人，给以列卿的位置；刘表、孔伷、韩馥等人，给以刺史的位置。至于自己的人，仅仅给他们带兵，不给他们好官做。

连袁绍，他的仇人，也被发表为勃海太守，以图笼络。谁知这一着棋他却走错了。袁绍有了勃海太守的名义，正可以号召天下英雄，成立讨伐董卓的同盟。

七七

袁绍发难

袁绍当初逃往黄河以北，寄居在勃海郡，即今日的沧州，虽则志在举兵，却苦无适当名义。管理河北的，是冀州牧韩馥，他原为宫中的尚书，是皇帝的侍从秘书（到了唐朝以后，尚书的地位才等于今天的部长）。董卓为了沽名钓誉，才把韩馥提拔为冀州牧。当时中国十二州，多数由一个刺史主持。牧是新设的制度，比刺史的权力大。韩馥做起冀州牧来，果然奉命维谨，效忠董卓，对袁绍用心防范。

等到董卓发表了袁绍为勃海太守，韩馥就没有办法防范他了。袁绍公然招兵买马，韩馥不敢指他为图谋造反。等到袁绍的兵招足了，马买够了，韩馥索性附和袁绍，免得吃眼前亏。

原来袁绍在汉朝配得上称为豪门子弟。他的高祖父袁安是汉章帝的司徒（等于丞相）；叔曾祖父袁敞是汉安帝的司空（等于御史大夫）；祖父袁汤是汉桓帝的司空，后来又做汉桓帝的司徒；生身父亲袁逢是汉灵帝的司空。司徒，司空，与司马均为三公之官；袁绍的祖先四代都做到三公这一级，所以当时的人，提起袁绍来，都说他家"四世三公"，声望很高。

因为袁家的人，官做得这么久，所以门生故吏极多，遍于天下，连韩馥也算是一个。韩馥在未蒙董卓提拔以前，在袁家的门下做过小事。

袁绍本人自幼喜欢结交朋友。他和外戚梁家、窦家与何家，均处得很好。因此上,他便成为宦官的死对头。

说来奇怪,不但何进想杀尽宦官,是袁绍所怂恿,连那暗中叫董卓带兵进京,以威胁何皇太后逼她杀宦官的一条"妙计",也是袁绍主谋。这一条妙计很不高明。

袁绍逃出洛阳以后,一到河北就准备举兵讨伐董卓。他奉到了勃海太守的任命状,不但不感激董卓,正好借这个官衔与实权,大干特干,在他的号召之下,有若干刺史与太守都招兵买马起来。

是哪几个刺史呢?豫州的孔伷,兖州的刘岱与冀州的韩馥。韩馥在名义上不是刺史,而是"牧",我刚才已经说过;豫州是河南中部,兖州是山东南部,冀州是河北南部。

是哪几个太守呢?陈留郡的张邈,广陵郡的张超,这张邈与张超二人是同胞兄弟,原籍山东寿张,平素行侠仗义,和袁绍是多年朋友,和曹操的交情也很好。还有三个太守,一个是河内郡的王匡,一个是山阳郡的袁遗,还有一个是东郡的桥瑁。

陈留郡是今日开封一带,广陵郡是江都一带,河内郡是河南怀庆一带,山阳郡是山东金乡一带。东郡的中心地点是河北省的濮阳,济北国是今日济南以北的地方。他们连袁绍和他的弟弟袁术在内,一共是十个人。九个人公推袁绍做盟主。每人的兵都有几万,合起来有几十万,号称百万。我替他们列一张表:

盟主——勃海太守袁绍

盟友——后将军袁术

　　　冀州牧韩馥

　　　豫州刺史孔伷

兖州刺史刘岱

陈留太守张邈

广陵太守张超

河内太守王匡

山阳太守袁遗

东郡太守桥瑁

在这十个人之中，最热心的一人不是袁绍而是张邈，张邈的背后是曹操。曹操虽则身为太监曹腾的养子曹嵩之子，却不和太监们要好，自来与外戚派打成一片。当袁绍在灵帝朝中担任中军校尉之时，他担任典军校尉。后来袁绍大杀宦官，他也出力。董卓入京，袁绍出走以后，他留在洛阳与董卓敷衍了两三个月，蒙董卓保举为骁骑校尉。其后不知怎样，他逃出洛阳，改名换姓，向东边跑。也许是他真向董卓献过宝刀，也就是图谋暗杀董卓而未成罢。

他走过郑州西北成皋地方，杀了老朋友吕伯奢全家，这是由于"误会"。他看见吕家人磨刀，不知道是杀猪，以为是要杀他。

再向东走，到了中牟。有一个保长看见他鬼鬼祟祟，以为他是逃兵役的壮丁，把他扣留起来。却有一位功曹认得他是曹操，正是董卓所行文通缉的人。这位功曹便向县长说情，把曹操放了。我们不知道陈宫究竟是县长，还是功曹；总而言之他可能是救了曹操的人（曹操杀吕伯奢全家的时候，陈宫并不在场。陈宫后来反对曹操，是在曹操打陶谦的时候）。

曹操又由中牟县向东，走到陈留。在这儿，他和张邈商议，举兵造董卓的反。张邈赞成。据说陈留有一位孝廉，姓卫名兹，送钱给曹操招兵。曹操就招到了五千人左右。山东人鲍信，曾经在灵帝朝中做过"骑都尉"，这时也在他的山东家乡，泰山郡平阳县，招足了两万步兵，七百骑兵，同时又准备好了粮草五千多车子。鲍信的兵马，比曹操多，却肯和曹操合作，两个人一齐随了张邈，参加袁绍的反董卓大同盟。

袁绍便保荐曹操为奋武将军；又听了曹操的话，保荐鲍信为破虏将军。向谁保荐呢？自然是向汉献帝，袁绍按照惯例向皇帝上表，至于皇帝看得到所上的表与否，他却不管。反正曹鲍二人经他一保，也不必等候批准，便可以做起将军来。

张邈是同盟诸公最热心的一个，而曹操便是张邈朋友之中最热心的一个，鲍信则为死心塌地帮助曹操的一人（鲍信这个时候，还没有做济北国的国相，《三国演义》错了）。

几个未曾加盟的人

《三国演义》上，又说参加讨董的有孔融、陶谦、马腾、公孙瓒、张扬。这也不确。孔融由董卓发表为北海国的国相，在职六年之久，除了与黄巾余党有所攻战以外，不曾有其他的军事活动，他后来被刘备保举为青州刺史，地盘被袁绍派儿子袁谭来抢了去，就只身投奔曹操于许昌了。陶谦是灵帝朝中的车骑将军，在黄巾初起的时候被任命为徐州刺史，打黄巾颇有办法，做到了保境安民的地步。他对于董卓并未公开反对，而且在董卓死后，他还向董卓残部所胁持的西京朝廷进贡。马腾呢？在灵帝之时，就已经在甘肃造反，捧王国做皇帝，与边章、韩遂二人同伙，曾经和董卓作战过，可算得是董卓的对头，但并未参加袁绍所主持的大同盟，后来董卓迁都，回到了长安，还拉拢过马腾，叫他出兵东讨袁绍，获得马腾同意，可见马腾并非同盟分子。公孙瓒在这个时候，正在与乌桓作战，名义是降虏校尉兼领辽西属国长史，他没有时间到河南来参加讨董，虽则他和袁绍的交情不算坏。其后，为了恐吓韩馥，袁绍还叫公孙瓒伪称为董卓的徒党，引兵南下。这更可证明公孙瓒没有参加讨董了。至于张扬呢？虽则是丁原的旧部，但已于割据河内郡之时，受了董卓之命，就河内太守之职，对董卓忠顺得很。

至于刘关张三人，也未必在同盟中有份。刘备那时候地位很低，仅仅是一个县长。他在高唐县做官，被黄巾打败，弃了县城逃走，投奔公孙瓒，公孙瓒是他的老同学，同为卢植的弟子。《英雄记》说他在灵帝末年，亦即是他得势之前，陪了曹操回沛国去募兵，并且在灵帝死后，也自动募兵讨董。帮助曹操募兵，即使有之，大概是灵帝设立西园八校尉，以曹操为典军校尉之时（中平五年），至于刘备自己募兵讨董，那就未必有此力量。

关云长杯酒斩华雄的故事，也有点错。华雄是被孙坚的部下斩的。而且地点不是在洛阳东边的虎牢关，是在洛阳南边的阳人聚。

孙坚也不如《三国演义》所说，为同盟的一分子。他是长沙太守，曾经追随张温，讨伐甘肃的边章、韩遂、马腾，因此上，与董卓同过事，他又曾经在西征以前，追随皇甫嵩、朱儁讨平南阳一带的黄巾。更以前，他一手打垮了浙江一位姓许名昌的"阳明皇帝"。

孙坚被灵帝任命为长沙太守，是在中平四年，那时候，长沙有一位姓区（欧）名星的自称将军，带了万把人造反。这人与《后汉书》上的平天将军观鹄是否一人，待考。孙坚一到长沙，便把全部的匪患肃清，又顺便肃清了零陵、桂阳两郡。

董卓紊乱朝纲，孙坚自动起兵，事前并未与袁绍有过如何接洽，他一出马，就杀了荆州刺史王叡，走到南阳，又杀了南阳太守张咨，他恨王叡，因为王叡曾经看不起他，他恨张咨，因为张咨不肯借粮。

走过南阳，到了鲁阳，恰好袁术也在那里，孙坚便和袁术合兵。

袁术与袁绍是同父异母的兄弟，袁绍为兄，袁术为弟。袁绍为丫环所生，袁术为大太太所生。袁绍出继为袁成之子，袁术留在本房，为司空袁逢的嫡子。所以，尽管袁绍的朋友多，声望高，而袁术一辈子偏偏不把这位哥哥摆在眼睛里。

在朝廷中，袁绍的官阶，不过是个校尉，而袁术是虎贲中郎将，董卓得势，自兼前将军，把后将军的位子给袁术，这是把袁术当作辈分相同的人看待。

袁术未尝跟袁绍一齐出走，不过也知道董卓这人难处，所以不久也溜到鲁阳来（他是不肯到河北，去找哥哥袁绍的）。

在孙坚杀了荆州刺史王叡以后，董卓派了一位刘表，来接充荆州刺史，刘表居然能够到任。他未敢来到鲁阳，因为袁术有兵；也不敢去南阳，因为南阳太守张咨已被孙坚杀掉。他就单骑进了宜城，先安定其他各郡县，铲除结寨自保的若干土豪（宗贼），然后进一步与袁术、孙坚讲好话。

刘表向董卓的傀儡汉献帝上了一表，保荐袁术为南阳太守。袁术做起南阳太守来，也向董卓的傀儡汉献帝上了一表，保荐孙坚为署理破虏将军，兼理豫州刺史（行破虏将军，领豫州刺史），董卓是否同意，不得而知。

然而孙坚不比袁术，对于讨伐董卓，他是具有决心的，他的决心，胜过袁绍，与袁绍的九位盟友。

孙坚有点傻劲

　　孙坚把他的兵进驻鲁阳，袁术让出鲁阳来，移到南阳，南阳原为太守张咨所驻，现在袁术是太守了。

　　一到了鲁阳，孙坚就与董卓的兵有了接触的机会。董卓派了一位大将徐荣，来和他对敌。他也当真做起豫州刺史来，檄调豫州各郡的兵。有一位颍川太守李旻是应命而来，和徐荣恶战一场，被徐荣活捉，拿去煮了。李旻部下有很多兵也被捉去，用滚油倒浇弄死。

　　那时候袁绍在怀庆动也不动，真不配当盟主。他很喜欢与同盟诸友宴会，不喜欢在疆场上冒险。虽则是董卓在三月间已经吓得把都城迁到西安，只留下军队在洛阳附近候战，袁绍却不敢进一步逼迫董卓。

　　是曹操闹得凶，嚷着要赶快打，说不要放过时机，袁绍先给他一个不理，其后为了敷衍起见，才勉强准他一个人自己带几千兵去打先锋。曹操兴高采烈而去，尚未走到成群（郑州西北），先吃了一个败仗，兵士死了一大半，对方的大将，正是徐荣。

　　曹操又跑到酸枣，去找同盟的衮衮诸公，主张由袁绍统率大军，再打成皋，加紧包围洛阳，同时派人联络袁术，叫他暗中由南阳进攻武关，进占西安，以切断董卓的归路。但是那些衮衮诸公，也正如袁绍一样，对他的话并不重视，曹操一气，自己到安徽江苏一带去招兵，招到四千人左右，准备带到洛阳附近来作战，不幸这四千余人，在中途又叛变起来，曹操竭力弹压，拔出剑来杀了几十个，剩下来的仅有五百余人，三千四百多人都一哄而散。

另外有一位肯拼命的，是河内太守王匡，别人不认真打，他却认真，也因为别人不肯帮忙，所以他很孤立。在他还未动手以前，董卓已经派了奇兵，绕到他的后面，把他击破。

所以袁绍及其盟友的声势尽管浩大，并未能奈何董卓，倒是孙坚凭他一股傻劲，始终跟董卓过不去。

他杀荆州刺史王叡与南阳太守张咨，以及和徐荣在鲁阳附近的梁县交战，折损了李旻，是在初平元年的冬天，到了初平二年的春天，二月间，他又与董卓的兵大战于梁县之西的阳人聚。

这一次，在他对面的，是胡轸、吕布二人，不是徐荣。胡轸统率步兵，吕布统率骑兵。胡轸在名义上是司令官，但吕布不肯听他的指挥，结果是董军大败，孙坚获得全胜。

等到孙坚进抵大谷，离洛阳只九十里。董卓亲自出马，抵挡一阵，却抵不住，只好退军于洛阳之西的渑池及陕州二地，留吕布在洛阳城内断后。

孙坚进了宜阳门，即洛阳城南面由东数起的第三个门。吕布敌他不住。吕布走后，孙坚接收了洛阳，派人打扫宗庙，修茸城门外的陵墓，借以告慰于光武帝以来列位皇帝的英灵。他又同时派兵出函谷关，绕到新安渑池之间，以截断董卓的后路。董卓被他弄得哭笑不得，就留了本家董越守住渑池，派段煨驻在华阴，随时准备抢救潼关，又派女婿牛辅驻在山西安邑，作为董越与段煨的呼应。他对这三人说："袁绍那些人，都不足道，只有孙坚还带一点傻气，不可不加意提防。"吩咐已毕，他去西安。

董卓之死

董卓打了败仗回朝,自知无甚颜面,于是为了遮掩起见,叫人告诉朝中诸大臣如司徒王允、卫尉张温之流,特地升自己的官,称为"太师",位在诸侯王之上。

这太师的名义,汉朝四百多年从来不曾有过,只是周朝有过,周朝的太师,太傅,太保,号称"三太"。董卓本已做到了"相国",也就是萧何的地位,如今他成为太师,比萧何又高一层。

凡是人有了"自卑错综",即自惭不如人而偏要掩饰不如人处之变态心理,每每越作伪,越自信,本来自己知道是在作伪,其后装得久了,反而弄成习惯,自以为真,就相信自己果然了不起了。

董卓分明是丢了洛阳,被孙坚挤到函谷关以西,才升为太师的,却反而目空一切,连穿的衣服,乘的车子,张的伞,都仿效皇帝所用的,看他那种作风,大概迟早便要真做起皇帝来了。

他在洛阳初执政权之时,还很顾面子,不用亲戚同乡,到了现在,就专用亲戚同乡,甚至三岁娃娃,也封起侯来。

他纵情女色,又大吃大喝,惟恐自己早晚要死,不得不快一点多多享受。他在西安城(当时叫做长安)的东边盖了一座碉楼,作为公馆,为的是怕人暗杀。在西安的西边,郿县地界,他又盖了一个极大的碉堡,有二百丈周围，墙有七丈高，七尺厚，里面装了够吃三十年的谷子，外加四五十万两黄金，二三百万两白银，无数的绸缎，古董与日用必需品。他的计划是，万一大事不好，他依然可以守在这个碉堡里，等上三十个年头，别人打不进来，自己也不会饿死。

他怕人暗杀，又怕饿死，总而言之，他是怕死。

怕死的人最胆小，最富于猜疑心，也可能变为最残忍，况且他除了怕死以外，又过度纵欲，一个纵欲过度的人，也每每神经衰弱，控制不住自己潜在的兽性，而变得极残忍。

有一天，他从西安出来，要到他的郿县的碉堡走走。他的若干属僚及文武百官，自然免不了要恭送一番，在"横门"外摆了酒席。他忽然想出用人肉来下酒，便叫人拖来北地郡若干已降的造反人，有几百个之多，先割了他们的舌头，再砍去他们的手脚，挖掉眼睛，放在大锅里煮，当着这些送他的百官的面前。等到这些人肉，搬到案子上来，还有几个人不曾完全煮死，在那里挣扎。他自己满不在乎，依旧吃菜喝酒，把文武百官可吓坏了。其中有吓得把筷子丢落了的，董卓就硬说他心怀叵测，"否则何以如此心虚？"这个可怜的官，当时便被拖下去砍头，剩下来其他的人更加害怕，他们说话稍有口吃，也要被杀。

董卓真把人逼得无路可走。像这样的人，哪里可以算得上人，简直是禽兽不如。他的残忍行为，记载在中国历史上，是中国历史的污点，也是中华民族的耻辱。

董卓对于卫尉张温，看得很不顺眼，因为张温做过他的上司，当初在凉州讨伐边章、韩遂的时候，恰好有星象家说，该有大臣在这个时候被人杀死，董卓怕应在自己身上，就叫人诬告张温与袁术勾结，把张温绑到大街上十字路口，用竹棍子活活打到断气。

这一来，种下了他自己的祸根。张温的儿子张伯慎矢志报仇，他与司徒王允秘密商量，安排下妙计，董卓完全不知。

却有一位汝南人伍孚，是个大力士，看不过董卓的凶暴，也不和任何人商议，便带了佩刀去拜访董卓。董卓送他到阁门口，拍拍他的肩膀，伍孚回过身来，拔刀便刺，可惜董卓也是一个擅长武艺的人，被董卓躲了开去。当然，伍孚当场便死在董卓的卫士之手。

董卓哪里知道，伍孚以外，又有一个吕布在暗中准备杀他呢？

吕布和董卓的一个贴身丫环发生暧昧，董卓似乎已经知道，又似乎尚不知道，常常向吕布说，"总有一天要办了你"；但是他仍旧对吕布十分亲信，弄得吕布心里忽上忽下，终于加入张伯慎与王允所组织的秘密团体。

这个丫环，是否名字叫做"貂蝉"，在正史上找不出证据来，她是否本为王允的丫环，也渺茫得很。

但是吕布果然拉拢了十几个勇士，冒充董卓的卫士站在宫门以内，又拉拢了同乡人骑都尉李肃，参加活动。在初平三年的夏天，四月辛巳日，董卓上朝，穿了新的朝服，刚要踏上马车，马跳了起来，把他掀倒地上，衣服都弄脏了。他回家换衣服，有一个年轻小老婆（不知道是否貂蝉）劝他不必再去，他偏要去到宫里，一进宫门，便吃了李肃一戟。他大叫："吕布何在？"吕布说："我正要奉诏严办奸臣！"说罢，他就挺起长矛，刺死董卓，挥手叫伪装的卫士们把董卓的首级割下。

消息立刻传遍了全城，男男女女都欢呼庆祝，卖了衣服和首饰买酒买肉，又在马路上跳舞唱歌。

董卓的尸首摆在市场上，流出满地的油，老百姓在他的肚脐上点灯，亮了几天几夜。

　　朝廷派了老将皇甫嵩去攻打郿县的碉堡,原来它虽则是七丈高七尺厚,却不经打,董卓的母亲妻子弟弟儿女,都一齐被杀,财产完全没收。

　　董卓遗留下来的行政大权,落到司徒王允的手中。

也有人替董卓报仇

王允在杀了董卓以后,掌握中央政权,可惜才学不够。

当前的问题,是如何安顿董卓的部下,即驻防华阴的段煨,驻防渑池的董越,与驻防山西安邑的牛辅。

段煨为将门之子,世为汉臣,深明大义,尚不足虑。董越后来下落不明,渑池成为吕布的朋友李肃的防地,大概是被李肃消灭了。牛辅在董卓未死以前,已经被董卓调到陕州,他兵力最强,部下有猛将三人:李傕、郭汜、张济。

当董卓被刺的消息传到陕州,这位董卓的女婿(牛辅)便用一种奇怪的方法,替死了的丈人出气。他命令李傕、郭汜、张济三人,率兵向东边打(应该向西边打才对),不打王允、吕布,而打河南东部的老百姓,连寇中牟、陈留、颍川诸县,逢人便砍,不分男女。

吕布派了李肃到东边来打牛辅,被牛辅打败。李肃回到长安,吕布一气,将他斩首。

牛辅在打了胜仗以后,反而心里不安,怕吕布来报战败之耻,又因为自己营中军心不稳,所以就选了一天夜里,带了珍珠金块,缒城而走,却又被心腹卫士胡亦儿害了,珍珠金块丢完,头被割下,送到长安。

李傕、郭汜、张济三人,于是群龙无首,都想投降,派代表到长安,向王允接洽，王允不肯接受他们的投降。王允说："你们三个人都是凉州（甘肃）人，董卓的同乡，凉州人没有好的，一概不能赦免。"这么一来，不仅李、郭、张三人无路可走，连他们的部下兵士，因为也多半是凉州人，都人人自危起来，不得不反。

王允不肯赦免李傕等人，也有他的理由，一则他们的军纪太坏，二则他们也屠杀过王允的同乡，几百个夹在他们军队里的并州（山西）军官、兵士与眷属。王允是并州人，吕布也是并州人。但是王允说出"凉州人没有好的"这一句话，就未免太无大臣风度，也太不懂如何办理国家的大事了。

李傕、郭汜、张济等三人，一齐率领部下造反，杀奔长安而来，他们的谋士也是一个凉州人，姓贾名诩，原为牛辅的幕僚。

离开长安不远，在新丰遇到董卓部下的第一员大将徐荣，是王允派来的，徐荣只知有朝廷，不知有个人，所以仍旧替朝廷抵抗造反的人，他打了一个败仗，死在疆场。

另有一员大将，胡轸，也是奉了王允的命令而来，但不像徐荣，他一到前线，就投降李傕，也许是因为自己与吕布积不相能罢。

李傕等人的兵，越裹越多，竟有十几万人了。董卓的另一旧部樊稠，也带队参加。

他们围攻长安，打了八天，吕布守不住，巷战也失败，一溜烟逃走，出了武关，投奔南阳太守袁术。他之所以守不住，据说是有一部分四川兵，做了李傕的内应，开门放敌入城。

王允只剩下一个城楼，和汉献帝躲在上面。到了这个时候，他才宣布大赦，并且发表李傕为扬武将军，郭汜为扬烈将军，张济似乎也发表为一个什么将军，或与樊稠相同，发表为中郎将。当然，时间是太晚了。他被强迫下楼，过了几天，就被杀死。

李傕等人找董卓的尸首,尸首已经被袁绍一家的门生故吏抢去,烧成了灰,让风刮散在大路上(不仅袁绍的叔父袁傀与异母弟袁基,均为董卓所害,而且袁家留在洛阳的男女老少已经统统被董卓杀死,所以他家的门生故吏要焚董卓的尸,弃董卓的灰)。

李傕等人设法把董卓的灰又扫拢来,买了一口好棺材,正式安葬。似乎天怒未息,在葬的那一天偏偏下大雨,刮大风,坟穴填满了水,将棺材漂了出来。

朝廷上还有一位大官,是正人君子,姓杨名彪,但是他手无兵权,奈何李傕等人不得,只有尽可能伴着汉献帝,随时保驾。

于是李傕便做了车骑将军,兼司隶校尉。他这个车骑将军,与其他的不同,是"开府"的,有一个"车骑将军府",广设僚属,等于第二政府。

郭汜被发表为后将军,樊稠为右将军,都留驻长安城内,张济则率部出驻弘农郡(河南灵宝一带),名义是镇东将军。

起初,李傕与郭汜、樊稠,还尊重读书人与老臣,让杨彪做司空,淳于嘉做司徒,周忠做太尉。行政上的日常事务(尚书的事务)都交给这三个人处理(参录尚书事),长安的秩序与朝廷上的威仪,大体上均过得去,并且还举行了一次儒生考试,成绩好的发表为郎中,次一点的发表为太子舍人。太学也照常上课。

不久,杨彪的司空位置换给赵温,赵温换给张喜,周忠的太尉之职也换给朱儁,朱儁换给杨敞,但事实上没有多大变更。

从董卓被刺,到李傕入京,中间有两个月;从李傕入京到马腾捣乱,中间有三个年头,这三个年头真是大乱中之小治;虽则函谷关以东,袁绍、公孙瓒、曹操、吕布、刘备、袁术等人争战不休,函谷关以西,除了物价腾贵以外,并不能算太坏。

八二

吕布穷无所归

吕布在李傕等人攻占长安之时,与李傕交锋失败,带了几百名亲信骑兵,离开长安,逃出武关,到南阳投奔袁术。

为了便于和袁术见面,他于百忙之中,知道割下董卓尸首的头,拴在马颈项上。董卓曾经杀过袁绍与袁术留在洛阳的家属,所以吕布拿董卓的头,送给袁术作见面礼。

果然袁术对他很好,准他在南阳安顿下来。他得意之余,忘记了约束自己几百名的部下,随他们任意骚扰百姓,甚至奸淫掳掠也干。这就激怒了袁术,吕布看见颜色不对,便匆匆告辞,向北走,由南阳到洛阳,由洛阳过黄河,投奔那据有河内(怀庆)的张扬。

张扬也是并州人,算来为吕布的同乡,而且曾经同为丁原的部下,又可谓老同事(在丁原被吕布倒戈之时,张扬本人不在洛阳,而在山西东南部的上党郡,奉何进之命扫荡草寇,尚未完成任务。丁原既死,他在上党就竖起反旗,自己做起草寇来,攻打上党太守于山西壶关,壶关他打不下来,就移兵到豫北。占领当时的河内郡,董卓顺水推舟,发表他为河内太守)。

他和吕布二人,本来私交颇好,现在,吕布既不远千里而来,走来投奔他,他也就表示欢迎。

不过张扬部下的高级军官,多数看不起吕布,甚至不肯忘记吕布杀过丁原，因为他们也是并州人，跟随过丁原的。尽管张扬待吕布好，他们仍旧想杀了吕布，到长安李傕、郭汜那里，一方面可以请赏，另一方面还可以替死了的丁原来出气。

吕布聪明得很，看出形势不对，他就向张扬说："听说长安政府通缉我，赏格很高，你和我是同乡，与其杀了我去领赏，倒不如活捉我押解去，可以领得多点。"

张扬实在不曾有杀他的意思，听了吕布的话不免生气，就顺着吕布的口气，也不解释这只是部下存有此心，而他本人毫无此意，他对吕布说："你的看法很对，与其杀了你去请赏，倒不如把你捉了，送个活的到长安，赏金可以多些。"

这一来，却把吕布吓坏了，索性不辞而别，溜到邺县（河南临漳），去投袁绍。

袁绍知道吕布能干，把他留了下来，并且叫他帮忙讨伐常山（河北正定）的黑山贼张燕。这张燕绰号张飞燕，骑马如飞，原本姓褚，是博陵大盗张牛角的好朋友，于张牛角死的时候，继续他的部下，改姓了张。他逐渐扩充，居然跨有河北、山西、河南三省交界之处，有一百多万人之多，号称为黑山贼，与黄巾互相呼应。汉灵帝的朝廷有本领解决张角、张梁、张宝，却不能奈何张燕。

当袁绍袭夺了韩馥的冀州，又与幽州的公孙瓒交锋之时，张燕与公孙瓒结成一气，所以袁术在打平公孙瓒以后，就去打他，却好有吕布跑来帮忙。

吕布骑在赤兔马上，可以飞上城墙，跳过深沟，张燕尽管绰号飞燕，却要逊他一筹。吕布带了几十个老部下（原来有几百个，只剩下几十个了），天天冲进张燕的阵营，把张燕的人杀得落花流水，这样一连搅了十几天，张燕的实力大受影响，只好让出正定一带的地盘，躲到山里头去。

那时候，一般兵士与人民都佩服吕布的英勇，流行了两句谚语："马中有赤兔，人中有吕布。"

吕布表现得太好，引起了袁绍的猜忌，吕布请求增加兵员，袁绍不准，吕布和他的部下，发起老脾气来，奸淫掳掠一顿，袁绍大不开心。

吕布感觉到此地又非藏身之处，便表示要回洛阳。袁绍就以盟主的资格，代表皇帝命令吕布为"署理"司隶校尉。司隶校尉之官，用清朝的制度来比仿，便是"直隶总督"，而当时的直隶，不是河北省，而是宝鸡至郑州的一个地方，包括长安洛阳在内。自然，吕布获得了"司隶校尉"之名，不仅无法治理潼关以西仍为李傕、郭汜所占据的地域，也没有多大力量可以治理洛阳一城。洛阳自从被董卓烧了以后，荒凉得很，是群盗出没的所在。

是袁绍太不光明，发表了吕布为司隶校尉，却又派人假装替他饯行，暗图谋害。吕布机警得很，临时自动要求表演弹琴（筝），他在帐篷里弹了一会，便换人代弹，帐篷外边的袁绍刺客，还以为他正在越弹越高兴，其实他已经骑了赤兔马，独自一人溜走了。

偷曹操的兖州

吕布慌慌忙忙,逃出冀州的首城邺县,想再回河内郡去找张扬,又怕张扬的部下高级军官依然想活捉他,送到长安李傕那里去领赏。

他不知不觉奔到黄河以南,开封附近的陈留郡,却有此郡的太守张邈,硬要留他,还要捧他做自己的上司,送一个兖州牧给他做。

这张邈是山东人(东平郡寿张县),生平最重义气,大家讨伐董卓之时,他已经官为陈留太守,与弟弟广陵太守张超,同为最初发难的五人之一(其余三人,是兖州刺史刘岱,豫州刺史孔伷,东郡太守桥瑁)。袁绍并不在内,袁绍是在他们五人会盟于酸枣(河南延津),以后不久,才被推为盟主的。

张邈一向和曹操也是至好,我在前面曾经提过,曹操于参加讨董,筹款募兵之时,颇得他的支持。曹操在初平三年,也就是董卓为吕布所杀的明年,受了鲍信等人的邀请,由河北赶到兖州,帮助打平那杀了兖州刺史刘岱的青州黄巾,共总收编了黄巾三十余万,就做起"署理"兖州牧来,继承了刘岱的位置。张邈所管的陈留,是兖州的一郡,他很拥护曹操。

曹操做兖州牧,做了两年,吕布流浪于袁术、张扬及袁绍之间也有两年。曹操不曾料到,好朋友张邈要把吕布捧起来抢他的位置,原因是,曹操不该到南边徐州去打陶谦,更不该杀人太多,引起张邈与陈宫等人的愤慨。

曹操之所以到徐州去打陶谦，一是他的父亲曹嵩，由洛阳到琅邪（青岛附近），带了不少箱子，经过徐州地界，被陶谦所派的护送人员杀了，抢去那些箱子，所以曹操要兴师问罪，替父亲报仇，一口咬定是陶谦授意那些护送人员，谋财害命，而且参加分赃；二是，在徐州下邳县有一个造反的人，姓阙名宣，自称皇帝，陶谦不但不讨伐阙宣，而且与他连成一气，曹操似乎为了尊重汉朝的正统，也不能不打陶谦。

这陶谦究竟是一个什么样子的人呢？他是读书人出身，原籍丹阳，当过县长，也当过军官，在车骑将军张温麾下担任参事，与董卓算是同僚，山东黄巾既起，徐州也有黄巾，朝廷派他为徐州刺史，负责安定徐州，他果然能把本地的黄巾肃清，办到人民安居乐业，五谷丰登，其他各地有很多不能如徐州好，逃难的都跑到徐州来逃难，所以陶谦这个人还不算坏。

但是他也有点毛病，好喝酒，又喜欢恭维，在他的左右，有一个曹宏，是个小人。为了曹宏，陶谦也得罪了不少人。《三国志》说他残害良善，却未免过甚其辞。

至于曹操的父亲曹嵩之死，实在与陶谦无干，阙宣造反，陶谦起初固然是未敢声讨，但后来阙宣是他杀的，阙宣的部下也未尝不是他招安的。

陶谦不肯与袁绍曹操等一批反对董卓的人混在一起，也是事实，直至董卓死后，对于李傕、郭汜及其所劫持的长安朝廷，陶谦也同样尊重，他不惜劳苦，派代表冒险穿过群雄的防区，去上表进献，朝廷对他也很好，封他为溧阳侯。

所以曹操之打陶谦，除了为了替父报仇，申讨他勾结伪皇帝阙宣两个原因以外，政治立场之不同，也未尝不可以算作一个第三原因，至于，把徐州并吞过来，兼有兖徐两州，如此的地盘思想，又何尝不是一个第四原因呢？

曹操这时候拥有三十万"青州兵"（在兖州收编了的青州黄巾），满以为一举可以把陶谦吃掉，果然势如破竹，占领了十几个城市，会战于彭城（江苏铜山），杀得陶谦大败，砍死成万的人，尸首填满了泗水，"泗水为之不流"。谁知陶谦得了刘备、关羽、张飞三个人帮忙，在退守郯城之时，居然稳住，曹操没有办法。

刘备是奉了公孙瓒之命，到青州帮助刺史田楷抵挡袁绍的，现在又奉了田楷之命，到徐州来帮助陶谦抵挡曹操。刘备此时的兵力仅有嫡系一千余人，难民及乌桓胡兵几千人，加上陶谦拨给他丹阳兵四千人，共总一万多人而已，一万多人守郯城，而曹操的几十万人无办法，是否曹操粮尽（如《三国志》所说）？曹操已经占有十几个城市，又占有彭城，哪里会有少粮的问题呢？刘备之英雄，无可否认，曹操之深佩刘备，大概也是由于这一次战役。

曹操自己在退兵的时候，未免太不英雄了。他战不过刘备，却拿无辜的老百姓出气，一连屠了五个城市及其所属乡镇，杀了男女数十万人，鸡犬不留。哪五个城市呢？取虑，睢陵，夏丘，彭城，傅阳。

这种不人道的野蛮行为，谁听了都要发指，我们又怎能怪陈宫、张邈二人以好朋友的资格气得发抖，而激于义愤，立刻对付他呢？

陈宫是东郡人（河北濮阳），生平好交朋友，交游遍于天下。他是否为中牟县的功曹，不得而知。

曹操以前由洛阳出来，逃开董卓的掌握，走到中牟县因形迹可疑被捕，为县府的一个功曹所救，方才得释放。

这位功曹可能就是陈宫，但《捉放曹》一戏离开事实很远，因为，吕伯奢全家之被杀，其地点是在中牟西边，洛阳东边的成皋附近，此中牟功曹决不在场。

　　陈宫之开始帮曹操，也许是曹操奉袁绍委派，做到东郡太守的时候，也就是"中牟蒙难"以后的一年多光景（初平二年秋冬之际）。东郡为陈宫的家乡，曹操喜欢搜罗人才，到了东郡做太守，自然不能把陈宫放过。

　　据吕布的老婆说，曹操曾经待陈宫如赤子，把陈宫当儿子待（这可见曹陈二人友谊之深）。《捉放曹》里面的陈宫，却是一位"老生"！

　　陈宫深恨曹操屠杀几十万无辜人民，所以毅然决然，劝陈留太守张邈，共反曹操。倘就私交而论，陈宫本不该如此，而且曹操十分地信任他，把东郡留守后方的事务全权付托，东郡首县东武阳也交由陈宫派兵驻扎。

　　陈宫向张邈建议，迎吕布来代替曹操为兖州牧。吕布是一个会打仗的人，加上张邈现已掌有的十万雄兵，大可割据一方，静观时变，张邈颇以为然，就联合陈宫与弟弟广陵太守张超，共迎吕布为兖州牧。

　　吕布以一个穷无所归的人，得到如此待遇，真是喜出望外。张邈的十万雄兵，就成了他的队伍，他把整个兖州完全收归己有，以濮阳为他的大本营。只有三个城，始终忠于曹操，不肯依顺吕布，吕布也打他们不下，这三个城，一是荀彧所守的鄄城，二是枣祗所守的东阿，三是靳尤所守的范县。

被曹操赶走

那时候，是兴平元年的夏天，曹操正在统领大军第二次到徐州，在郯城前线与刘备拼命，后方出了如此大的乱子，真是出他不意。他连忙收军，退到济宁南边的五十里地方，看见当地有一段山道，叫做亢父的，吕布不曾派兵驻守，才放下心来，说吕布果然无大作为，只知道据着濮阳，眼光看得见一城，看不见全州，把这个亢父之险轻轻地忽略了，又把济宁北边的东平，黄河的一个好渡口的所在，也忽略了。

其实吕布由于鄄城、东阿、范县三个城县，俱未得手，也许不便越过这三城南守亢父。曹操以为吕布不堪一击，一口气跑到濮阳，与他交锋。谁知一交锋就吃了一个大败仗。他的青州兵，原是青州的老黄巾，经不起吕布的骑兵一冲，就乱了阵容，各自逃命，害得他自己也跌下马来。他的营盘也起了火，烧了他的左手。倘不是他临时机警，告诉吕布的骑兵说，"那边一个骑黄马的便是曹操"，恐怕不死也要被人活捉。

他和吕布相持于濮阳城下一百多天，毫无结果。秋风既起，又遇着蝗虫满天飞来，军粮没有着落，百姓也家家挨饿，他只好退兵鄄城，吕布进军山阳（山东金乡）。

当年的冬天，曹操移军东阿。陶谦在徐州逝世，临死以前，把徐州的位置让给刘备。刘备请陶谦让给声望比他高得多的袁术，陶谦说："你不必让了,袁术不过是冢中枯骨而已。"袁术这时候,已经离开南阳,经陈留郡到了寿春(安徽寿县)。

曹操想出了一个主意,对付吕布。他声东击西,使吕布疲于奔命,吕布的马虽快,也经不起老是奔走。曹操在兴平二年春天,先攻山东的定陶,到夏天又攻河北的钜野。吕布与陈宫带了一万多人来救,曹操利用地形,设上埋伏,在半途打败他们,跟着就占领定陶。吕布回兵到了定陶,看见定陶被占,又听说兖州各个小城池也被曹操分兵收复,就失掉了自信,向南奔逃,到徐州去投刘备。

这一来,把陈留太守张邈可害苦了。张邈把家属付托给弟弟张超,叫他死守雍丘(杞县),自己到寿春去找袁术请求救兵,未到寿春,在路上就被部下的兵士杀掉。弟弟在雍丘守了四个月,被曹操攻破,自杀。他的家属,完全被曹操杀光。

张邈、张超兄弟,有一个义气朋友,姓臧名洪。臧洪原籍是广陵郡射阳县(江苏淮安),曾为张超的功曹。张氏兄弟与刘岱、孔伷、桥瑁,盟于酸枣,倡议讨董,是臧洪在幕后鼓吹。盟会的时候,操盘歃血,朗诵盟词的,也是臧洪。其后他奉了张超之命,到蓟县去见幽州牧刘虞,经过袁绍那里,被袁绍留住,请他权理青州刺史,当了两年,政绩很好,调为东郡太守。(补曹操的缺!)张超在雍丘死守的时候,深信臧洪必定来救,所以一直守了四个月。臧洪呢,在东郡天天急得号哭,同袁绍请兵,袁绍不许。张超既败,臧洪一怒,便与袁绍断绝。袁绍派兵围他,围了一年多,城里的人有七八千男女都饿死了,也不肯降,还活着的也宁愿与臧洪同归于尽,不肯离开他。城破的时候,臧洪被袁绍活捉,袁绍仍旧想用他。他大骂袁绍,说:"我亲见你称呼过张邈为哥哥,我的上司张超自然就是你的弟弟了,你却拥了重兵,见死不救!你辜负了汉朝对你家的厚恩与天下人士对你的期望,我恨不得拿刀把你杀了,为天下报仇。"袁绍听了这些话,只好把他杀了。

　　当时有一位书生陈容,是臧洪的小同乡,也是至好朋友,于城破以前被臧洪遣散出来,到了袁绍那里,恰好在座,看见袁绍要杀臧洪,便挺身而出,说:"将军欲为天下除暴,何以先杀这样忠义的臧洪?"袁绍说:"你不是臧洪一类人,何必如此呢?"陈容说:"是否一类,全看是否合于仁义,合于仁义,就是君子,不合于仁义便是小人,今日我宁与臧洪同死,不愿与你袁绍同生。"他说出这些话,当然也只有一死了。

　　可惜臧洪、张邈、张超,如此义气,却为了一个不成材的吕布而死!

又偷刘备的徐州

吕布在钜野吃了败仗，回不了定陶，带了陈宫、高顺等一批人，其中有一个姓张名辽的在内，慌慌忙忙，奔到下邳城，来投徐州牧刘备。刘备把他们安插在小沛居住，一住就是一年多，刘备没有想到，这穷无所归的，偷了兖州又丢掉兖州的吕布，会有一天也要偷占他的徐州。

这已经是建安元年的冬天了。这一年，秋天里发生一件大事，那便是曹操走到洛阳，从韩暹手中，夺到由长安逃出来的汉献帝，送到许昌，自为献帝的"大将军，录尚书事"，以此发号施令，挟天子以令诸侯。他意图拉拢刘备，就用汉献帝的命令，封刘备为宜城亭侯，拜为镇东将军，刘备很高兴地接受下来。

也许吕布是因为看见曹刘交欢而心中不安，他和曹操，为了兖州的地盘而结下了如此深仇，如何能看见刘备受曹操之命而不害怕？

同时，袁术也在勾结他，煽动他。讲起当时的派系来，袁术与刘备同为公孙瓒的朋友，都是袁绍的敌人，原应该站在一起（袁术与袁绍本是同父异母的弟兄，却为了种种原故，已经变成仇敌）。但是，刘备的徐州，与袁术的地盘邻接，袁术野心勃勃，意图并吞，所以顾不到什么立场，便派兵来打，刘备也亲自出马，加以抵抗，相持于淮河两岸。曹操原属于袁绍的一派，和袁术是对头，极恨吕布。他想拆散刘备与吕布的结合，所以就赶紧夸奖刘备，封他为侯，拜他为将军，也顾不得当初他打陶谦的时候，在下邳城吃过刘备的亏。

在袁术呢，既然已经和刘备打仗，自然什么方法都要用，所以就写了一封信给吕布，叫他从小沛偷袭下邳，答应先送他军米二十万斛。

吕布果然照办，下邳是徐州的首县，守将二人，一为陶谦的旧部下曹豹，一为张飞，曹张二人感情不睦，曹豹做了吕布的内应，下邳入于吕布之手。

刘备尚在淮河前线与袁术对垒，听到消息，赶快回来，已经来不及了，并且老婆与儿子均陷在下邳城中（这位老婆娘家姓什么？这个儿子名字叫什么？现在却难考定）。刘备退兵到广陵郡，想来想去，只有向吕布投降的一个办法，吕布也居然答应，把刘备接了回来，安顿在当初刘备安顿他的地方：小沛。

刘备不敢再自称为徐州牧，吕布却自称为徐州刺史来。为了客气，吕布请刘备自称豫州牧。

袁术听到吕布偷得下邳，以为目的已达，就赖掉二十万斛军米，不肯送来。这与吕布之接受刘备投降不无关系。

后来，袁术又听到吕刘二人言归于好，吕布指定小沛给刘备驻防，便赶紧派了大将纪灵，带了三万兵来围小沛，在离城不远的地方，遇到吕布也带来了步兵一千，骑兵二百，赶来调解。辕门射戟的一出，在此演出，纪灵慑于吕布的威名，居然退兵。

刘备居于吕布之下，竟有两年之久。到了建安三年九月，两个人才又翻脸，并且是吕布主动。吕布看见刘备在小沛力量慢慢恢复，又有了一万多兵，便决定先发制人，一举把刘备击溃，连小沛也不让他立足。

死在白门楼下

　　刘备在吕布之下,屈居两年,他的耐心确是可佩,但是只要吕布对他一击,他新招的一万多兵就溃不成军,丢掉小沛,也未免太不行了。吕布此时,部下有高顺、张辽、陈宫,可谓人才济济,对外也有袁术作为声援。刘备呢,虽有勇敌万夫的关张二人,一则地盘太小,仅有区区小沛,二则对外与袁术结了新仇,与曹操又未能化除旧恨(在吕布偷他的徐州之时,并没有如何帮忙),可以说十分孤立。在小沛之东是吕布的下邳,在小沛之南,是袁术的淮河,在小沛之北与西,是曹操的兖州与豫州。

　　正如他当初在陶谦卵翼之下,担任"豫州刺史"之时,我们这位"豫州牧"刘备,所管的仅有全豫州约六分之一:沛国。还有六分之五,梁国、陈国、鲁国,及颍川、汝南二郡,都在曹操手上。

　　沛国的首县是小沛,小沛一去,也就无所谓沛国了。刘备又是独自逃走,不管家眷,于是再度把老婆儿子丢掉。这一次丢的老婆,除了一位原配(?)以外,还有糜夫人在内。她是糜竺的妹妹,是刘备在上一次失掉下邳,辗转于海西一带时,被哥哥送给刘备的。

　　刘备和关张等人,向开封逃去。刘备是否就一口气逃到许昌,投奔曹操呢? 不是的,他不是一个逃难的人,只求活命或吃饭的,他一定是在离开小沛不远的地方,就派了代表,到许昌去,请求救兵。

　　曹操之恨吕布,远甚于恨刘备。刘备不过是请他吃过败仗,叫他拿不到陶谦的郯城。吕布却偷过他的兖州,几乎叫他不能见人。而且吕布与袁术颇有勾结,袁术已经在建安二年春天僭号称帝,与许昌的汉家朝廷势不两立,所以曹操就决定派了夏侯惇带兵去救刘备。

　　夏侯惇到了徐州,帮不上刘备的忙,反而被吕布射瞎了一只眼睛,吕布的射术是有名的。

　　夏侯惇与曹操本是堂房弟兄(曹操的父亲曹嵩原姓夏侯,抱给太监曹腾做过房儿子,才改姓曹),曹操一怒,自己带兵去打吕布。他在建安三年九月间出兵,十月到了彭城,活捉彭城国相侯谐(汉朝在景帝之后,每个王国都是国相管理行政,国王不当家,只管领岁费,吃饭享乐)。曹操老脾气又发,把彭城的人民一齐屠杀干净。

　　曹操的军队到达下邳,吕布率领骑兵迎击,部下一个猛将成广,被曹操活俘,吕布只好退入城中,派人向袁术请救。

　　袁术出兵,但离开寿春没有十几里,遇到一支曹操的兵,略一接触,便缩了回去,吕布也算是错交了他。

　　曹操把下邳城团团围住,围了一两个月,毫无结果。吕布常常开城出来打,打得曹操的兵甚为疲倦,颇想罢兵回去。

　　荀彧的侄儿荀攸劝曹操不必退兵,再加紧进攻。郭嘉也是同样主张。刘备在旁边,自然惟恐曹操不干。曹操决定下一个辣手,他把沂水与泗水引了来灌下邳城,城里面装满了水,人民与军士只好住到屋顶与城墙上去。吕布的大本营也搬到一个城楼,叫做白门楼。

　　袁术在寿春,绝对没有再派兵来救的意思。吕布当初答应过把女儿嫁给袁术的儿子,又听了陈登的话,在女儿已经送走以后,中途把女儿追了回来,并且使袁术派来七路大兵,由张勋率领,大攻徐州,吕布费了很大力气，又用了反间计，把张勋与同来的韩暹、杨奉拆开，才躲过了危险，这是建安二年的事。

吕布现在困守在白门楼。急得没有主意，以为袁术之不肯来救，莫非怪他不肯送女儿给他家，想了以后，就把女儿捆了起来，绑在马上，派兵于夜间冲过曹操的围兵，送到袁术那里去。

女儿是送走了，依然毫无救兵的消息。他又想到自己的老婆颇美（是貂蝉吗？）而关羽为人颇重义气，何不把老婆送给他，请他在刘备与曹操面前转圜？想定以后，就立刻把老婆也绑起来，当真送给关羽。关羽收下以后，就问曹操说："可以收下吗？"曹操说："当然可以。"过了一天，关羽又问。曹操又说："当然可以。"后来关羽老问，曹操被他问出兴趣来，就说："你不妨解到我这儿给我看看。"关羽于是送来吕布的老婆，曹操说："很好，就留在我此地罢。"（以上是《蜀记》所述，不知是否可靠。）

吕布等不到关羽什么消息。他的朋友张扬才真是关心他的，张扬已经发兵，忽不料却为部下杨丑所杀。杨丑是想投降曹操。不久又有一个眭固，杀了杨丑，替张扬报仇，并且带走张扬的兵，想去投奔袁绍。曹操听到了，派了一个史涣，去打眭固，把眭固杀了，收编了张扬的兵。

吕布在白门楼毫无办法，却禁止部下喝酒。有一位将军，姓侯名成，被人偷掉了一匹马，幸而追了回来，同袍们贺他，就喝起来了，侯成并且敬了吕布一杯，被吕布痛骂，大丢面子。他怀恨在心，这时候就领头投降，绑了陈宫来见曹操。

吕布看见大势已去，自己也守不了白门楼，就下楼投降。他向曹操说："你所怕的，不过是吕布一人，吕布现在服你了，所以天下的事已无问题。你带领步兵，我带领骑兵，还有打不平的地方么？"刘备却向曹操说:"你别听他的话,他当初对付丁原、董卓的故事,还不值得你参考么?"

曹操说:"好!"就叫人把吕布、陈宫、高顺一齐杀了(张辽却被留了下来,其后做了曹操部下第一等重要的军官)。

八七

董承是干什么的

曹操杀了吕布，并不把徐州还给刘备，却发表一位姓车名胄的为徐州刺史。他叫刘备跟他回许昌去，在汉献帝的朝廷里当一名左将军。左将军的地位，与前将军，后将军，右将军一样，相当于九卿，以刘备的地位资望来说，他已经算不小了。

在前后左右四位将军之上，另有四位将军，地位相等于三公：一是大将军，二是骠骑将军，三是车骑将军，四是卫将军。

曹操自己，于建安元年七月，把献帝从洛阳接赴许昌之时，叫献帝拜他为大将军，封为武平侯。其后，因为袁绍不肯拥护许昌朝廷，曹操特地把"大将军"让给袁绍，自己屈就"行车骑将军事"，作一个第三名的"一级上将"，并且还要谦称为"权理"的。"行"就是"权理"。

"骠骑将军"一职，暂时虚悬，宁缺勿滥。曹操的意思，想把这个位子，留给尚待招抚的群雄之一（后来是送给孙权了）。

卫将军的名义，已经由汉献帝送给了董承。董承原为董卓女婿牛辅的部下，和李傕、郭汜、樊稠、张济是老同事。他随了李傕等人到长安，替董卓报仇，杀了王允，一直留在长安。他和献帝，还有点亲戚关系。他的姑姑，正是汉献帝的祖母（也就是灵帝母亲，历史上称为董太后）。

李傕等人据了长安以后，有两个年头在大体上还过得去（兵士们骚扰百姓是有的）；到了兴平二年春天就出了问题。甘肃的马腾、韩遂来打长安，被赶回去，赶到宝鸡之时，韩遂向樊稠说："你我本是同乡，公是公，私是私，何妨谈谈家常？"樊稠答应了，就在兵士们众目睽睽之中，两匹马凑近谈谈家常。等到樊稠回到长安，李傕早已接到侄儿李利的密报，便把樊稠请来吃饭，出其不意，杀了樊稠。郭汜颇不以为然，从此与李傕生了嫌隙。

李傕惟恐汉献帝被郭汜影响了，就逼迫汉献帝离开宫殿，搬到自己的营盘里来。郭汜要抢汉献帝，于是发生巷战，长安的人民遭殃，物价飞涨起来。结果，郭汜抢不到皇帝，便也把大臣们太尉杨彪以下都绑了票，扣在自己身边。

汉朝的朝廷到了这步田地，远不如董卓在世的时候了。董卓的旧部之一张济，在报了董卓之仇以后，到东边去驻防于弘农（陕州），以防备函谷关以东的群雄，这时候特地带兵来到长安，作李傕、郭汜之间的调停人，并且请献帝搬到陕州他那里去。李、郭居然被他和解成功，互相换一个女儿作为人质。献帝也被他迁出长安。

献帝到了华阴，郭汜后悔，想从张济手上抢走献帝，逼他西迁于郿县，但是公卿大臣都不赞成，他只好离开军队，独自一人，走入南山中。他的部下就和公卿翻了脸，用起兵来。

是董承与一位杨定想出主意，把献帝送到一位老黄巾杨奉的军营里，才脱了危险。杨定是甘肃人，本是李傕的部下，为了看不惯李傕"目无君上"，已与李傕分道扬镳，而且图谋暗杀过李傕。至于老黄巾杨奉，他是山西人，在山西的黄巾号称"白波"，他是"白波"的首领。他到长安来"勤王"，与张济约略同时，也许是应了董承之邀。

杨奉把汉献帝保了，郭汜的部队没有办法。郭汜自己便又与李傕连成一气,连张济也加入了,三个人共同追赶杨奉,要把献帝夺回去。到了离开陕州只有六七里的地方,地名叫做曹阳涧,杨奉的军队与献帝车驾被李傕、郭汜、张济三人的追兵赶上,大战一场,杨奉的军队惨败,杨奉一面与李傕等讲和,一面暗中派人到山西招了另外两个白波首领韩暹、李乐来陕州助战。韩暹带了不少的白波而来,又约了南匈奴的右贤王去卑,带来不少匈奴骑兵,结果,杀了李傕等人的队伍几千人;但是李傕等再战,杨奉、韩暹、去卑三方面联合的军队又遭惨败。

杨奉与董承商议,只好请献帝于深夜渡过黄河,安顿在(山西)河东郡大阳县李乐那里。

山西南部的最大势力,属于河内太守张扬。张扬主张送献帝回洛阳,董承赞成,杨奉、韩暹、李乐都不赞成。董承而且为韩暹所怀疑,被赶了走,逃到张扬那里。

张扬与董承二人,也不管杨奉等人如何主张,先动手布置洛阳的宫殿,派工匠修理,又与刘表疏通,由刘表派兵到洛阳来保护。这一来,果然声势浩大,杨奉等人也只好赞成了。

在建安元年七月甲子日,汉献帝被送到了洛阳。张扬说:“皇帝是大家的,我不愿意把持,所以我就回河内(怀庆)去。”杨奉也说:“我也不愿意把持,让我到梁县(开封)去驻扎。”留在洛阳护卫汉献帝的,是董承与韩暹二人。董承做了卫将军,韩暹做大将军,杨奉做车骑将军,张扬做“大司马”。地位却是一样。

卫将军董承是一位不安于现状的人。他暗中与曹操联络,叫曹操乘着张扬已回怀庆,杨奉外居开封,赶快派兵到洛阳来,把韩暹赶走。其实,曹操自己本已想来,在献帝尚未到达洛阳之时,他已经派了曹洪西来,是这个董承自己守住险要地方(成皋?),把曹洪挡住的。现在董承既要他来,他当然来了。

他的大兵一到,韩暹单骑逃走。这是八月间的事。九月庚申这一天,献帝的车驾出了辕辕关。向许昌进发。杨奉从开封赶来邀击,没有赶上。到了十月,曹操已经把献帝在许昌安顿好了,专程来打杨奉,杨奉逃奔安徽,去投袁术,曹操占领开封。

这杨奉、韩暹二人,后来帮袁术去打吕布(建安二年夏天),受了吕布煽动,同袁术所派的主将张勋倒戈,弄得张勋全军覆没。但是吕布骗了他们两人,不给他们地盘,他们只好再度落草为寇,恢复老黄巾(白波)的生活。他们后来投奔刘备,杨奉死于刘备之手,韩暹想逃回并州,在路上被一个县长杀了。

八八

袁术做了一场皇帝梦

　　在建安三年冬天,曹操杀了吕布,把刘备带回许昌,将吕布的左将军名义送给刘备。

　　到了第二年,即建安四年的春天,不知为了什么缘故,曹操又把自己的车骑将军名义让给董承。

　　在这一年三月间,袁绍消灭了公孙瓒,取得幽州,加上已有的冀州、青州及并州,成为四州的共主,也就是黄河以北的独霸。在群雄之中,算他首屈一指了。

　　他的弟弟袁术,却正在走着下坡路。袁术本是司空袁逢的嫡子,为大太太所生,不像袁绍为丫环所生,而且已经过继了出去,给左中郎将袁成做儿子。左中郎将的地位,也远不及司空。所以袁术一向看不起自己的哥哥。有一次,哥哥要捧大司马幽州牧刘虞当皇帝,以代替董卓所立的汉献帝,袁术认为哥哥太无出息。皇帝,为什么不自己当?

　　杀太监的时候,哥哥的地位是司隶校尉,他的地位是虎贲中郎将,虎贲中郎将,相当于皇家羽林军的司令。董卓揽权,请他做"后将军",与前将军、左将军、右将军之流并列,阶级与九卿相等。他不敢留在洛阳,溜到南阳去,恰好孙坚从长沙赶来,杀掉南阳太守张咨,这南阳太守的名义便由孙坚出面,上表请汉献帝发表给袁术;也不管汉献帝及其"相国"董卓是否同意，袁术即刻便做起南阳太守来。

那时候豫州刺史孔伷也出了缺，袁术用同样的上表手续，请孙坚做豫州刺史，可谓礼尚往还，孙坚自然也不客气。

不巧袁绍也派了一位周昕来当豫州刺史。袁术一气，用兵把周昕赶走。兄弟二人，开始结仇，那时候，孙坚已经到洛阳去打董卓。

荆州刺史王叡，也是孙坚杀的。董卓派了刘表来做。孙坚打下洛阳回来，便听袁术的话，到襄阳去打刘表，不幸阵亡。刘表于董卓死后，一面与董卓的旧部李傕、郭汜通声气，受长安朝廷的命令，被升任为荆州牧，封为成武侯；另一方面，也与袁绍勾结，作袁术的对头。袁绍竟与杀了孙坚的刘表，互相勾结，也是袁术最气不过的。

初平三年冬天，扬州刺史陈温病死，袁绍派了一位袁遗来做。当时的扬州包括安徽北部，首县是寿春（安徽寿县）。袁术派兵把袁遗赶走，另派一位陈瑀来做。

袁绍叫刘表从后面逼袁术，袁术抵挡不住，大怒之下，领兵到了河南北部地方，要与驻在邺县（临漳）的袁绍，一决雌雄。偏偏曹操从兖州率领大兵赶来帮助袁绍厮杀一阵，弄得袁术溃不成军，逃到寿春去找自己的扬州刺史陈瑀。

那陈瑀忘恩负义，竟然不让袁术进城。袁术虽然不行，对付一个陈瑀还算有余，不费什么力气，就把陈瑀赶走。

袁术就自己做起扬州刺史来，并且自兼一个所谓“徐州伯”。“伯”的意思是“霸”：“徐州伯”，就是“徐州的霸主”。这时候是兴平元年春天（初平四年的次一年），李傕、郭汜在长安执政，他们为了拉拢袁术，就封他为阳翟侯，拜为左将军。汉朝末年的左将军真不算少。刘备以前，有吕布；吕布以前，有袁术。其实袁术已经受过董卓之拜，为“后将军”，不甚希罕这左将军的名义。

孙坚死的时候，袁术知道他在洛阳宫中获得了传国玺，存在吴氏夫人（吴国太）那里，便强迫她交了出来，据为己有。所以袁术心中，久已有了做皇帝的意思，哪里会把区区左将军的名义看得认真呢？

自从西汉末年以来，学术界与民间流行了一种迷信说法，叫做"五德终始"，以为汉朝是火德，大舜是土德，火能生土，代替汉朝的一个朝代，必为大舜的苗裔所创。王莽已经上过当，他以为王家是战国齐王之后，也就是大舜之后。该轮到他当皇帝。

王莽是失败了，袁术偏要再蹈他的覆辙。原来袁家是春秋时代陈国大夫辕涛涂的子孙，而辕涛涂也是大舜的苗裔之一。袁术想当皇帝的理由，正与王莽相同。

既有"五德终始"的迷信为依据，又加上这个从吴国太手上夺来的传国玺，袁术格外觉得够资格做皇帝了。

在建安二年春天，袁术宣布即位，自称"仲家"。他的国号是什么，年号是什么，都不曾留下记载。

在夏天，他要求吕布与他结亲，把女儿嫁给他的"太子"。吕布不肯，而且把他的钦差捉起来，送给曹操。曹操以汉献帝的名义拜吕布为"左将军"。

袁术大为生气，就派了大将张勋，率领七路兵马，包括以前保过献帝车驾的老黄巾杨奉、韩暹，与吕布决战。谁知吕布挑动了杨韩二人，叫他们倒戈，弄得张勋全部覆没。吕布一直追到寿春城下。

同时，曹操又疏通好了孙策，叫孙策勿念与袁术的世交，仍旧忠心于汉朝，封他为乌程侯，拜他为骑都尉，"兼理"会稽太守，后来又拜他为明汉将军。

在秋天，曹操自己来打袁术。袁术迎战，又是大败一场，损了大将桥蕤。

以后的一年，建安三年，曹操忙于对付张绣与吕布，没有多少功夫来收拾袁术，袁术因此就获得了一年的苟安，享受他的皇帝生活。他不惜工本，大修宫殿，多选嫔妃，嫔妃的衣服穷奢极侈，结果是，区区扬州小半州地盘哪里负担得起？扬州的一大半并不在他的掌握之下，他只有九江庐江二郡，九江郡为寿县蚌埠一带，非今日的江西九江。其余四郡，丹阳、会稽、吴郡、豫章，已被孙策占了。

不过一年，他已民穷财尽，又听到吕布被曹操解决，徐州入于曹操之手，他势将腹背受敌，就十分恐慌起来。

在建安四年夏天，他决心离开寿春，烧去了自己的宫殿，到潜山去投奔自己的部下雷薄。这位雷薄刻薄得很，给老上司一个闭门羹。另一位部下陈兰，也是如此。

袁术穷途末路，就想与自己的哥哥言归于好，袁绍雄据四州，比自己有办法得多，不如把皇帝的名义让给他担任。

袁绍接到信，虽不表示就干，心中十分愿意，就派人接他。他也就整理行装，准备带残余的亲信队伍，到邺县去。他没有料到，曹操已经派了新任的左将军刘备（袁术是最先担任左将军的，其后曹操叫吕布打他，便把左将军的名义送给吕布。这时候，吕布已被杀死，所以左将军的名义，又由曹操送给刘备了），带了关羽张飞及精兵一千多人，在徐州的大路上等他。

他只好中途折回。回到安徽，到了离开寿春，还有八十里的江亭，呕血而死。

左将军刘备，替曹操立下这个功劳，却忽然翻起脸来，杀了曹操的徐州刺史车胄,把徐州的地盘抢回,叫关羽守住下邳,自己再度驻防小沛,加速度招兵买马,准备与曹操一拼。

原来刘备早就在许昌,和车骑将军董承约好,要杀了曹操,迎袁绍来替汉献帝当家呢!

八九

刘备被曹操打败

董承似乎是一个天生的阴谋家。他的个性与春秋时代晋国的里克差不多，令人有"为子君者，不亦难乎"之感，李傕与杨奉均失败在他的手中。若非刘备早动手了一步，使得曹操觉察出来，曹操也许要上董承的当，死在许昌。

如果曹操被董承暗杀了，或被董承用政变的方法关了起来，明正典刑，对于汉朝的大局是否能够有利？恐怕未必！因为能继承曹操来挟天子以令诸侯的，只有袁绍一人；而袁绍的目无朝廷，睥睨皇室，与曹操比起来只有更坏。对于汉献帝个人呢，袁绍是一向不大肯承认汉献帝为合法的，说不定要来一下"废立"。废掉了献帝，换上一个，这于献帝的生命都会发生连带影响。

如果董承自己够材料，或刘备确有再兴汉室的把握，自然又当别论。

所谓衣带诏，究竟有没有，我们不得而知。假定献帝写过这个诏书，叫董承、刘备杀曹操，何以曹操在杀了董承以后，不和献帝算账呢？这是建安五年正月的事，一直到建安二十五年正月曹操死，始终没有和献帝算过这个账。

曹操在建安五年正月，杀了董承与他的同谋者种辑、吴硕、王服，同时杀了这些人的妻小与亲戚（夷三族）。刘备那一方面，曹操就派了两个将军去打,一个是王忠,另一个与死了的兖州刺史同名,叫做刘种。这两个人均非刘备的敌手。曹操只好自己去跑一趟。

那时候,袁绍已经与曹操翻了脸,正在摩拳擦掌要大举南征,吞掉许昌。刘备也已经与袁绍结了好,派有代表孙乾住在他那边。所以便有人劝曹操:"丢开袁绍而转身东向去打徐州的刘备,万一袁绍由北面打过来,你会措手不及的。"

曹操断定,袁绍是一个狐疑的人,如果打刘备,袁绍可能不出兵,反之,刘备是有决断力的,如果打袁绍,刘备必然动手。所以,不如先打刘备的好。

刘备占了下邳与小沛以后,响应他的人很多,不到多时,兵力就有了几万。他以"深得人心"见长,果然所传不虚。

但讲起军事学识来,他究非曹操的敌手。曹操最熟悉《孙子兵法》,曾经注解过《孙子兵法》一遍,题为《孟德新书》。

况且曹操最近又接收了吕布手下的猛将张辽。只张辽一个人,就足以担当一方面。所以曹操带张辽一到徐州,便击溃刘备于小沛,俘虏了他的妻小,又活捉关羽于下邳,把关羽也收归自己的部下。

刘备单枪独马逃到青州(首县是今日的河北南皮)。青州刺史袁谭是袁绍的儿子,也是他的学生。袁谭一面赶忙报告袁绍,一面派人送刘备去邺县(河南临漳)。

袁绍十分兴奋,亲自出迎,走到邺县城外二百里的地方等候刘备。自古以来,很少有迎接客人如此热心的。

可惜关羽、张飞二员猛将并未同来。关羽已经被曹操带到许昌去,张飞却流落到汝南,与地方上的黄巾搅在一起。

九〇

袁绍也被曹操打败

曹操与刘备交锋是在建安五年的春天,到冬天便与袁绍决斗。

本来,袁绍也想找曹操打。他在消灭公孙瓒以后,就曾经选了步兵十万,骑兵一万,大举南征,不过,没有敢真动手,一到黎阳便踟蹰不前。

当刘备在徐州杀了车胄,和曹操翻脸,派人联络袁绍。正是给袁绍一个好机会,可惜袁绍依然犹豫不决(他当初打董卓,也是这个作风)。

等到曹操只留下一个于禁,而亲自到徐州去和刘备作战的时候,黎阳前线空虚,袁绍仍旧毫无动作。田丰劝他动手,他推说儿子生病,把田丰气得要死。等到徐州之战成为定局,袁绍这才着急起来,其实已经迟了。

袁绍派人去告诉刘表,请刘表从南方夹攻曹操。谁知刘表也不够材料,也是一个迟疑不决,甚至是一个坐观成败之徒。

刘备丢掉徐州以后,来到袁绍的身边,但已帮不了袁绍多少忙;他的兵士所剩无几,关张二猛将又不知何往。

关羽已经到了曹操那里,被曹操带到白马津来,一战而斩袁绍的大将颜良。这是建安五年四月的事。

文丑是否也是关羽所杀,正史上没有明说。过了一些时候,关羽才离开曹操,投奔到袁绍军中,来找刘备。

刘备、关羽在秋天到汝南,和当地的黄巾首领龚都合作,威胁许昌。

也许是先有张飞占了汝南一个古城,交结了龚都,刘备这才说动袁绍,让他和关羽离开河北,跑到汝南来担任这一方面的任务。曹操派蔡阳来打他们,被他们杀掉。

袁绍那里,大军南下,到了中牟附近的一个济河渡口,叫做官渡。袁绍的兵力很雄厚,沿着济河北岸,摆了几十里长,依傍沙堆扎营。曹操的兵力相当单薄,但也不得不拉成几十里长,以资对付。

袁绍就原有的沙堆子,垒上沙土,造成若干土山,在山上射箭,居高临下,弄得曹操的兵拿盾牌当伞,才挡住那雨一般的飞箭。后来曹操发明了一种炮车,利用杠杆的原理,把大石头抛到袁绍的营中,打碎土山上的平顶楼房,才算挽回了劣势。这炮车,曹操给它起一个名字,叫做霹雳车,因为大石头落在敌人山上,轰然一响,如同霹雳(雷)一样(这个霹雳炮有没有火药在内,值得疑问。传说,到了隋炀帝的时候才有火药;至于火药用在军事上,传说也要迟到北宋之末,虞允文抵抗金兀术的时候。但是三国时代,郝昭用火箭来对付诸葛亮,却是事实)。

袁绍又设法掘地道,曹操也掘地道。袁绍所掘的是南北向,曹操所掘的是东西向。袁绍所掘的是地下的,曹操所掘的是露天的。因此,袁绍又白费了气力。

这已经是建安五年九月了。从四月间,关羽斩颜良的时候算起,两军相持已经快有半年。曹操的粮食快完,颇想退兵。荀彧从许昌写信给他说:“两军相持了如此之久。双方均已疲倦,到了用计的时候,千万不可想退,一退就不可收拾。袁绍的实力可谓最强,他现在是被你抵住于一个官渡口子,你若是把他放了进来,那就不堪设想。当初刘邦项羽相持于鸿沟之间,双方都想退而不敢退,也就是为了这个原因。”

曹操接受荀彧的建议,就用起计来。他派徐晃去劫袁绍的粮,果然毁了袁绍不少粮食（这徐晃原为杨奉的部下，被曹操收服下来，成为他的五位名将之一。五位名将是张辽、乐进、于禁、张郃、徐晃。张辽原为吕布的部下，张郃原为袁绍的部下，他俩和徐晃三人均是曹操用招降的方法得来的。只有乐进、于禁二人堪称嫡系）。

张郃这时候尚在袁绍营中，袁绍在十月间听说曹操又来劫粮，而且自己出马，带了五千人来，就将计就计，派张郃来劫曹操的大本营。

张郃说："与其去劫营，不如去护粮。守粮的是一位淳于琼。一定敌不过曹操。"袁绍坚持自己的意见，张郃便只好去劫营。

果然淳于琼不是曹操的敌手，粮食被曹操烧光，淳于琼被砍，一千多守粮的兵被割了鼻子放回来，使得袁绍大营的兵人人见了胆寒。便有小人向袁绍说："张郃自以为颇有先见之明，颇为得意。"这句话传到张郃耳里，张郃索性就向曹洪投降。曹洪是大本营的留守，不敢受降，荀攸在旁边劝他，曹洪就姑且允准了张郃。谁知道后来大败马谡于街亭的，正是这位张郃呢！

袁绍的兵，听说张郃投降，自相惊扰，被曹操一击，全军崩溃，袁绍只带得了八百名骑兵逃走。

曹操把袁绍的兵整整活埋了七万多人，到了第二年，即建安六年，曹操又在老黄河边上，大破袁绍于仓亭。袁绍连遭官渡与仓亭两次大败，一蹶不振，得了吐血的病。

曹操放开他，赶到汝南来收拾刘备，刘备只好去投奔刘表。

刘备在刘表那里安顿于新野地方，一住就住了六七年。刘表并无与曹操一决雌雄之意。

袁绍吐了一年多的血，到建安七年五月，便死了。

九一

他的三个儿子、一个外甥都被曹操解决

袁绍在临死以前,把他的冀青幽并四州地盘,分别传给三个儿子一个外甥。袁谭是大儿子,得到青州;袁熙,二儿子,得到幽州;袁尚,小儿子,得到冀州。高干,是外甥,得到并州。

曹操听说袁绍已死,就进兵来打。袁谭守住黎阳的渡口,袁尚跑来助战。曹操越打越凶,袁谭、袁尚守得越紧。这是建安七年秋天与冬天的事。

刘备在南方,由新野进展到叶县,想夺许昌。曹操派了夏侯惇、于禁抵挡,刘备诈败,夏侯惇和于禁就穷追,追到一段狭路上,刘备放火烧两旁的草木,夏侯惇和于禁吃了一个大亏。但是刘备也没有力量再来。

到了建安八年春天,曹操打下了黎阳,进兵至邺县城下。邺县就是今天的河南临漳,是当时冀州的首县,也就是袁尚的都城。曹操一时打不下邺县来,到了夏天五月,就听从郭嘉的话,留一个将军守黎阳,自己退兵回许昌,又进兵到西平,装着要打刘表的样子,让袁谭、袁尚兄弟二人松一口气。郭嘉告诉曹操,这两位姓袁的弟兄久已互相水火,一有机会便要阋墙,重演父亲袁绍与叔父袁术的故事。

在袁绍的部下之中,原有两个派系,一个捧大公子袁谭,一个捧三公子袁尚。郭图与辛评属于前者,审配属于后者。曹操退兵的时候,袁谭向袁尚要铠甲,以便追击曹兵,袁尚不给,袁谭就攻打邺县,两兄弟战于城门之下,果然如郭嘉所料。

袁谭打不过袁尚。退到青州的南皮县。到秋天八月,袁尚大举向袁谭进攻,抢了南皮,袁谭退到平原,一面死守,一面派了辛评的弟弟辛毗,到曹操那里去递降表,请求救兵。

曹操问辛毗:"你的上司是真投降,还是假投降?"辛毗说:"你别问他是真投降或假投降,他与袁尚不和总是真的,这就于你有利,为什么不派兵帮忙,收渔翁之利呢?"听辛毗口气,倒不是替袁谭投降,而是替自己投降,后来他居然成为魏国的要人。

曹操十分赞许辛毗的高论,其实他早就胸有成竹了。他明知袁谭不是真正投降,故意和袁谭攀亲,要袁谭的女儿做媳妇。然后,就进兵黎阳,为袁谭而声讨袁尚。

他的大兵一到黎阳,袁尚慌忙丢了平原,回保邺县,曹操看见袁尚回来,故意好整以暇,慢慢地掘一条运河,把洪水通到白沟,说要运粮。袁尚真是糊涂,以为局面不够紧张,居然想抽一个空,在建安八年二月再到平原去打袁谭。他一走,曹操就加紧打邺县,把邺县围得紧紧的。围到六月,城里的人死了一半。守邺县的正是审配,也亏他能干,守得那么久。

袁尚只好又从平原带兵赶回来,与城中举火为应,准备在北门外两军会师。审配开了城门出来,被曹操打回去;袁尚的军队扎在城外,也被曹操围了。袁尚求和,曹操不肯,袁尚的若干大将又临阵缴械,袁尚只好只身逃走。丢了全部的印绶盔甲与辎重。这些东西,曹操叫人拿给守城的人看,城内军心立刻瓦解。虽则审配还想死守,他自己的侄子审荣,却以东门校尉的资格,半夜开城,引进曹兵,袁绍留下来的冀州就这样子完了。

袁尚想逃到并州去,高幹不欢迎。高幹正在派人向曹操投降,后来曹操叫他仍旧做并州刺史。

袁尚就逃到幽州的故安县，依附二公子袁熙。袁谭很得意，着手收编袁尚的部队，不料曹操忽然说他背约。把他的女儿送还，跟着就派兵打。在当年冬天，曹操就打下平原，袁谭退守南皮，到了建安十年正月，袁谭出了南皮想逃，被曹操的兵捉住杀了。袁绍留下来的青州，于是也入于曹操之手。

二公子袁熙在幽州，等不到曹操来进攻，已经被部下触焦驱逐。他奔到柳城（辽宁县附近），依附辽西乌桓的单于蹋顿。于是，袁绍所留下的幽州，也完了事。

曹操一鼓作气，去打乌桓。高干听到消息，忽然又造起反来（也许他并未造反，是曹操硬诬赖他），曹操就派了乐进、李典，攻打壶关。又派杜畿做河东太守，在南边堵住高干的去路。

乐进、李典打不进壶关去，累得曹操自己出马，从建安十一年正月打到三月，打了进去，高干溜出并州向北跑，想跑到匈奴那里去求救，走到上洛郡，就被上洛的都尉捉住杀了。于是袁绍所留下的并州又稳稳当当地入于曹操之手。

连辽西乌桓也入于曹操掌握

　　冀、并、青、幽四州，加上已有的兖州、豫州、徐州，与司隶校尉部，全国的十三州部之中，曹操还没有拿到手的只剩五州。这五州是刘表的荆州，刘璋的益州，马腾、韩遂所占的凉州，士燮兄弟所占的交州，以及孙策的弟弟孙权所占有的扬州。但是扬州六郡，孙权只占了五郡，九江郡（安徽寿县蚌埠一带）已在曹操之手。益州呢，刘璋已经接受许昌朝廷的命令，而且派过壮丁来帮助曹操。凉州方面，一时尚不足为患，因为李傕在建安三年夏天，已被曹操所派的斐茂，将他铲除；马腾被曹操请到许昌，当了九卿之一（卫尉），尽管韩遂的力量犹在，却也不敢怎样。至于交州，虽则士燮以土著汉人的资格，位居交趾太守，又有几个弟弟分为合浦太守、九真太守、南海太守，势力确是雄厚，但是他一则并未自为刺史，二则仍旧与许昌朝廷通声气，接受许昌朝廷的封拜，以"绥南中郎将"的名义"董督七郡"。

　　简单言之，当时不服从曹操的王化的，只有荆扬二州。换句话说，也只有刘表、孙权二人。所以曹操在吞并了袁绍所遗留的冀并幽青四州以后，就注意到如何去解决刘表、孙权。

　　他本可以乘战胜之威，移师南指，但因为袁熙、袁尚二人尚在（他们逃躲在辽西乌桓的单于蹋顿那里），不得不先对他们与蹋顿再用兵一次。

这蹋顿单于号称为三郡乌桓之长。哪三郡呢？辽东、辽西、右北平。什么是乌桓呢？乌桓便是东胡的一部分，东胡在西汉初年为匈奴所灭，经了三百余年的休养生息，到东汉后半叶，又渐渐强盛起来，分为两大族，一是鲜卑，一是乌桓。鲜卑的大酋长檀石槐，曾经利用匈奴内部的分裂，与汉家合作，西连乌孙，把匈奴故地一举而囊括为己有。可惜他一死，一切就化为乌有了。再其后乌桓渐渐强盛，颇有与鲜卑平分秋色的样子。

乌桓与鲜卑在曹操的时候均是各分为若干部落，而不相统率。在乌桓之中，比较强有力的是蹋顿。他有三个郡的许多部落，服他指挥。至于代郡及上郡的若干乌桓部落则领袖另有其人（代郡的是普富卢，上郡的是那楼）。

因为东汉朝廷失掉驾驭边疆的力量，所以蹋顿等人的势力就壮大起来，又因为中原干戈扰攘，成千成万的中原人逃到乌桓与鲜卑的部落里面，苟且偷生，教会了乌桓以打仗与治民的办法，所以蹋顿等人就成为割据的英雄。

曹操决心和蹋顿干一下。他领带大兵到了易水，把辎重留在易县，轻骑上徐无山，穿出卢龙塞（河北迁安县西北），走了五百多里没有路的山谷，自己开路搭桥，山上有二百多里没有水。自己凿井，要凿三十几丈深才得到水，同时又找不到粮食，杀了马当粮食，一共杀了几千匹，这样子千辛万苦，总算出其不意，一下子出现于柳城附近。

蹋顿和袁熙、袁尚慌忙应战于白狼山，被张辽率领前锋的军队一冲，就溃不成军，蹋顿和袁熙、袁尚带了几千人逃走，到辽东去投靠辽东太守公孙康。公孙康把他们三人杀了，将首级送给曹操。

蹋顿部下的军民，向曹操投降的有男女二十余万。这二十余万人之中,有不少男的被曹操抽选为骑兵。再加上袁尚、袁谭、袁熙与高幹的旧部,曹操真是不怕没有兵可用了。况且在打平河北的时候,又有所谓黑山贼张燕,率领了变相的黄巾十几万人向他投降过。

曹操有了如此雄厚的力量,区区刘表真不是他的敌手。

刘表被曹操吓死

　　刘表如果生在平时，真不愧为一名循吏。他把荆州治得很好。全境七郡没有土匪，对境外的军阀也大致能够相安。所以人民颇能够安居乐业，从各地方跑到荆州来避难的颇为不少。其中读书人很多，诸葛亮便是这些读书人之一。

　　他若是稍有问鼎中原之心，不难乘曹操东征袁术、吕布、刘备之时，或北征袁绍、袁尚、袁谭、高干、蹋顿之时，出十万兵占领许昌，把汉献帝抢来或是杀掉，令曹操首尾不能兼顾。然而他始终不动，坐失机缘，却不肯依顺曹操，偏要与袁绍勾结，又在袁绍失败以后收容刘备。明眼人看不出他刘表，究竟是打的什么主意。

　　讲到他的来历，本是董卓一派。荆州刺史原为王叡。这王叡被孙坚杀了，孙坚推袁术做，董卓就派了刘表来。刘表这时候颇有点办法，他利用自己是朝廷所任命，名正言顺，号召了不少本地人帮忙，把袁术赶走，把各郡收复，袁术叫孙坚来打他，他叫人射杀孙坚于襄阳城下。

　　其后他一面继续对董卓及其继承人李傕、郭汜效忠，一面为了对付袁术起见，与袁术的敌人袁绍勾结。

　　不久，南阳为张济的侄儿张绣所占，刘表也把张绣敷衍得还可以。张绣不啻被他利用，成为他与曹操之间的缓冲。其后张绣接受了贾诩的建议，在曹操正要与袁绍拼命而不放心后方之时，突然投降曹操，叫曹操非常欢喜。刘表应该恐慌了，偏偏不到一年，就有刘备来替他作屏风，情愿驻防新野，为他于必要时挡一个头阵。

东边呢，尽管孙策、孙权老想替孙坚报仇，有黄祖在江夏（武汉），也不要紧。等到孙权把黄祖打败，刘表就派长子刘琦做江夏太守。好在以孙权的力量，要想把荆州一口气吞掉，还不太像。

然而曹操在打下了袁氏三兄弟与高干、蹋顿以后，回师南指，来势就与孙权迥不相同。曹操如果想一口气把荆州吞下，似乎并非难事。

刘表想了又想，越想越急，就急得吐血而亡。我们也可以说，他是被曹操吓死的。

曹操在建安十三年七月发兵，刘表在八月间死。到了九月间曹操兵临新野，刘表的小儿子刘琮迎降，刘备于事前退兵到樊城，听到刘琮投降的消息，慌忙带了十几万难民向江陵的路上走。曹操选了五千匹马，一天一夜跑三百里，在刘备的后面追，追到当阳长坂坡，遇见张飞。张飞以二十几个人断后，向曹操的军队大吼一声，曹军被他止住。恰巧孙权派来的代表鲁肃，这时候也来到了长坂坡。

鲁肃问刘备："将军想到哪里去？"

刘备说："我要去苍梧（广西梧州）。"

鲁肃说："找谁？"

刘备说："找苍梧太守吴巨，他和我有点私交。"

鲁肃说："不如去找我的长官孙权。吴巨如何保得了你？更不能借兵给你抵挡曹操。孙权据有江东六郡，兵精粮足，你不如到孙权那里去。"

刘备听了鲁肃的话，又看见曹操的追兵已到，就放弃江陵之行，改道向东，走到汉水边，与关羽从襄阳带来的几百条船相遇，一齐驶到江夏。

　　在江夏,大家开了一个会。刘琦也赞成鲁肃的意见。结果,刘备派诸葛亮跟鲁肃到柴桑口(江西九江),去找孙权。

　　曹操那一方面,追刘备一直追到了江陵,追不到刘备。江陵在当时称为南郡,是刘表囤积军械、军粮与军船的地方。曹操把这些东西完全接收,接收了以后,就浩浩荡荡,顺着长江,向江东进发。

年轻的孙权竟想抵抗

那时候，局面真是紧张得很，以曹操的威力与声势，实在不难一鼓把刘琦收拾，孙权荡平。

孙权在曹操的眼中，不过是一个小孩子而已。曹操（在建安十三年）已经有五十四岁，孙权才有二十七岁，刚刚有他一半年龄。

年轻的孙权能够有多大本事呢？无非是继承爸爸与哥哥的遗产罢了。哪里能比得上曹操白手成家，自己干了一番事业？

然而，孙权年纪虽小，却能够侍候得了爸爸手下的几位老将：程普、韩当、黄盖；又能团得住哥哥所结交的几位朋友：张昭、周瑜、吕范；并且除了这些人才以外，又能自己再选拔一些，如诸葛瑾、顾雍、步骘。这样的年轻人，也就够厉害的了。

他的哥哥孙策，原来也是一个年轻人。孙策独霸江东之时，年纪才有二十一岁；至死的时候，也不过二十六岁。

孙策在兴平二年，向袁术讨回了父亲孙坚的兵一千余人，走到和县，又号召到新兵四五千人。

这时候，江东最重要的城市叫做曲阿（江苏丹阳），住在曲阿的是扬州刺史刘繇。刘繇有两位大将，一叫樊能，一叫张英。他们守住和县东南的横江浦与当利口，这两个口子是采石矶对面的桥头阵地。在孙策未来以前，袁术派吴景、孙贲二人打这两个口子，打了一年多，打不下来。

吴景是孙策的舅舅，孙贲是孙策的堂兄。

孙策一到，不费什么力气，就把樊能、张英赶走，夺了这两个口子，渡过江，占领采石矶。孙策进一步，与秣陵城的守将交战，杀了三千人，俘虏了一万多人，把秣陵城拿到手中。

刘繇在曲阿，接到报告，做了孙策的内应，丹阳太守周尚就赶紧逃走，孙策于是白捡得一个丹阳郡。从丹阳，他经过溧阳宜兴，到浙江，占领了会稽郡（首县是浙江绍兴）。会稽太守王朗，被他赶到了福州去。他由浙江，一面回兵打苏州，杀了吴郡太守许贡，一面伸兵到南昌，受豫章太守华歆之降。

扬州六郡地方，他已有了丹阳、会稽、吴、豫章四郡。总计还不到一年工夫。他把豫章郡分出一半来，以今日的吉安为中心，成立一个新的郡，叫做庐陵郡。

到了建安四年，袁术失败，袁术的大将张勋率部投奔孙策，被庐江太守刘勋中途拦截，吞了他的部队。孙策替张勋报仇，把刘勋骗到江西去打上饶的土豪，自己轻兵冲到安庆，袭取了庐江郡（首县是安徽合肥）。

这么一来，孙策的地盘又添了庐陵庐江二郡。

在建安五年，孙策被刺。刺他的是前任吴郡太守许贡的儿子与朋友。他的六郡地盘便由弟弟孙权继承。孙权的年纪，才有十九岁。

孙权继承这六郡地盘以后，过了八年，就和曹操在赤壁打了一仗。

九五

赤壁之战

曹操在拿下荆州以后,写信给孙权说:"我奉了皇帝命令,吊民伐罪,一把军队向南开拔,刘表的儿子刘琮就束手请降,现在整理好八十万人水军,准备和你在吴郡打仗。"

恰好刘备也派了诸葛亮做代表,在不久以前到了柴桑口(江西九江)来会孙权,劝他抵抗。孙权便召集自己的文武百官开会讨论,其中多数人均以为曹操力量大,主张投降。

那时候,周瑜不在孙权身边。孙权本人在柴桑口,周瑜已经被派遣到吉安去打土匪。鲁肃对孙权说:"这样重要的事,为什么不请周瑜来商议?"孙权就把周瑜找了回来,征求他的意见。

周瑜说:"曹操号称有八十万兵,实际上不过二十几万,其中有七八万是刘表的旧部,未必肯死心塌地替曹操打仗,剩下的十五六万北方兵士,一定水土不服。况且他们骑马惯了,乘船在江中作战,非其所长,所以不足畏。"

周瑜的结论是:"给我五万人,保可以把曹操打破。"

孙权说:"你的话正合孤意,曹操那老贼,早就想废了汉朝,自己做皇帝了,所怕的不过是袁绍、袁术、吕布、刘表与我而已。现今二袁一吕一刘均已消灭,只剩下我一人与他作对。我和他势不两立,只有作战。五万人，恐怕一下子召集不齐，先给你三万人怎么样?"

周瑜就带了这三万人，从柴桑口开到江夏(武汉)，会合刘备的兵一万多人，与刘琦的兵一万人左右，便不顾一切，溯长江而上，与曹操的大兵决一死战。

两军相遇的地点是湖北嘉鱼县西南，蒲圻县正西的赤壁。赤壁是一座山，位于长江右岸；对岸的镇市，叫做乌林。

周瑜这一边，除了人数太少以外，还有一个很大的弱点，他与程普二人是左右二督，职权相等。另外有刘备、刘琦两个单位，刘备也决非周瑜所能指挥。区区五万人，而号令如此之不统一，能够战胜曹操，真是奇迹。

难为了鲁肃，他担任赞军校尉，颇能折冲于孙权、周瑜、程普之间。周瑜本人，也懂得对老年的程普低声下气，换取程普的合作。至于刘备、刘琦方面，有诸葛亮作为联系，大体上不生什么问题。诸葛亮的哥哥诸葛瑾，和鲁肃是好朋友。鲁肃便根据这个关系，取得诸葛亮的密切合作。

最了不起的，要算是黄盖了。他是湖南人，孙坚、孙策的老部下，做过九任县长，官至丹阳郡的都尉(汉朝每一郡设太守一人，都尉一人，太守是文官，都尉是武官)。以曹操那么聪明，居然能被黄盖骗过。黄盖诈降，曹操居然有点相信(黄盖不曾挨打，只写过一封降书，所谓苦肉计并无其事)。

曹操不该在两军稍一接触之时，就把大军移到长江左岸，把所有的船只扣在一起，又在乌林的树木之旁扎营。他看见黄盖押了粮船来投降，刚发现粮船是浇了油的草船，已经来不及躲避了。黄盖在离开曹军仅有二里之时，把草船一齐放火，这些船箭一般地冲去，顷刻之间，曹军各船烟雾弥漫，曹操无法抢救，所有的船烧光，又烧到岸上乌林的树木，连及二三十万人的营帐。周瑜的兵紧跟上来，逢人便砍，砍得曹操溃不成军，夺路向江陵逃走。

走了一半,穿过华容道(湖北监利县北边),遇到关羽拦杀一阵;幸亏关羽的兵少,才没有被关羽活捉(《华容道》一出戏上,说曹操是被关羽卖人情放走的,不确)。

在曹操后面,周瑜与刘备分领二军,由水陆两路紧追。

曹操慌慌忙忙地到了江陵,把曹仁留了下来死守,又跑到襄阳,留下徐晃,这才一口气,逃到黄河北岸的邺县,借口要到潼关去对付马超,而不敢回许昌去。

周瑜和刘备赶到江陵,刘备占领长江南岸,造起一座新城,叫公安城,周瑜先派甘宁占住夷陵(宜昌之西),又亲自到夷陵帮助甘宁抵敌来战的曹仁,再跑到江陵,与曹仁大战,夺下江陵。

周瑜在江陵作战之时,不幸中了一箭,射在腰上。

周瑜死得可惜

周瑜到了江陵之战的明年,亦即赤壁之战的第三年,就死于箭疮,他的死,确是孙权的一大损失。

他有勇气,又有眼光。并且他肚量也很大,容得住人,与《三国演义》所描写的恰好相反。

就他的勇气来说,带了三五万人与曹操约二三十万人死拼,不能不叫人佩服。就他的眼光来说,他能够认得出来刘备是一个英雄,劝孙权把刘备软禁在京口(镇江),说刘备好比一条蛟龙,如果一旦得到云雨,就要飞出池子。他知道关羽、张飞是"熊虎之将",颇想用这两人的力量,替东吴打平天下。最叫我们惊异的,便是在战略的计划上,周瑜竟然与诸葛亮不谋而合,他同孙权建议,带领奋威将军孙瑜(孙权的堂弟弟)去打四川刘璋与汉中张鲁,打下来以后,留孙瑜在汉中,自己回来,与孙权共同进驻襄阳。从襄阳汉中两地,分两路以钳形攻势解决曹操。诸葛亮在隆中,对刘备也说过:"天下有变,则命一上将,将荆州之军次向宛洛,将军身率益州之众以出秦川。"

他与诸葛亮之间,未必有若何芥蒂。两人才气相若,惺惺相惜,在赤壁一役合作得很好,绝未屡次图害,如《三国演义》所述。他受了程普很多次的侮慢,俱能优容,使得程普到最后对他心折。程普说:"和周瑜做朋友，如同喝多年老酒一样，只觉得甜，不觉得醉。"何况诸葛亮不比程普，他和诸葛亮各有各的老板，谈不上争功争位。

诸葛亮对他也绝对不会有所谓三气周瑜的事，大敌当前，曹操的政权一日尚在，诸葛亮决不肯与东吴倾轧，抵消自己的力量。

在赤壁之役以后，紧接着的是江陵城的争夺战。周瑜是攻城司令，而刘备本人"身在行间"，可见两军合作之密切了。

那时候，荆州刺史一职，由孙权与刘备二人共推刘琦来担任。刘琦是刘表的长子，依照当时新封建主义的风气，十分名正言顺。但是没有多久，刘琦就得病而死。孙权与刘备二人互推为徐州牧与荆州牧，孙管徐州，刘管荆州。

刘备派诸葛亮率领关羽、张飞与赵云三人，去收拾了四郡，这四郡就是长沙、零陵、桂阳、武陵，都在今天的湖南。

荆州共有七郡，剩下的三郡是江夏郡、南郡、南阳郡。南阳郡（包括襄阳）仍在曹操之手。江夏郡（武汉）与南郡（江陵）归了孙权。孙权叫程普守江夏，周瑜守南郡。

所谓借荆州的事，实际上并非借全部的荆州，而只是借南郡的一部分，即长江南岸的几县，包括"油口"（其后改名"公安"），以及宜都、枝江等地。《三国志·吴志》说刘备借过荆州，赵翼在《二十二史札记》里辩说没有，其实都弄错了。

《三国演义》上说，在周瑜与曹仁战于江陵城下之时，诸葛亮派了关羽袭取襄阳，算是一气周瑜。其实关羽之夺取襄阳，远在建安二十四年，也就是十年以后，而且不是得之于东吴之手。

《三国演义》上又说刘备在镇江，谎称荆州有事，骗了孙夫人私逃，走了两天，便到江西九江的柴桑口，东吴派了好几批人马来追，第一批是徐盛、丁奉；第二批是陈武、潘璋；第三批是蒋钦、周秦，都完全没有办法。最后周瑜自己又带了水军来追，并且还有黄盖、韩当在内，追了很久，刘备、孙夫人渡到长江北岸，上岸奔逃，周瑜又登陆紧追，正在危急，幸亏关羽埋伏在此，把周瑜杀败，周瑜大叫一声，金疮迸裂，倒在船上。这算是二气周瑜。其实刘备之由镇江回荆州，事前曾向孙权辞行，孙权并无硬留之意，更用不着周瑜自告奋勇，带了那么多的猛将来追。

《三国演义》上提到诸葛亮第三次气周瑜，是周瑜率领五万大兵入川，经过荆州城下，忽见城上已经被赵云的兵占住，于是"勒马便回"，却有"四路军马一齐杀到"，关羽从江陵杀来，张飞从秭归杀来，黄忠从公安杀来，魏延从彝陵小路杀来。周瑜到了此时，只好"大叫一声，箭疮复裂，坠于马下"。其实江陵正是周瑜所管，也就是南郡的首县。周瑜是南郡太守，他死后由程普继任，所以南郡一向是在孙权这一边（到了建安二十年五月，周瑜死后五个年头，才移交给关羽），哪里会忽然被赵云偷占呢？周瑜想入川是有的，而且孙权已经赞成，叫他准备；不过他到了镇江请示，由镇江乘船回任，走到半途就死了，死在岳阳（巴丘）。

他死的时候，是建安十五年，年纪才有三十六岁。真是可惜。

三分天下

周瑜死前,遗书保荐鲁肃。孙权就命令鲁肃代领周瑜的兵,驻扎陆口(湖北嘉鱼西南),又调江夏太守程普,继承周瑜为南郡太守。

那时候,建安十五年,刘备驻扎公安,亦即南郡首县江陵的对岸。湖南全省的地盘属于刘备。诸葛亮以军师中郎将的资格兼督长沙、零陵、桂阳三郡(武陵郡的居民多半为"蛮夷",刘备对他们只采取一个羁縻的政策,所以无需乎督)。

孙权的地盘增加了江夏、南郡二郡。孙权本想借曹操与周瑜交战之时,乘虚袭取合肥,但未能成功。守合肥的是一位扬州刺史刘馥,他听了别驾蒋济的话,假说曹操已经派了很多兵来,把孙权吓了回去。

但孙权在南方却有意外的收获。广东、广西与安南,一举而入于他的掌握。这三处地方当时叫做交州,分为七郡;其中交阯郡的太守士燮最有势力,他奉了曹操的命令兼督其他六郡,刘表所派的刺史奈何他不得。等到赤壁之战以后,他看见孙权强于曹操,就投降了孙权,欢迎孙权所派的交州刺史步骘听从他的指挥。

曹操那一边,在建安十四年与十五年两年之间没有什么作为,暂取守势。他在邺县住得很久,盖了一座铜雀台以娱晚景(这个铜雀台是在赤壁之战以后才盖的,诸葛亮游说孙权之时,这个台还没有动工,曹子建也还没有作那篇铜雀台赋。赋上有"连'二乔'于东西兮,若长空之蝘蝾",被《三国演义》上的孔明,改成"揽'二乔'与东南兮,乐朝夕之与共",因此才产生了曹操想夺取二乔的传说)。

曹操一生不曾受过如此的挫折,似乎颇知自愧。他下了一个命令求才,又颁布了一个"手敕"自明心迹。他说,自己起初原不想当丞相,只希望略立一点功名,不负乡人的选举,家乡人选他做孝廉,他自问本非"岩穴等名之士",所以不敢不勉力做出一番事业来,以免辜负众望,但是所谓事业也不过是当一个征西将军之类,在边疆上打回把胜仗,博得一个封侯而已。谁知道,自从出仕以来,时势造英雄,逼得他一步一步地到了今天的地位。虽则没有什么了不得,可是,"如果没有我,汉朝早就没有了,不知道有多少人要称帝称王,把中国分成若干片呢!"他又说,有人怀疑他,说他想篡位当皇帝,真是冤枉得很。他说,他何尝不想把兵权政权交还国家,可是交还了以后,后果堪虞,仇人结得很多,难免不被人暗算。所以,只好干下去了。为了表示自己确无野心起见,特地把自己的封邑四县三万户,交还三县,共两万户,只留下武平县一万户。

曹操在建安十五年如此客气,到了建安十八年却又一举而割了十个郡自肥,由武平侯而晋爵为魏公。这大概也不是他自己所预料得到的。

一方面,有董昭这个佞臣在怂恿他,另一方面,他在建安十六年打败马超、韩遂等十个西凉首领,取得了渭河流域,扩展地盘及于甘肃固原;到建安十七年,又与孙权交锋,由合肥推进到芜湖对岸的长江边,不免志得意满。

同时候,刘备在西边,于建安十六年入蜀,在建安十七年与刘璋翻脸,到建安十九年占有成都。天下三分的局面,于是造成。

夷陵战役

建安二十四年(公元219年)十一月,关羽在吴军强攻下败走麦城。十二月,死于章乡。

次年,出现曹魏代汉的重大政治变局。曹丕终于作了皇帝。

公元221年四月,刘备即皇帝位,改元章武,以诸葛亮为丞相。

刘备耻于关羽遇害,决心出军击孙权。张飞军尚未出发,竟被帐下将所杀。七月,刘备亲自率军东进伐吴。

八月,孙权即遣使向曹魏称臣,卑辞奉章,并送还曹魏降将于禁等。曹魏朝臣皆贺。

我们从曹魏大臣刘晔对当时形势的分析,可以看到蜀汉政权已经处于何等的危局之中。

史书记载,孙权遣使求降时,曹丕征询刘晔的意见。刘晔分析说:孙权无故求降,一定是国内面临危机。孙权此前袭杀关羽,占领荆州四郡,刘备愤怒,必将兴师攻伐之。外有强敌,众心不安,又担心中原乘机进攻,所以委地求降,一来可以避免中原之军的进攻,二来可以借取中原的支援,以壮大自己,迷惑敌人。孙权善于用兵,灵活多变,一定是出于这样的目的。现今天下三分,中原占有十分之八。吴国和蜀国各保一州,阻山依水,如果遇急难可以互救,这才是小国之利。现今竟然还相互攻击,是天亡之也。

刘晔的分析，是极有战略眼光的判断。所谓"天亡之也"，已经洞见吴蜀交兵导致的深切危机。

蜀汉军东进，双方在巫和秭归地方对抗。

公元222年春正月，刘备水军屯据夷陵，夹江东西岸。二月，刘备自秭归率诸将进军，缘山截岭，驻营于夷道猇亭。又派人联络五溪蛮夷，得到响应。

蜀军与吴军相拒于夷陵道。吴军主将陆逊准确把握战机，大破刘备军于猇亭。将军冯习、张南等战死。刘备自猇亭退回秭归，收合离散兵众，舍弃战船，由山路撤退。

夷陵战役，蜀军几乎全军覆灭。据说一时舟船器械，水步军资，一时略尽，战死者的尸骸顺水漂流，塞江而下。

此后不久，刘备就去世了。

天下"鼎足"形势虽然依旧，但是诸葛亮设想由荆州和蜀中两路北上的计划，已经彻底成为泡影。而蜀汉国力军力的弱势，也已经十分显著。

诸葛亮隆中战略规划的出发点之一，是重视孙权集团的军事政治实力，这就是所谓"孙权据有江东，已历三世，国险而民附，贤能为之用，此可以为援而不可图也"。其基本原则，也包括"外结好孙权"。

事实上，刘备决意出兵，已经标志着基本国策的转变，也意味着战略主攻方向的转变，可以说，无论存在怎样的历史前提，是蜀汉最高决策者自己放弃了"隆中对"提出的战略计划。

夷陵之战，是蜀汉军事史与政治史的重要转折点。自称继承刘汉政治绪统的这个政权，已经开始走下坡路了。

　　这一战役,标志着魏蜀吴三国鼎立的形势已经定局。明眼人已经能够看到,有实力实现统一的,只有曹魏一家了。

　　也就是说,最终实现新的"大一统"的任务,也已经历史性地落在了曹魏政权的肩上。

诸葛亮的神话

如果列示历代政治舞台上的明星排行榜,诸葛亮必定可以位居前列。

杜甫有"诸葛大名垂宇宙"的诗句,说明这位一代名相在世人心中,很早就具有了至上的地位。

诸葛亮可能是中国政治史中少有的为不同政治地位、不同政治立场、不同政治风格的人们所共同称道而享有美誉的政治家。在民间,他又成为智慧的象征。

诸葛亮行政的特色,据说可以成为从政者的典范。宋人胡曾说他"勤劳躬亲","俭约节适"。清人李光地说他"立法甚严,自律极谨",甚至赞美他"八面打开,光明洞达,无一点黑暗处可以起人疑惑"。假若果真如此,在千古从政者中,自然是凤毛麟角了。

诸葛亮自陈心志所谓"鞠躬尽力,死而后已",更成为一种献身精神的典范。

所谓七擒七纵孟获的故事,也被看作民族和合的榜样。民间有关诸葛亮南征抽刀刺山的传说,有关诸葛井、诸葛灯、诸葛铜鼓的传说,许多地方流行的所谓诸葛亮"兵书匣"的传说等,已经使诸葛亮实际上成为神话人物。

鲁迅曾经说"诸葛之多智而近妖",也指出了在文学形式中,由羽扇纶巾所装点的诸葛亮一向沉着持重，从容稳健，莫测高深的形象，被涂抹了浓重的神秘主义色彩。

一般人以为诸葛亮长于政治智慧，最重要的例证，是史称"隆中对"的战略规划。然而，事实上在诸葛亮提出这一设想之前，鲁肃已经向孙权提出过类似的意见。在赤壁战后，周瑜也曾经有类同诸葛亮占据益州的图谋，并且实际上已经开始实施以荆、益两路威逼北方的计划，可惜英年早逝，也演出了"出师未捷身先死"的悲剧。就战略规划而言，诸葛亮与鲁肃的计谋有更为长远的考虑。而诸葛亮设计的前一阶段由于已经得到历史的证实，于是获得了历代史家的喝彩。不过，因为关羽之死与夷陵之败，导致诸葛亮看起来相当完善的战略设想的后一步骤无法实现。

据《三国志》记载，刘备既即尊号，将东征孙权以复关羽之耻，"群臣多谏，一不从"。随后大军败绩，诸葛亮感叹道：如果法正在，则能劝阻主上，令不东行；即便东行，也必然不会遭遇如此危局。似乎虽然"群臣多谏"，其中却是不包括诸葛亮的。胡三省注《资治通鉴》，曾经分析说，诸葛亮的本意，是不赞同汉主伐吴的，然而并未劝阻的原因，一是以刘备盛怒而不可阻止，二是估计蜀军占据"上流"的地理优势，应当能够获胜。对于这次出兵，赵云曾经发表"国贼是曹操，非孙权也"的异议，体现了一种比较清醒的政治意识。不过，这种反对意见微弱无力，未能扭转政治定局。

也有一些分析家认为诸葛亮曾经谏止伐吴，只不过谏之不听，没有形成足以动摇刘备决心的影响罢了。然而这样的说法似出于回护诸葛亮至明至智的政治声誉之心，以想象推测成分过多而缺乏足够的说服力。

从关羽之死，到刘备之败，历时两年半之久，东征之事，从战略策划到军事集结，从常理来说，也有足够的时间听取已经成为丞相的诸葛亮的意见。诸葛亮没有明确提出并大胆坚持反对意见，一定有特别的原因。

宋人秦观评论诸葛亮对夷陵之战应当承担的责任时,曾经断言:以此论之,诸葛亮的才识显然不足以取天下而兴礼乐。而司马懿评价诸葛亮,早有"亮虑多决少"之说。袁准所谓"其于应变,则非所长",陈寿所谓"应变战略,非其所长"等,也是对诸葛亮战略思想评价不高的议论。

虽然夷陵战前刘备称帝,以诸葛亮为丞相,夷陵战后又有白帝城托孤的著名故事,但是对于诸葛亮在当时的实际地位和真正作用,不可以估计过高。

刘备托孤,"若嗣子可辅,辅之;如其不才,君可自取"的遗言,明人章懋以为是对诸葛亮的一种试探,"夫昭烈之为是言,是疑孔明也","吾读陈寿书至此,未尝不深为孔明惧也"。他又感叹,没有想到所谓"鱼水君臣",仍然"以智术相御"至于如此程度。

明末清初人徐世溥《诸葛武侯无成论》也以为:"斯言也,昭烈之疑忌尽见,生平深险毕露。"

王夫之在《读通鉴论》中对于刘备心理,又有可能疑心诸葛亮和孙吴交往过深,同时疑心诸葛亮和诸葛瑾有所合谋的分析,揭露了夷陵之战前后诸葛亮微妙态度之后的微妙背景,值得人们深思。

我们在讨论诸葛亮顶上何以形成辉煌的光环时,还有必要认识与此相关的"鱼水君臣"神话的生成和影响。

刘备三顾茅庐得诸葛亮,所谓"孤之有孔明,犹鱼之有水也"之说,后世传为君臣关系至契的佳话。

武则天诗作中所谓"君臣德合,鱼水斯同",是一种政治宣传。而李白诗有"刘葛鱼水本无二"句,又如他的"鱼水三顾合,风云四海生",以及李中"鱼水从相得,山河遂有归",岑参"感通君臣分,义激鱼水契",皮日休"下以契鱼水,上以合风云",权德舆"云龙谐理代,鱼水见深恩"等等,都在

"鱼水"二字中暗含某种个人政治理想。

　　古代士人的"鱼水君臣"幻想，是专制制度下特有的文化现象。诸葛亮形象得以神化，有历代文士借以寄托功名抱负，透露政治期望的因素，也是我们应当看到的。

附录

国史"细说体"的创立及其特色

马先醒

一、"细说体"创立的时代背景及其经过

尽管黎博士自谦是"大愚若智",其实早已被公认为"聪明绝顶"。因此,即使置身习向守成的史学界,仍克独辟新径,创获特多,"细说体"即其一端。此乃"细说体"创立的主因;此外,另有客观因素在。

当抗战末期,既民穷财尽,通货贬值。才俊之士,不得已而各展所长,以谋生计,如冯友兰卖字;闻一多卖印;梅贻琦夫人制卖糕。黎博士既口才出众,遂在蜀汉故地,讲说三国,风靡一时。此事本身即在中国历史上开创了两项纪录:

(一)最先以卖票方式演讲。

(二)当战火焦眉时,一位教授用自己演讲所得,包一架飞机,逍遥脱离战乱地区。

这两项纪录,非但空前;迄今而言,似仍然绝后。

就名而言,《细说清朝》虽是"细说体"的首部;但就实而言,《新三国》已属百分之百的"细说体"史著,此仅由其篇目已可概见。

《新三国》开讲于 1944 年 9 月 24 日，刊行于抗战胜利之后。另一演讲是于 1944 年 11 月付梓的《中国战史研究》，其篇目却迥异于"细说体"，尽管在文风方面已经显现"细说体"的格调。

"细说体"的本义，是用口讲说在先，笔之成篇在后。因此，其文其质，均别具特色：其文在说，在细说，生动精彩，引人入胜；其质在以真人实事，深入浅出，古籍记述与环境景物，结合对映，使听者、读者宛如身历其境，亲闻目接，以读《三国演义》的轻松心情，获得的却是胜于《三国志》的历史知识。此等能耐，唯"聪明绝顶"的名家，方可达致。

"细说"既"一炮而红"，风靡了西南半边天。千余年前的刘、关、张，以其真实面目，复现活跃于今日。其时的川滇老，异口同声，争传三国故实，如痴如醉，犹似西洋的超级杯球类大赛。如此历时数载，继有"讲义"面世，名曰《新三国》，同样纸贵洛阳。

《新三国》首刊于贵阳，继有南洋（槟榔屿）、北美（旧金山）、台北等版。至于版式，原为十六开的报纸折叠型，共为六叠，即全部有六个分册。南洋、北美版笔者未见；台北远东图书公司版则为三十二开本。今更有黄帝图书公司本，版式全同于远东本，也同样风行一时。

《新三国》对"细说体"而言，有双重意义，一是"细说体"的实验——成功的实验；二是"细说体"实现，若无《新三国》，即无包机之款，黎博士脱不出战火，自然无从有其后的《细说清朝》《细说三国》等等。所以，不谈"细说体"便罢；要谈"细说体"，《新三国》实有其多方面的重大意义。

二、"细说体"的流变

"细说体"既经创立，折叠本《新三国》也已刊行，既然具备百分之百

"细说体"的内容,唯尚无此一特别名称,因此而论,"细说体"的流变,约略可分为下列三个时期:

(一)有实无名时期;

(二)名实相当时期;

(三)诸家继起,体例完备时期。

由章节篇目言之,《新三国》之前的《中国战史研究》,简单明了,不若"细说体"的多彩多姿;到《细说三国》《细说民国》时,简明而不整齐,已超过了"细说体";唯有《新三国》《细说清朝》等,篇题醒目,且五花八门,趣味盎然,引人入胜,可谓"细说体"标题的"正宗"。所以,无论从书名、篇题及内容而言,《细说清朝》无疑是"细说体"中名实最为相当的名著,无怪当时胡适院长读了,曾力劝黎博士将历朝历代都"细说"一番。

"细说体"经半世纪的发展,景从者众,颇呈风起云涌之象。但才、识、学、德备俱于一身,旷世难求,是"细说体"主流,迄今仍在于黎博士自己的著作。唯其间随时序之推移,环境之变迁,至少也经历了下列三个阶段:

(一)为生计而细说阶段;

(二)为兴趣而细说阶段;

(三)为传世而细说阶段。

当为售票以维持生计而"细说"时,其主要表征,是顾及听众的兴趣,此显示在三方面:第一,在空间上,既在四川,所以特别细说同在四川的蜀汉史事。第二,在时间上,既正处于中日殊死决战时刻,所以特别细说三国的战史。第三,既着眼于听众的兴趣方面,所以此一时期的"细说体",篇篇都有一醒目的标题。

当为了个人兴趣而《细说清朝》时,其主要表征端在从容不迫,娓娓道来,无论对自己抑对读者,都足以怡情悦性,所以一说就是两大本。

　　当黎博士为传世而《细说民国》时，史体虽属"细说"，旨意则甚严肃。所以，文词虽依然优美绝伦，但于真、善二端，则费心用力尤多。为探求史实真相，特意访问准备细说的当事人与关系人，前者如莫纪彭、孙元良等，后者如万耀煌、杜召棠等。

　　尽管《细说清朝》的部头最大，声光最著，又是黎博士以"细说"为书名的首部，但依愚见，论其意义，仍不及《新三国》及《细说民国》，前者之意义重大在于其"保驾"大功，若无《新三国》，就未必有今日的"细说体"名称；后者的意义，则极可能成为博士的代表作。博士史著，部部光芒四射，而且一印再印，流传广远。而书未杀青已先轰动，朝野关注，自然其着眼点不同，在朝者注重其如何"细说"自己；在野者注重其如何运其生花妙笔，细说自己也曾亲眼目睹、亲身经历，甚至亲自参与的当代人、事、物。

　　博士长民国五岁，正当其记忆力最好的时候，民国呱呱出世；正当其观察力最好的时候，民国曾脱胎换骨，由英、美式而日、德式而苏俄式，复还英、美式，北洋、南洋，保定、黄埔。三国争战百年，民国何曾多让？且规模之大，杀戮之众，远远过之。谁杀之？谁被杀？其间到底有无道理？若有，理在何方？人命关天，凡此种种，有些史家不肯说，不愿说；有些史家不能说，无力说；唯黎博士既有充分力量说，一言九鼎；又肯说，而且乐意细说。天下延颈举踵，瞩望期待，自有其因，虽只说了千分之一。《细说民国》麟止于民国元年三月十一日公布"临时约法"，时距二月十二日的清帝宣布退位，尚不及一个月。

　　《细说民国》著成，必系博士代表作的另一理由，是博士当年敝屣清华大学，而毅然远渡重洋，留学法国，负笈巴黎大学并获"最荣誉记名"博士衔，其学位论文即与法国大革命密切相关的《比列志士记》，而所以选此论题，又主要为研究撰述中国革命史作准备。用心如此之苦，开始如此之早,着力如此之勤。而民国虽建,其革命行为似乎迄今未止。因此,博士于此最有用武之地。

　　兹仅列表当今"细说体"中最重要三部书的篇章标题之异同,着略见其流变梗概。

新 三 国	细说三国	细说民国
1 要从刘邦说起		1 这是你我自己的历史
2 汉武帝了不得		2 老百姓怕官
3 元帝以后就不行了		3 官怕洋人
4 老太太当家		4 洋人怕老百姓
5 王莽是个什么样子的人?		5 伟大的国父
6 光武帝不该打小算盘		6 兴中会
7 班超十分英雄		7 国父的家世与早年
8 短命的皇帝一串		8 乙未广州之役
9 外戚与宦官之争	1 合久必分	9 横滨分会
10 苍天已死,黄天当立	2 黄巾	10 伦敦蒙难
11 把董卓引进来了	3 董卓	11 宫崎寅藏(一)
12 袁绍发难		12 康梁(一)
13 几个未曾加盟的人		13 宫崎寅藏(二)
14 孙坚有点傻劲		14 庚子惠州之役
15 董卓之死		15 史坚如
16 也有人替董卓报仇		16 再接再厉
17 吕布穷无所归	4 吕布	17 大明顺天国
18 偷曹操的兖州		18 革命潮
19 被曹操赶走		19 革命军
20 又偷刘备的徐州		20《苏报》案
21 死在白门楼下		21 思想战(一)
22 董承是干什么的		22 康梁(二)
23 袁术做了一场皇帝梦	5 袁术　 6 公孙瓒	23 思想战(二)
24 刘备被曹操打败	7 陶谦　 8 刘备	24 秀才从军
25 袁绍也被曹操打败	9 袁曹之战	25 同盟会以前的同盟会
26 他的三个儿子一个外甥都被曹操打败		26 冯自由
27 连辽西乌桓也入于曹操掌握	10 乌桓　　11 公孙度 12 公孙康　13 公孙渊	27 黄兴

（续表）

新 三 国	细说三国	细说民国
28 刘表被曹操吓死	19 荆州问题	28 华兴会
29 年轻的孙权竟想抵抗	14 孙策　15 孙权	29 科学补习会
30 赤壁之战	16 诸葛亮　17 赤壁	30 同盟会
31 周瑜死得可惜	18 孙夫人	31 民报
32 天下三分	23 刘备称王	32 吴樾
33 曹操向西北发展马超敌他不住		33 陈天华
34 刘备拿益州的经过	20 益州易手	34 丙午萍醴湖之役
35 孙权来要荆州		35 日知会
36 张鲁也有他的做法	21 曹操收降张鲁	36 丁未黄冈之役
37 逍遥津		37 丁未七女湖之役
38 曹操被刘备弄得首尾不能兼顾	22 刘备攻取汉中	38 丁未防城之役
39 关羽遭了暗算	24 孙刘翻脸	39 丁未镇南关之役
40 刘备报仇		40 徐锡麟
41 诸葛亮转危为安	25 蜀吴同盟	41 秋瑾
42 开始北伐	26 诸葛亮北伐	42 戊申钦廉上思之役
43 围攻陈仓		43 戊申河口之役
44 诸葛亮受气	27 诸葛亮的为人	44 熊成基
45 连打两次胜仗		45 同盟会香港分会及其后的南方支部
46 把司马懿杀得片甲不留	28 蒋琬	46 庚戌广州新军之役
47 木牛流马出动	29 费祎	47 刺摄政王
48 魏延的悲剧	30 从董允到樊建	48 辛亥三二九广州之役
49 王平打退曹爽	34 司马懿	50 武昌起义
50 司马懿窃取政权		51 湖北军队同盟会
51 他够辣	32 孙家的事	52 群治学社
52 孙权的家事		53 振武学社
53 吴国的几次政变	31 曹家的事	54 文学社
54 魏国的三个傀儡皇帝	37 姜维	55 同盟会中部总会
55 姜维苦干	33 刘家的事	56 共进会
56 蜀国亡得惨	35 司马师	57 武昌起义（二）
57 为什么魏国没有忠臣？	36 司马昭	58 光复汉阳汉口
58 孙皓抵挡不了		59 中华民国军政府
59 三国优劣	38 分久必合	60 鄂军都督府
60 说到李世民为止		61 汉口之战
		62 汉阳之战

（续表）

新 三 国	细说三国	细说民国
		63 武昌之守 64 停战 65 黄陂之战 66 外府州县之光复 67 各省光复 68 民国成立

由上可见，《新三国》的标题，既繁多细致，且富于趣味。每一标题，多半包括主词、动词或受词，乃至时、地、情节。《细说三国》的部头虽大于《新三国》，但其标题反少了很多，且多属简单名词。《细说民国》亦然。

三、"细说体"与"口述历史"、"传记文学"

当代新创史体，与"细说体"鼎峙而三的，是"口述历史"与"传记文学"。

黎博士的"细说体"史著，一则"细说"得比"口述"的更清晰；二则"细说体"的文笔胜似上乘文学作品。

时下的中国"传记文学"，一般多失之"过五关，斩六将"，作者或为自己吹擂，或为友好嘘张。少数例外，因特殊原故，又适得其反。传记文学的优点，本该是文采斐然，可读性高。但迄今为止，尚未见几部传记文学的文笔媲美黎博士的"细说体"。至于其内容，忌讳特多，详略失度。吴铁城的回忆录不详其游说张少帅的言行过节；孙连仲的回忆录不详其死守台儿庄的壮烈战绩，此使外行读者向隅，内行读者失望。即使李宗仁口述自传中述及的台儿庄战况，身为台儿庄大捷实地指挥官的孙连仲，竟于其回忆录中简略。过与不及，皆不相宜。此等传记文学，虽有犹无。

　　至于口述历史，在时间上均限于当代，较之《细说民国》，通常前者较主观，后者则较客观。前者多属口述者片面之词，后者属综合性的全面描述。前者受口述者个人经验的限制，后者则否。前者固属一手资料，但《细说民国》中的不少部分（如访谈莫纪彭等），亦属一手资料。总之，"细说体"在许多方面，异于且胜于口述历史。

　　再者，好的口述历史固然有，惜乎不多，其差者，弊失类于传记文学；以言传记方面，吹擂嘘张，轻重失度；以言文学方面，则漫无章法，毫无文艺可言。唐著三种，自属少数例外，尤其《胡适口述自传》，恐成口述历史中的绝响。迨系多种不寻常因素适时际会而成，此等不寻常际会，只能归之于运，归之于缘，非人力可企及。既只可望而不可求，情至渺茫，限制殊大。所以，于当世新创三种史体中，唯有"细说体"可大可久，细说古代时，文采斐然，引人入胜，兼又发挥"释史"作用，以深入浅出的笔法，阐述令人望而生畏的史籍；细说当代时，同也可采用"口述历史"的长技，访求耆老，面谈征献。凡此种种，黎博士于其《细说民国》中，且曾屡次运用，例如首卷中即录用了三·二九攻打督署的莫纪彭的口述。细说愈后，访谈愈多，据笔者所知，对于身经徐蚌会战的孙元良将军，十五年前已经访谈，且应文大史学系所之邀演讲过，凡此均将成为《细说民国》的一部分。

　　"细说体"中，以《细说民国》的风格最为突出。黎博士除了在自序中再三致意外，在正文的第一章，又开宗明义地强调过："这是你我自己的历史。""我这一部《细说民国》，可说是为你而写，也为我自己而写。""有些人，把民国的历史写成几个伟人的传记。伟人，谁不崇拜？伟人的贡献，谁能抹杀？然而，匹夫匹妇更为重要。民国史应该是全体国民的历史。这就是我的立场。"也就是这个立场与时风不协，乃至刚开了个头，就没了下文，致使已成的这部《细说民国》，更像是《细说清朝》的末篇。

近年来寓居南美的王禹廷,撰述西安事变史事,颇有可观。黎博士今既寓居北美,虽无党会、史馆材料可资,但有胡佛或国会典藏可用,"民国"的真面貌,想必终有被"细说"清楚的一天。就此而言,则更非那片片断断的"传记文学"及颇受时限的"口述历史"所能企及。

四、"细说体"的特色

黎博士的"细说体",特色甚多。其状人,栩栩如生;记事,委婉确切;议论,鞭辟入里;述学,更慧眼独具,超卓不群。且看他在《细说三国》中的一段议论:

> 历史的特色之一,是它的"不可深考性"。没有一件历史的事实,曾经留下了全部的史料,在留下的局部或零碎的史料之中,又每每由于来源不一而互相抵牾,再加上传写史料与传说史话的人,自然而然的加油添醋或张冠李戴,于是当年的真相就越失真,越模糊,甚至越来越胡扯,越颠倒。……然而历史这门学问,虽则有捕风捉影之嫌,却不可废。……要紧的是,研究之时,在方法上不可不谨严。

其高论如此!而"细说体"最大的特色,尤在于其可读性高。

倘若一般史书是山石,是玉璞,则"细说体"无疑是玲珑剔透的翠玉白菜,这中间的鬼斧神工,就是"细说体"著者的心血及能耐。黎博士早就说过:一天最好写几百字,再多了,就累人。所以读者虽迫不及待地想把《细说清朝》或三国一口气读完,但每天连载于报刊的,就只几百字,个中原因,博士在其《细说三国》前言中,才更明白地"和盘托出":

> 有许多事情我想不通，有许多道理我弄不明白，有许多句子我写不顺。我只是懂得……惟有把句子一改再改，才念得顺，惟有把写成的文章一段一段地删，一篇一篇地撕了重写，才勉强敢拿出去。

博士的这番话，并非客套，谨举例证于下：

> 邓艾、钟会的两路平蜀，在兵法上很有地位，较之赤壁之战，更值得我们研究。而蜀既亡，东吴势孤，十七年以后也就敌不住王濬、杜预等的六路讨伐。总之，在将近一百年的三国时代之中，最重要的战争约有六次：官渡、赤壁、猇亭、祈山、阴平、长江。

上面是《中国战史研究》第一集第二篇"三国战史"中的一段。读起来已觉得畅晓至极，难易一字，但当其选入《诗文自选集》中时，博士却将之修订如下：

> 邓艾与钟会的两路灭蜀，在战史上很有地位，正如赤壁之战，很值得我们研究。西蜀既亡，东吴势孤，于十七年之后，被晋并吞。

由原来的九十五字，删定成再版的四十九字，精选几达一半，而内容并未减损。细味删订后的文句，才恍然其更精炼、更美妙之处，笔者有幸曾恭读《细说清朝》的二版亲校本，黎博士于其上增删眉批，墨朱灿然，无身无之。经如此的"一改再改"，所以其"细说体"中才字字珠玑。使读者爱不释手，不觉日移。

博士经常纯真坦然，畅述胸臆，自序其《细说民国》时，说得尤其显白：

一个学过历史方法的人,倘若只管过去的历史,也多少免不了逃避责任之讥。懂得方法,知道应该力求客观的人,不肖处理当代的史料,让那些不懂得方法,不重视客观,甚至用写史作为达到其他目的之一种手段的人,去糟蹋史料,厚诬今人,实在也辜负了自己的平生。然而,需要勇气。必须一个历史家而兼大丈夫,才配得上担承如此的任务。

博士鼓足勇气,义无反顾,毅然将这副重担担起。主观方面,充分完备;无奈客观环境不济,非但不能配合,甚且处处掣肘。

博士于"自序"中,将撰著《细说民国》比喻为孔子之作春秋;更鼓起了司马迁写其当代史的大丈夫气概,无奈欠缺太史公的职位。虽有国史馆的设置,但历来主之者,究有几人"是一个历史家而兼大丈夫"? 无怪国史难产! 博士"巧妇难作无米之炊"。致《细说民国》迄今仍处于"上卷"书阶段。

借着博士的生花妙笔,读者们首先深深感到的,固然是"细说体"特有的浓郁文学气息;进观其内容,则更含蕴着丰富的史学实质。且举一例:决定天下长期三分的赤壁之战,究在何处? 江北抑江南? 非但古史含混不清,今著依然,非但通史未写清楚,即使断代史甚或有关的专题论文,写清楚的又有多少? 博士在其《细说三国》中,不仅考明赤壁之确处,进而辨证此一影响深远的战争,其名不正,其言不顺,应亟正名为"乌林之战",正"赤"为"乌",正"壁"为"林",尤其正"江南"为"江北"。此即"细说体"史学之一斑。非仅"赤壁",多数历史上的地名,"细说体"中类皆予以注明当今何地,异称为何。例如:"细说体"至袁绍任命臧洪为东郡太守,设治于东武阳时,即说:"东武阳是一个县的县城,在今日山东朝城县之西四十里。"

当说到袁绍只要"统一山东"时，即说："所谓山东，不是指今天的山东省，而是指很多的在崤山与函谷关以东的地区。"类此之例，不胜枚举。此乃"细说体"的另一特色，除了使历史人物立足于正确显明的地点上之外，更使读者眼前展现出一个清晰的历史舞台。与此有异曲同工之妙的，是向使读者头痛的典章制度，例如赤壁之战时，周瑜是吴军的"左都督"，程普是"右都督"，黄盖是"丹阳都尉"，鲁肃是"赞军校尉"。到底是何高何低？谁指挥谁？纠结难明。《细说三国》中，则将之交代得明明白白：

> 论军阶，他周瑜还不过是属于校尉之上，将军之下，所谓"中郎将"的一级。他是"建威中郎将"，程普是"荡寇中郎将"，而刘备早就是"右将军了"（孙权是"讨虏将军"）。
>
> 关羽在当时的地位已经很高，官拜"偏将军"，爵为"汉寿亭侯"。……张飞的地位较低，只是一个"中郎将"。

将一个历史人物的身份地位交代清楚，将其活动空间定位确实，本已使之突出显亮。但博士笔下的人物尚不止此，个个惟妙惟肖，栩栩如生，即以吕布为例：

> 吕布的活动……在曹操战胜他以前，他在各地表现了强悍的战斗力，很有点所向无敌的样子。事实上，他只会骑马耍戟；至多能带上几百人或几千人，作一个偏裨之将，他个人的武艺相当高强，然而战术的知识有限，战略的学问毫无。至于政治，他更是门外汉了。

吕布虽属家喻户晓的人物，但谁能说得比这更精辟确切！

遍读博士"细说体"大著,若说仍有不甚清晰,尚思量处,即干支纪年问题。

若干支出现在一般史书中,根本不会引起读者注意,盖一般史书中模糊不清如干支者,满布篇卷,俯拾皆是,因此读者也就见怪不怪。但博士的"细说体"不同,其他方面如人物、史事、制度、地点等等,既都细说得一清二楚了,唯独干支偶现其间,对一般读者而言,构成唯一欠明晰处,因而特别显得突出。

五、"细说体"的现况及前景

标准乾嘉式的史学,名副其实,特重"学",轻乎"识",文忌枝蔓,尤轻浮议。论者多认为是清文字狱屡兴的结果。或者同样原因,乾嘉之风,久炽不息。1974 年,博士特应中国历史学会之邀请,演讲"历史不仅仅是一种科学"。于年会上,针砭历来的中国学者"太注重求真,而忽略了求理"。"只知历史科学的重要,而忽略了历史哲学的重要。"主张史家不仅限于"求真",且应"在真中求理";于史料排比、零碎专题的"科学性分析工作"之外,应更上层楼,"进入哲学性的综合工作"。因此力倡大学历史系应开授"历史哲学"课程,以体现司马迁"究天人之际,通古今之变,成一家之言"的宏旨。

多少年来,"科际整合"甚嚣尘上,有些大学且编刊"文史哲"或"文史哲学报"。然揆其内容,仅系将文、史、哲各类文章凑合一起,鼎足而三,泾渭分明,殊少整合之实。以论司马迁,则分别称之为文学家、史学家、哲学家者均有之,近且更有称之为经济学家者,自然也成为社会学家。唯因其传世著作今名"史记",因而称之为"史学家"者独多;但其书本名"太史公"。"太史"职司,"文史星历,近乎卜祝之间"。则哲学家,甚至神学家之称似尤当。

博士于"历史科学"之外,虽强调"历史哲学",其实博士尤重视历史文学,虽无此方面的专著专书,但数十部"细说体"著述,部部都雄辩地证明了这一点。

若《考信录》,若《读通鉴论》,尽管或精微或高妙,但读者不多,作用即少。远者不论,去你我时代最近,关系最密的清代,其人物史事,除了吴三桂与陈圆圆,乾隆下江南,洪杨闹事,联军陷京,康梁变法,慈禧垂帘之外,国人们更知多少? 然而自《细说清朝》纸贵洛阳之后,大家方知康熙之宽,雍正之狠,道光之吝,项城之才,个个跃然纸上,深入人心。自《细说民国》后,方知兴中会的首任总办(会长)是杨衢云;预计起事成功后的首任总统也是杨衢云;成仁于三·二九广州之役的,实际是一○四位烈士;双十"武昌为革命党占领"的消息,孙中山先生于两天之后,"(十月十二日)早晨十一点钟,在美国中部科罗拉多州丹佛城(Denver, Colorado)看报纸"时才知道的。凡此等处,其史学意义均不止"细说"而已。

不知是否因为林语堂先生将"幽默大师"名衔拱手礼让给黎博士,抑或因为博士好实话实说,秉笔直书,结果非但国史馆之类清要之职始终与博士无缘;即使号称民间组织的中国历史学会等学术团体,其主持亦与博士等专门史家无缘。

某次,历史学会开理事会举理事长。会前,即传闻老理事长年迈且病,久拟让贤;且当道已预定某会首继任。既已预定,又何必开会多此一举? 博士那次来得较迟,却最早发言,要点有三:

(一)学术与政治,各有境界,泾渭分明,离之则双美,合之则两伤。

(二)当年,傅斯年所以能表率士林,学者景从,即因其不党不政。国家社会也因此得其助力蒙其嘉惠。

（三）学术与政治不分，必以党政中人领袖学界，必贻害无穷，学会将因之式微、凋零。

这一席话，何异醍醐灌顶。一则使与会的后生小子们有幸与闻学、政盛衰之理，再则也微微领略到当代学人的悲哀。

当战事年代，山城重庆，翦伯赞任中国历史学会会长，博士则任秘书长。三十年之后，说什么也有资格出任理事长，甚或国史馆长。岂奈世事多乖，有时固论资排辈，而尤其分派论系。博士却以学生时代，右移一步，错过主流，驯致与馆长等绝缘。博士尽管毫不介意于此，但却使其少了"天下上计毕集太史公"的方便，严重影响到《细说民国》的名山盛业。况博士于初版自序中已经声明："当代人与后世之人知我罪我，也显然将以这部《细说民国》为依据。"犹之孔子的"知我者，其唯春秋乎！罪我者，其唯春秋乎！"

这部《细说民国》，定然将当代的齐桓、晋文、刘邦、项羽、董卓、吕布、关羽、孔明，每人的真面目呈现在读者面前。则我等虽生逢乱世，多灾多难，也可知其灾难来由，不至不明不白，迷惑终生。

若望国人的历史知识普及，"细说体"史著的提倡与推展，似属不二法门。但"细说体"的发展有其限制，并非提倡所能突破。盖史才、史学兼备并具者，历来难得。此所以博士创立"细说体"迄今半世纪，以此名家者，博士之外，更复何人？

后记：恭逢 黎老师七秩荣庆，授业弟子即有献稿祝嘏之议。老师客气，以"八秩再说"为辞。数年来时时读老师"细说体"大著，搜集有关资料，并于年前成稿《国史"细说体"研究》，拟恭呈祝嘏 老师八秩荣庆。不料于一次迁徙中遗失。不得已另亟成此稿充数。若失稿幸而复得，容留用于祝贺　老师九秩荣庆。

原载:《黎东方先生八秩荣庆论文集》
(《简牍学报》第 12 期),1986 年 9 月出版
(本文作者系原台北大学历史系主任、
著名秦汉史学者)

编后记

　　"细说体"是黎东方老师所创的一种史学著作体裁,在台湾先后完成梓行的有《细说清朝》《细说明朝》《细说元朝》《细说民国》《细说史前中国》及《细说三国》等,在学术界和普及历史知识上有很大的影响。

　　黎老师晚年,似有意完成"细说中国全史"的大业,因此和上海人民出版社签约,先将《细说清朝》《细说明朝》《细说元朝》《细说三国》等重新编排出版,并且着手准备写《细说秦汉》《细说两晋南北朝》《细说隋唐五代》《细说宋朝》。但著作尚未完成,不幸于1998年12月30日遽归道山。

　　师母黄鸿书女士,通过台湾中正大学历史系王成勉教授带来口信,说黎老师对正在撰写的几部"细说"已经收集了不少材料,只要略加整理即可成书,希望由中国文化大学史学研究所曾受业于黎老师的师友们襄助整理,将黎老师的心愿完成。我的硕士论文是在黎老师指导下完成的,而且是黎老师所指导学生中年纪最小的,故义不容辞地接下这个任务。

　　在审视王成勉教授带回的黎老师遗稿后,发现除了《细说秦汉》已完成十三节,写到吕不韦外,其余的各断代,仅有一些复印资料,而且主要是由陈庆麒所编的《中国大事年表》中摘印出来,在上面加注少数眉批而已,并未留下任何完整或成段的笔记,所以这些"细说"除了重写外,我们无法为之增补整理。

　　秦汉部分由于已有十三节,我们决定设法将之完成。师友们研究的结果,认为黎老师的《新三国》是由刘邦谈起,恰可补其不足,所以这部《细说秦汉》的整理稿中的第一四节至第三五节以后的内容,是从《新三国》中摘录下来的。为弥补秦始皇至刘邦间的一段空白,将黎老师所撰《楚汉战史》作为附录。

当然如此处理,有明显的不足,例如:秦始皇、项羽等部分,无法补足。同时语气也前后不一致,不过至少保存了黎老师的基本观点。

在整理过程中,吕不韦之前的十三节,除更正一些错字外,对明显笔误之处,亦加以更正。例如,原稿16页云:"这一张世系表中的圈圈,有一个是在女修与伯益之间,有五个是在伯益与中衍之间",查所画世系表及《史记》所载,"五个"应作"四个"方是,故加以更正;37页:"宣公在位十二年,成公在位四年。在位十二年。成公死后,德公的小儿子穆公继位。"句中"在位十二年。"为衍句,故删之;又44页:"梁国在今天山西省的韩城,姬姓与周王室同宗。"按:韩城属今陕西省,非山西省,故改之。另外,这部分黎老师在多处曾注明附地图,但未能找到地图原稿,故地图从缺。至于节录自《新三国》的部分除明显错字外,不更动一字一句。

整理稿完成送至上海人民出版社,责任编辑崔美明女士认为,《新三国》主要是陈述三国历史,两汉部分只是为了说明大时代的背景,如此移入,不免显得轻重失衡。而且汉武帝时代分量过轻,文景时代和昭宣时代完全缺失,也是不合适的。四十五节的总的篇幅,也只有十万字上下,与其他各部"细说"史不一致。因此和我商量,希望能够加以增补。对于黎老师著作的出版,身为学生希望能够忠实保持原貌,不动一字。但出版社的立场不得不考量,经研究讨论,崔编辑和我一致同意,委请老友王子今教授进行补编。

王教授为著名的秦汉史专家,著作等身,肯为《细说秦汉》补编润色,以增其光彩,在此深表感谢之意。补编的经过,王教授在《补编后记》中已有详细说明，于此不再赘述。

　　对于"细说体"的精意，黎老师在大陆版《细说元朝》等书"自序"、邓广铭先生的《"细说中国历史丛书"序言》、唐振常先生的《黎东方先生讲史之学》已有介绍，但最能忠实反映黎老师撰写"细说体"真意者，鄙意认为当推马先醒老师所撰《国史"细说体"的创立及其特色》一文。

　　马先醒老师为台湾中国文化大学史学研究所硕士、文学博士，硕士论文、博士论文（与劳榦教授联合指导）均在黎老师指导下完成，曾担任中国文化大学史学系主任，台北简牍学会、中华简牍学会创办人，著名秦汉史及简牍学专家。

　　现为使读者更深入了解"细说体"之精意，征得业师马先醒教授的同意，将《国史"细说体"的创立及其特色》附载于本书以供参考。

　　　　　　　　　　　　　　　　　　　受　业

　　　　　　　　　　　　　　　　　陈文豪谨记

　　　　　　　　　　　　　　　2001 年 8 月 10 日初稿

　　　　　　　　　　　　　　　2002 年 7 月 10 日二稿

补编后记

　　黎东方先生的"细说体"中国史系列,有独自的特色,曾经产生过积极的学术影响。这套独具一格的史学论著,视野广阔,笔法从容,以口语体的形式说明了错综复杂的历史现象的基本脉络,十分有益于史学的普及,这是大家所公认的。另一方面,作者又对于关键的历史人物和历史事件,阐发了自己的见解,许多认识,堪称卓识。

　　这套书的写作宗旨和文化特征,黎东方先生的《〈细说元朝〉、〈细说明朝〉、〈细说清朝〉、〈细说民国创立〉中国大陆版自序》,以及邓广铭先生的《"细说中国历史丛书"序言》,唐振常先生的《黎东方先生讲史之学》,马先醒先生《国史"细说体"的创立及其特色》都有所说明。

　　遗憾的是,黎东方先生"细说中国全史"的计划,没有能够最终完成。

　　特别是"细说秦汉"的部分,黎先生的遗稿只有十三节,即:一、秦汉以前,二、秦的来源,三、从非子到襄公,四、穆公图霸,五、孝公变法,六、惠文称王,七、昭襄王削弱魏韩赵楚,八、合从攻秦,九、孟尝君,一〇、平原君,一一、信陵君,一二、春申君,一三、吕不韦。

　　承上海人民出版社崔美明女士继续完成"细说中国全史"的好意,受黎先生的夫人黄鸿书女士的委托,中国文化大学历史系陈文豪先生负责整理《细说秦汉》一稿。陈文豪先生在《编后记》中写道:"秦汉部分由于已有十三节,我们决定设法将之完成。师友们研究的结果,认为黎老师的《新三国》是由刘邦谈起,恰可补其不足",于是将黎东方先生《新三国》中的内容摘录补入，成为《细说秦汉》稿的第一四节至第三五节。这样，陈文豪先生整理的《细说秦汉》稿，"一四"以后的篇目即为：一四、刘邦，一五、汉武帝了不得，一六、元帝以后就不行了，一七、老太太当家，一八、王莽是个什么样子的人，一九、光武帝不该打小算盘，二〇、班超十分英雄，二一、短命的皇帝一串，二二、外戚与宦官之争，二三、苍天已死　黄天当立，二四、把董卓引进来了，二五、袁绍发难，二六、几个未曾加盟的人，二七、孙坚有点傻劲，二八、董卓之死，二九、也有人替董卓报仇，三〇、吕布穷无所归，三一、偷曹操的兖州，三二、被曹操赶走，三三、又偷刘备的徐州，三四、死在白门楼下，三五、董承是干什么的，三六、袁术做了一场皇帝梦，三七、刘备被曹操打败，三八、袁绍也被曹操打败，三九、他的三个儿子、一个外甥都被曹操解决，四〇、连辽西乌桓也入于曹操掌握，四一、刘表被曹操吓死，四二、年轻的孙权竟想抵抗，四三、赤壁之战，四四、周瑜死得可惜，四五、三分天下。

　　陈文豪先生说，"当然如此处理，有明显的不足，例如：秦始皇、项羽等部分，无法补足。""为弥补秦始皇至刘邦间的一段空白，我们将黎先生所撰《楚汉战史》作为附录。"当然，还有一个明显的问题，是黎先生原作《新三国》主要是陈述三国历史，两汉部分只是为了说明大的背景，因此如此移入，不免显得轻重失衡。汉武帝时代分量过轻，而文景时代和昭宣时代完全缺失，也是不合适的。而四十五节的总的篇幅，也只有十万字上下，与其他各部"细说"诸史未能整齐。出于这样的考虑，陈文豪先生和崔美明女士又盼咐我来完成《细说秦汉》的补编工作。本知为黎东方先生大著作补编，后学仰攀大家，有兼葭倚玉树之感，心实惶恐，而念及与陈、崔两位多年友情，遂不得不从命。

　　我进行的第一项工作，是将黎先生所撰《楚汉战史》的内容插入陈文豪先生编定的《细说秦汉》稿中，以"弥补秦始皇至刘邦间的一段空白"。

《秦汉战史》原来为六节,各节标题是:一、背景,二、项羽,三、刘邦,四、争雄,五、相持,六、决战。为了与黎东方先生的"细说体"中国史系列其他各部相协调,于是改为七节,另列各节标题为:二八、秦汉之际大变局,二九、陈王奋起,三〇、项羽在钜鹿大显威风,三一、先入关者王之,三二、刘项争雄,三三、鸿沟分界,三四、垓下决战。

我进行的第二项工作,是补写秦始皇时代、文景时代、昭宣时代以及其他时代必要的部分。所补写的内容,有:六、用文化眼光看商鞅,一四、长平之战,一六、秦始皇的神秘身世,一七、蕲年宫事变,一八、六王毕,四海一,一九、千古一帝,二〇、中国政治的新秩序,二一、焚书坑儒,二二、以吏为师,二三、沙丘政变,二四、秦二世的暴政,二五、指鹿为马,二六、李斯的悲剧,二七、秦政的"德治"包装,三六、白登的耻辱,三七、功臣一个个死掉,三八、吕后的故事,三九、文景之治,四〇、洛阳才子贾谊,四一、为富安天下,四二、游戏结了死仇,四三、清君侧,四四、平了七国之乱,四五、唐姬误会,四七、东方朔的政治幽默,四八、匈奴未灭,无以家为,四九、司马迁和《史记》,五〇、戾太子刘据,五一、轮台诏,五二、儒生的地位上升了,五三、天马西来,五四、昭宣时代的中兴,五八、农民暴动,五九、烂羊头,关内侯,六〇、红眉毛的大军,六三、甘英遗憾,六六、班固和《汉书》,六七、新兴的田庄经济,六八、东汉"土围子",六九、太学生运动,七〇、党人的光荣,七一、政坛"铜臭",七二、汉末民间秘密宗教,七四、大灾荒和流民运动,七五、江南得到了开发,九八、夷陵战役,九九、诸葛亮的神话。

这样,全书九十九节中,黎东方先生《细说秦汉》原稿十三节,《楚汉战史》七节(另拟标题),《新三国》三十二节(其中"刘邦"一节因列于"刘项争雄"、"鸿沟分界"、"垓下决战"等节之后,改题为"汉高祖"),共五十二节;王子今补编四十七节。

　　对于黎东方先生的文字，我们只是将原《楚汉战史》开篇的一段话，移到"二八、秦汉之际大变局"一节的最后，以使文意大体连贯。其余内容，都希望能够保持原貌，均按照陈文豪先生遵循的原则，"不更动一字一句"。由于黎东方先生原稿东汉末年部分论说较为详尽，此前各篇则相当简略。为使详略大体平衡，前面的各篇增写较多。这样就面临着一个困难，这就是黎东方先生原稿的略写和补编部分的详写，两部分不免重叠的问题。考虑到多种因素，以为以不拆散割裂黎东方先生原稿各篇内容为妥。从这样的想法出发，尽可能在增写时照应原稿的文字，以使顺利衔接并且避免重复。极少数实在不得已处，宁可容忍个别内容表面上的前后互见，也不对黎东方先生的文字妄作删改。

　　由于黎先生的原作来源本自有三：《细说秦汉》遗稿，《新三国》摘编部分，《楚汉战史》（变更标题），相互之间个别字句有所重复实难避免。可是如若擅自处理，难免会破坏原作固有的风格，因此亦不作删动。希望读者能够谅解。

　　笔者补写的部分，希望能够尽量与黎东方先生"细说体"中国史系列的特殊风格相接近，但是学力有限，而且多年的行文习惯已经很难一时改变，最终只能望黎先生大著之潇洒诙谐而兴叹，自知狗尾续貂，蝇污白璧，深心不安。想到这里，不免始赧然以愧，又缺然以栗。

　　这项工作主要是在春节前后完成的。写到这里，已是元宵。总算可以向陈文豪先生和崔美明女士交卷了。然而是不是能够及格，内心依然忐忑。

王子今

2002 年 2 月 26 日

北京大有北里

图书在版编目(CIP)数据

黎东方讲史之续.细说秦汉/黎东方著;陈文豪整
理;王子今补编.—上海:上海人民出版社,2019
ISBN 978 - 7 - 208 - 15770 - 5

Ⅰ.①黎… Ⅱ.①黎… ②陈… ③王… Ⅲ.①中国历
史-通俗读物 ②中国历史-秦汉时代-通俗读物 Ⅳ.
①K209 ②K232.09

中国版本图书馆 CIP 数据核字(2019)第 048023 号

责任编辑 郭立群
封扉设计 人马艺术设计·储平

黎东方讲史之续·细说秦汉

黎东方 著 陈文豪 整理 王子今 补编

出 版	上海 人 A 出 版 社	
	(201101 上海市闵行区号景路 159 弄 C 座)	
发 行	上海人民出版社发行中心	
印 刷	苏州工业园区美柯乐制版印务有限责任公司	
开 本	890×1240 1/32	
印 张	14	
插 页	5	
字 数	324,000	
版 次	2019 年 5 月第 1 版	
印 次	2023 年 3 月第 3 次印刷	

ISBN 978 - 7 - 208 - 15770 - 5/K · 2828

定 价 68.00 元